조이스박의 오이스터 영어 교육법

조이스박의
**오이스터
영어 교육법**

1쇄 발행 2022년 12월 22일
3쇄 발행 2023년 7월 7일

지은이 조이스 박
펴낸이 유해룡
펴낸곳 ㈜스마트북스
출판등록 2010년 3월 5일 | 제2021-000149호
주소 서울시 영등포구 영등포로5길 19, 동아프라임밸리 611호
편집전화 02)337-7800 | **영업전화** 02)337-7810 | **팩스** 02)337-7811
홈페이지 www.smartbooks21.com
원고투고 www.smartbooks21.com/about/publication

ISBN 979-11-90238-71-7   03370

조이스박의
오이스터
영어 교육법

뇌과학이 밝혀준 영어읽기의 비밀
아이가 영어책을 혼자 줄줄 읽는 가장 빠른 방법

조이스 박 지음

"엄마표 영어는 100% 틀리거나 100% 맞다.
내 아이에게 맞지 않는 학습법은 100% 틀리기 때문이다."

스마트북스

엄마표 영어로 생길 수 있는 작은 구멍들까지
꼼꼼히 짚어줘요

엄마표 영어를 하는 저 같은 엄마들에게 정말 도움이 되는 책입니다.

다른 엄마표 영어책들과 분명 달라요.

단순히 '내가 아이를 이렇게 엄마표로 키웠어요'가 아니라

30년간 영어교육에 몸담고 연구해온 저자가 엄마표 영어로 생길 수 있는

작은 구멍들까지 꼼꼼히 짚어줍니다.

저도 두 아이를 엄마표로 진행 중인데,

아이들에게 영어 그림책을 읽어주고, 어느덧 아이들이 자연스레 알파벳을

인식하고 파닉스를 하는 일련의 과정에서 '이 다음은 어떻게 해야 하는 걸

까?' 하는 불안함과 의구심이 들곤 했는데,

책을 읽는 내내 모국어가 한국어인 아이들이 영어를 받아들이는 과정에서

겪는 자연스러운 오류들을 너무 잘 짚어준다는 생각이 들었습니다.

아이들이 하는 여러 가지 실수들은 뇌 발달과정상 으레 일어나는 일인데도,

'아, 내가 체계적으로 길을 잡아주지 않아서 아이의 아웃풋이 이런 건가' 하고,

결국 엄마표의 열매를 거두지 못하고 학원으로 가서,

우리가 20년 전에 배웠던 방식으로 다시 돌아가는 경우가 너무 많거든요.

특히 책의 앞부분에 나오는 '뇌과학이 알려준 읽기 발달과정'이 너무나도 좋았고 유용했습니다. 선생님의 '영어 그림책 지도자' 과정에서 흥미롭게 듣고 배운 내용인데도, 일목요연하게 정리하여 문장으로 풀어주니 더욱 깊이 이해가 되었습니다.

최근의 영어교육 안내책들은 크게 두 가지로 분류되는 것 같아요.
하나는 입시영어, 다른 하나는 모국어 습득 방식으로 체득하는 영어와 관련된 책요. 그래서인지 모국어 습득 방식으로 배우는 유튜브나 미디어의 콘텐츠를 이용한 책들이 정말 많은데요.
이 책은 영어 그림책, 미국 교과서, 나아가 문해력을 다지고 공고히 하는 읽기(reading)에 초점을 두고, 그것을 통해 말하기, 쓰기까지 확장하고 있어서 좋았습니다.

특히 단순히 이분법적으로 "이것은 입시영어가 아닌, 엄마표 영어!" 이런 식이 아니라,
올바르게 나아간 엄마표 영어의 방향성이
결국 입시영어에서도 쓸모가 있도록 어휘학습법 등에 대해서도 실어주어 더 유용했습니다.
큰아이가 초등 2학년이라 주변의 엄마들이 곧 3학년에 올라가면 학교에서도 영어가 시작되니, 앞으로 어떻게 해야 하나 고민을 털어놓을 때가 많은데 이 책을 자신있게 권해야겠어요:)

_조윤하(초등 2학년 황＊준, 6세 황＊후 엄마)

학원에서 하지 않는 부분까지
편하게 보충할 수 있어요

알파벳 인식활동에서 여러 활동들을 자세히 설명하고,

더불어 워크시트까지 제공해 엄마들이 편하게 시작할 수 있을 것 같아요.

음소 가지고 놀기나 너서리 라임 톱 8 같은 경우 설명, 가사, 번역,

더불어 유튜브 추천 영상이 있어서, 영어에 자신없는 엄마들도 접근하기 쉬워서 좋았습니다.

무엇보다 학원에서 하지 않는 부분들을 엄마가 더 해줄 수 있는 방법을 많이 소개한 점이 맘에 쏙 들어요. 우리 아이가 다니는 영어학원의 경우, 책 읽기와 오디오로 듣기를 필수로 하면서 단어를 뽑아 영어 뜻으로 외워서 시험을 보는데, 이 책에 있는 독후활동들을 연계해봐야겠어요. 특히 독후활동 부분은 한글책 읽은 후의 독후활동으로 사용해도 좋을 만큼 유용했습니다.

_ 안희경(초등 4학년 이레네 엄마)

뇌과학이 알려주는 영어 읽기
궁금하고 모호했던 부분이 싹 정리된 느낌

중간중간에 그림, 표, 사진 등이 적절히 있어서 행간도 생기고 시각적으로 즐거웠습니다. 또한 이런 부분들이 내용을 직관적으로 이해하는 데 많은 도움이 되었습니다.

파닉스, 리더스, 챕터북, 영어 그림책 읽기 등 전반적인 설명이

아이들의 인지발달에 기반해 있어 너무 좋았습니다.

게다가 엄마가 직접 지도할 수 있는 (어렵지 않은) 방법이 구체적으로 나와

있어 부담없이 시작할 수 있어요. 특히 특별부록으로 제공하는 다양한 워크시트가 너무 좋아요. 당장 아이와 함께해봤답니다.

그동안 아이와 엄마표 영어를 하면서
궁금하고 모호했던 부분들이 싹 정리되는 느낌입니다.
영어로 된 문서를 읽을 때 소리내어 읽는 버릇이 있었는데
이렇게 하면 뜻이 이해가 훨씬 잘되어 그랬거든요.
이 책을 읽으며 왜 그런지 이유를 알고나니 고개가 절로 끄덕여집니다.
아이의 영어 공부 로드맵이 보이고 자신감이 생기네요. 감사합니다!

_ 메이쌤(초등 1학년 최예린 엄마)

그동안 간절히 바라왔던 책
한 자 한 자 씹어 먹듯이 봤어요

뇌과학, 심리학, 교육학의 여러 연구를 바탕으로 잘못된 우리의 어린이 영어 코칭법을 바로잡아주고, 상세한 예시와 여러 유용한 사이트, 정성이 뚝뚝 묻어나는 워크시트까지… 보는 내내 신세계였습니다.
그동안 제가 접한 어린이 영어 코칭법들은 이론적 근거나 아동발달의 특성, 영어와 한국어의 학습법 차이가 왜, 어떻게 나는 건지 설명이 빈약하고 방법론적 부분만 전달해주었던 것 같습니다. 그동안 간절히 바라왔던 책을 만난 느낌입니다. 한 자 한 자 씹어먹듯이 봤어요. 엄마표 영어의 횃불이 될 책이라고 생각합니다.

_ 이송이(7세 정아인 엄마)

The World Is Your Oyster!

The world is your oyster!(세상은 네 굴이다!)라는 표현은 '세상은 네 것이다', 나가서 '원하는 바를 이루고 성취하라!'는 뜻으로 쓰이는 관용어구이다. 세상은 네가 가지라고 있는 것, 혹은 세상은 네가 즐기라고 있는 것 정도로 풀어쓸 수 있다.

원래 이 표현은 셰익스피어의 희곡 『윈저의 즐거운 아낙네들(The Merry Wives of Windsor)』 2막 2장에 나오는 표현이다. 셰익스피어의 여러 희곡에 등장하는 가장 개성 있는 인물 중 하나인 폴스타프(Falstaff)가 한 말이기도 하다. "Why then the world's mine oyster, Which I with sword will open."(뭐 그러면 세상은 내 굴이니 칼로 열지!) 이 대사에서 비롯되었다. 석화라 불리는 굴의 껍질을 칼로 벌려 열어 그 안의 굴을 얻겠다는 뜻인데, 굴 껍질을 열 정도의 난이도면, 아득한 절벽 꼭대기에 서 있거나 엄청난 바위가 앞을 가로막은 상황 등에 비하면 세상이 그리 어려운 곳이 아닌 게 분명하다. 다만 굴 껍질 하나만 열면 되고, 때로는 그 안에서 진주를 찾기도 한다. 그래서 『행복을 찾아서(The Pursuit of Happyness)』의 저자 크리스 가드너(Chris Gardner)는 "The world is your oyster. It's up to you to find the pearls."(세상은 네 굴이다. 진주를 찾는 것은 네 몫이다)라고 말하기도 했다.

어린이 영어교육만큼 왜곡된 시장도 없는 것 같다

이 책, 『조이스 박의 오이스터 영어교육법』은 아이들이 세상에 나가 굴 껍질을 열고 진주를 발견하기를 원하는 부모님들을 위해 쓴 책이다.

우리는 이미 영어가 세계 보편어(English as a Lingua Franca)인 세계에 살고 있고, 더욱 영어가 중요해질 세계로 아이들을 키워 보내주어야 하는 바, 어린이 영어교육은 정말로 중요하다. 하지만 어린이 영어교육만큼 왜곡된 시장도 없는 것 같다.

어린이부터 대학생과 직장인과 주부 등 여러 성인까지 골고루 영어를 가르쳐본 내 경험으로는 성인을 가르치는 게 가장 쉽다. 이미 학습태도가 되어 있고, 인지가 발달되어 있으며, 학습동기를 스스로 갖춘 학습자들만큼 가르치기 편한 학습자는 없기 때문이다.

이에 반해 어린이 학습자들은 학습하는 법을 배워가는 학습자들이고, 학습동기도 딱히 없을 수 있고, 인지발달도 아직 완성되지 않은 학습자들이다.

어린이들의 인지발달 단계를 모르고 가르치는 영어 강사들도 몇 년 경험치가 쌓이면, 감으로 어린이가 무엇을 이해하고 무엇을 할 수 없는지 등을 알 수는 있다. 하지만 직업으로 페이를 받으며 가르치는 강사가 어린이들의 인지발달 단계에 대해 모른 채 가르치는 그 몇 년은 사실 변명할 수가 없는 기간이기도 하다.

또한 언어발달의 단계라는 것도 존재해서, 원어민 어린이나 외국인이나 영어를 배워나갈 때 공통적으로 습득/학습을 해나가는 단계라는 것도 존재한다. 이 모든 걸 알고 가르치는 것이 참으로 중요하기 때문에, 어린이에게 영어를 가르치는 일이 성인에게 영어를 가르치는 일보다 몇 배 더 어렵다.

또한 어린이들이 구사하는 영어가 쉽다고 해서 영어를 딱 고만큼만 가르쳐도 되는 줄 알고 어린이 영어강사가 된다면, 그건 큰 착각이라고 얘기하고 싶다. 이런 강사가 실제로 많기 때문에 어린이를 학원에 보내는 부모에게 분별하는 눈이 있어야 한다.

이제 영어교육은 과학이다

또 한 가지, 영어교육은 이제 과학이다. 과학이라고 말할 때에는 수백 번 혹은 수천 번 실험과 재현을 통해 나온 결과와 여기에 학자들이 합의한 결론이라는 게 있다는 뜻이다.

엄마표 영어에 대해 정말로 주의해야 할 점은, 자기 아이 하나의 성공 케이스로 과도한 일반화를 하는 오류를 저지를 수 있다는 점이다.

정작 같은 부모의 아이라도 한 아이는 영어를 잘하고 다른 아이는 못 하는 경우가 많고, 영어를 잘한다고 부모의 마케팅 수단이 되는 아이들은 열 중에 아홉은 여자아이이다. 영어교육 학계에서는 최소 수백, 많게는 수천, 수만까지 수많은 아이들을 대상으로 실험한 결과를 두고 말하고 있기 때문에, 이들이 연구결과를 통해 하는 말에 신뢰를 두어야 한다.

어린이 영어 읽기 학습의 로드맵

이 책이 엄마표 영어의 과도한 일반화 오류를 바로잡고, 과학적인 영어교육의 여러 연구결과들을 현장으로 가져오는 징검다리 역할을 했으면 좋겠다. 먼저 부모님들부터 어린이 영어 읽기 학습의 제대로 된 로드맵을 파악하고, 좋은 책과 좋은 프로그램과 좋은 강사를 선택해 아이들의 영어 여정에 훌륭한 길잡이가 되기를 바라는 마음으로 이 책을 썼다.

이 책은 2022년 6~8월 서초구립반포도서관에서 했던 6회의 강의 내용이 토대가 되었다. 강연의 장을 열어주신 조금주 관장님께 깊이 감사드린다. 수강 신청 오픈 2시간 만에 정원 100명이 마감되어, 부랴부랴 정원을 200명으로 늘리고 마감한 강좌이기도 하다. 그때 강연을 들어주시고 참여해주신 수강생분들께도 감사드린다. 또한 그 강연원고를 정리하는 데에 함께 해주신 스마트북스 출판사에도 깊은 감사의 뜻을 표한다. 마지막으로 내 박사과정 지도교수이시며, 우리나라 어린이 영어교육의 진짜 고수이신 이윤 교수님께도 깊이 감사드린다.

오이스터는 영국 런던의 교통카드 이름이기도 하다. 이 카드를 충전하면 런던 여기저기를 자유롭게 돌아다닐 수 있다. 이 교통카드를 충전한다는 표현은 "Top up an oyster card"라고 한다. 영어가 세계를 주유하는 데 꼭 필요한 '랭귀지 패스포트'인 시대에 이 책이 어린이 영어를 충전해주는 훌륭한 충전기 역할을 하기를 바란다.

2022년 12월 5일
조이스 박 드림

30년차 영어교육 전문가, 영어 선생님들의 선생님
조이스 박의 현장경험을 녹여낸 책

- 한국 부모들의 파닉스와 읽기에 대한 오해
- 나선형 학습의 힘: 수용적 지식에서 표현적 지식으로
- 미국의 교과서 독해문제 무엇이 다른가?

30년차
영어 선생님들의
선생님

 뇌과학이 밝혀준 영어읽기의 비밀
아이가 영어책을 혼자 줄줄 읽는 가장 빠른 방법

- 뇌과학이 밝혀준 읽기 발달의 3단계
- 왜 누구는 잘 못 읽고, 누구는 잘 읽는 걸까?
- 단어 인식 능력을 높이는 법

 잘못된 영어 교육법 부수기
파닉스, 어휘, 리딩, 스피킹, 라이팅까지

- 파닉스가 안 되는 대학생, 무엇이 문제였을까?
- 지문을 읽긴 하는데, 의미가 안 걸리는 아이들
- 대학생들이 왜 영어 에세이를 못 쓸까?

4 영어코칭 & 영어독서 로드맵
모호했던 부분이 싹 정리된 느낌

- 사전-문해성 6가지 기능·텍스트 톡 3단계
- 한국 부모들이 소홀히 한 가이디드 리딩법 4가지
- 유창한 읽기를 위한 6가지 청킹 연습
- 유창한 읽기를 위한 7가지 기술
- 영어 글쓰기가 쉬워지는 7가지 독후활동

5 수용적 지식에서 표현적 지식으로!
풍부한 어휘력을 위한 코칭법

- 한국의 영어 어휘 학습, 무엇이 문제인가?
- 헐거운 주제에 의한 방식
- 나선형 어휘학습법

6 집에서 당장 활용할 수 있는
특별부록 3종 세트 & 팁

- 워크시트 41가지 PDF 제공
- 워드 패밀리 연습 66 PDF 제공
- 부모들이 자주 하는 질문과 답변 19
- 조이스 박 엄선, 추천 영어그림책/영어교재 목록
  유용한 영어교육 사이트들
  추천 영어영상 15

차례

 1장 뇌과학이 밝힌 영어 읽기의 비밀

 2장 잘못된 파닉스 접근법 부수기

3장 파닉스 리더스와 마더구스

 # 4장 가이디드 리딩 1

5장 가이디드 리딩 2

 # 6장 유창한 읽기를 위한 다독 기술

7장 영어책 읽기에서 라이팅(Writing)으로!

특별부록 1: 부모님들이 자주 하는 질문과 답변 · 340

- 파닉스 리더스와 사이트 워드 리더스에 대해 궁금합니다.
- 한국어로 된 책과 동영상만 달라고 고집하고, 영어책을 보여주면 거부해요.
- 언제부터 영어 읽기를 가르쳐야 하나요?
- 소리내어 읽기가 중요하다는데, 엄마가 읽어주어도 되나요?
- 영어학원에서 나이와 관계없이 영어 실력에 따라 클래스를 구성하는데 괜찮나요?
- 파닉스를 늦게 시작해도 되나요? 초등 5학년인데 파닉스를 한번도 한 적이 없어요.
- mouse라고 읽어주면 "마우" 이렇게만 발음해요.
- 중학생인데 영어 스위치가 끊어진 상태예요.
- 파닉스 이후 연결하는 좋은 공부방법이 궁금합니다.
- 옥스포드 리딩 트리(ORT)로 진행하려면, 아이가 사이트 워드를 얼마나 알아야 하나요?
- 초등 1학년, 파닉스 초급 단계인데, 쉬운 영어 그림책을 읽어주면 재미없다고 해요.
- 제가 영어 단어들을 손가락으로 가리키며 읽으면, 아이가 그렇게 하지 말라고 해요.
- 초등학교 고학년 아이로 듣기와 말하기는 되는데, 글밥 있는 영어책을 읽는 것을 부담스러워 해요.
- 아이가 내용을 다 이해하지 못해도, 영어로 계속 읽어줘도 되나요?
- 초등 1학년 남자아이인데 영어책 읽는 것을 좋아하지만, 소리내어 읽기와 반복 읽기를 싫어해요.
- 빨리 잘 읽기는 하는데, 청크로 끊어읽기가 안 되고, 너무 빨리 주루룩 읽어버려요.
- 영어 그림책과 한글 그림책의 읽기와 독후활동이 다른 점과 유의점이 무엇인가요?
- 영어책을 읽을 때 엄마가 영어를 잘해야 할까요?
- 책 자체를 별로 안 좋아하는 아이라면 어떻게 해야 하나요?
- 자기 수준에 맞지 않는 어려운 영어 동화를 읽어주는 것을 좋아하는데, 계속 읽어줘도 될까요?
- 영어 수준이 서로 다른 아이들이 모둠으로 같은 주제의 다른 책들을 읽고 할 수 있는 독후활동이 있나요?

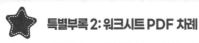

특별부록 2: 워크시트 PDF 차례

문자습득 및 파닉스

가이디드 리딩

다독

출판사 홈페이지(www.smartbooks21.com)의 **자료실→책부속자료** 코너에서 PDF 파일을 다운받아 사용하세요.

 특별부록 3: 워드 패밀리 연습 PDF 차례

뇌과학이 밝힌
영어 읽기의 비밀
★★★
★

01
Part

지인의 초등학교 1학년 아들이 영어로 쓴 일기를 본 적이 있다. 아이가 b와 d를 헷갈려 하고 있었다.

아이가 아직 b와 d를 헷갈려 한다고요?

아이는 'Do you like~'와 'Yes, I do. No, I don't.'에서 d를 모두 b로 쓰고 있었다. 사실 아이들은 b와 d뿐만 아니라 f와 t 등 몇 가지 알파벳을 헷갈려 한다. "b와 d를 헷갈려 하는 아이들은 어떻게 해야 할까요?" 하고 질문을 하는 분들도 많다.

b와 d를 헷갈려 하는 아이는 **아직 문자를 그래픽 정보로 처리**(graphic processing)하고 있는 상태다. 즉, 문자 처리과정(letter processing)이 아직 자동화

24

가 안 된 상태다. 그래픽 정보 처리과정은 인간이 진화하면서 사냥과 채집에 맞게 발달했으며, 특별한 훈련이 없어도 가지고 태어난다. 그러나 문자 처리과정은 인위적, 후천적 학습이라 시간과 공을 들이고 연습해서 우리 뇌 안에서 자동으로 처리되게끔 그 과정을 만들어주어야 한다.

문자는 많은 정보를 압축해서 굉장히 효율적으로 전달하는 수단이다. 인간은 문자를 사용하면서 엄청난 정보를 시간과 공간을 넘어서 전달하는 능력을 확보했고 문명의 발달을 일구어냈다. 그 어느 때보다 정보가 넘치는 사회에서 사는 우리에게 이러한 문자 처리과정의 자동화는 그 무엇보다도 중요하다.

우리 뇌에서 그래픽 정보 처리과정과 문자 처리과정은 사용하는 부위도 다르고 과정도 다르다. 그렇다면 문자를 아직 그래픽 정보로 처리하는 아이를 어떻게 문자 처리과정으로 끌어올 수 있을까?

그래픽 정보 처리에서 문자 처리과정으로 끌어오려면

아이가 b와 d를 헷갈려 하면 그동안 시중의 강사들은 이렇게 가르쳐왔다. 영미권에서 들어온 방법이다. "b는 배가 나왔고, d는 등이 나왔어." 또는 이렇게 설명하기도 한다. "b는 배가 있고, d는 기저귀를 차고 있어." 혹은 "양손 엄지손가락을 세워서 b와 d 글자에 대고 비교해봐"라고 한다.

"b는 배가 나왔고, d는 등이 나왔어."

"b는 배가 있고, d는 기저귀를 차고 있어."

"양손 엄지손가락을 세워서 b와 d 글자에 대고 비교해봐."

그런데 이것은 시간이 오래 걸리고 비효율적인 방법이다. 그래픽 디테일에 주의를 환기시킨다고 문자 처리를 할 수 있는 것은 아니기 때문이다. 실제로 이렇게 아이를 가르쳐본 엄마들은 알겠지만, 이런 방식으로 했다고 해서 아이가 금방 b와 d를 구분하는 것은 아니다. **아이는 '때'가 될 때까지 계속 틀릴 것이다.**

영어 읽기 연구 분야는 최근 20여 년간 굉장히 빠르게 발전했다. 특히 뇌과학이 들어오면서 인간의 뇌가 읽기를 할 때 어떻게 움직이는가에 대한 연구가 많이 이루어졌다.

언어도 발달단계가 있고, 그래픽 정보처리가 문자 정보처리로 넘어가는 것도 거쳐야 할 과정과 단계가 있다. 부모들은 아이가 효율적으로 그 과정을 만드는 걸 도와야 하는데 어떻게 도울 수 있을까?

보통 전문가들은 '노출(exposure)'을 해주면 된다고 하고 노출수단으로 책, 영어 동영상 등을 이야기한다. 그런데 노출을 어떻게 하는지에 대해서는 그래픽 디테일에 주의를 돌려야 한다는 이야기밖에 안 한다.

과거에 모 업체의 컨설턴트로 일하면서 40여 개 방과후학교 원어민 교사들의 영어 수업에 들어가서 관찰하고 피드백을 한 적이 있다. 우리도 한글을 어떻게 배웠는지 기억 못하듯, 원어민들도 자신들이 어릴 때 어떻게 알파벳과 파닉스를 인식하게 되었는지 모른다. 그러다 보니 흔히들 이렇게 가르친다.

"b, u, s는 bus야. 하나씩 읽어. 한 자씩 써! B−U−S!"

하지만 이런 방법은 어린아이들에게 인지부담이 너무 크다. 외국인 성인들에게 한글을 가르쳐본 적이 있는데, 우리는 한국어 읽기가 자동화되어 ㅊ과 ㅊ (획 삐친 ㅊ)을 보고 다 ㅊ이라고 읽지만, 외국인은 성인도 두 글자를 구분하지 못하는 경우가 많았다. 사실 ㅊ과 ㅊ은 그래픽 정보가 다르지 않은가! 그래픽 정보로 문자를 처리하는 경우 획 하나하나를 디테일까지 봐야 하니 정보처리량이 많아져서 인지부담이 매우 크다. 성인도 이런데, 영어를 처음 배우는 아이에게 bus라는 단어를 제시하면서 b라는 글자, u라는 글자, s라는 글자의 그래픽 정보를 다 구별하라는 것은 엄청난 요구이다.

3~7세 정도의 아이를 키우는 부모들은 가끔 자기 아이가 영재라고 착각하는 경우가 있다. 아이가 어떤 개를 보고 와서 그림을 그린다고 하자. 어른들은 같은 개를 보고 '음, 저 개는 눈에 점이 있고 꼬리가 짧네!' 정도로 기억하는데, 아이들은 하나하나 다 기억하는 경우가 있어서 어른들이 경탄할 때가 있다.

그러나 이것은 경탄할 만한 영재성이 아니다. 어른의 경우 이미 머릿속에 '개'라는 대상에 대한 스키마(schema)가 있다(쉽게 말해 스키마를 찍는 판을 '템플릿'이라고 하자). 즉, 어른은 이미 살면서 수백, 수천 마리의 개를 보면서 공통적 특성에 대한 템플릿이 머릿속에 있다. 그래서 특정한 개를 보면, 이 템플릿으로 찍어서 '아, 개네' 하고 인지한 후 눈에 띄는 특징만 기억하고, 나머지 다른 개와 별반 다를 바 없는 것은 기억하지 않는 것을 선택한다. 원래 인간은 수많은 정보를 처리하기 위해 선별적으로 기억하는 방향으로 진화해왔다(진화에 대한 이론 중에는 네안데르탈인들이 모든 것을 다 기억하다 못해 선조들에게 집단기억을 물려받기까지 해서 오히려 기후변화로 인한 주변환경 변화에 적응하지 못하는 바람에 멸종한 거라는 이론도 있긴 하다).

하지만 어린아이들은 하나하나 다 보고 기억하려 든다. 머릿속에 '개' 템플릿이 없기 때문이다. 따라서 템플릿이 없는 아이들이 어른은 같이 보고도 기억 못 하는 세부사항들을 기억하는 것을 가지고 영재라고 착각하면 안 된다. 영재가 아니라 그냥 그럴 수밖에 없어서 다 보고 다 기억하는 것뿐이다.

아이들은 '유추'를 사용해야 한다

그렇다면 그래픽 정보로 문자를 처리하는 아이를 어떻게 문자 처리과정으로 끌어올 수 있을까? 아이가 스스로 유추(analogy)하는 과정을 만들어주어야 한다. 아이가 스스로 머리를 써서 헤아려내는 과정을 만들어야 머릿속에 회로가 생기고 템플릿을 만들어가기 시작한다. 유추를 사용하는 예를 하나 들어보겠다.

첫째, 아이들에게 영어 단어카드를 주고, 처음에는 "b로 시작하는 단어 카드만 찾아올래?"라고 한다. 이때 다 읽으라고 하면 안 되고 '첫 문자'만 구별하게 해야 한다. 그러면 비슷한 bus, boat 등을 찾아올 것이다. 아이들은 아직 단어에서 첫 문자 뒤의 다른 문자들은 안 보인다.

둘째, 이번에는 "d로 시작하는 단어카드를 찾아봐"라고 한다. 그러면 아이가 dog, duck을 찾아올 것이다. 아이들은 아직 읽지 못한다. 그냥 첫 문자가 d로 시작하는 것을 가지고 오는 것이다.

유추 사용1

셋째, 위의 과정을 여러 날에 걸쳐 반복한다. 이제 b 바스켓과 d 바스켓을 만든 다음에 b로 시작하는 단어카드를 다 찾아서 b 통에 넣게 하고, d로 시작하는 단어를 다 찾아서 d 통에 넣도록 한다.

이것이 바로 그래픽 정보처리를 하는 아이들을 문자 정보처리로 끌어오는 예 중 하나이다. 이런 활동을 여러 번 반복하면 아이들은 단지 외우는 것이 아니라, 머리에서 유추과정을 사용해서 b와 d를 판별하기 시작한다. 하루에 다하는 것이 아니라 며칠에 걸쳐서 반복해야 한다. 그러면 문자 처리과정이 머릿속에서 돌아가기 시작한다. 아이에게

유추 사용 2

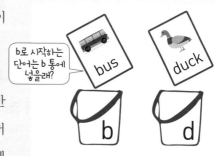

인지적 부담을 주지 말고, 유추를 통해 문자정보 처리과정으로 자연스럽게 이끌어야 하는 것이다.

지금까지 아이의 알파벳 습득과 관련하여 우리의 잘못된 학습법의 한 예를 들었다. 그런데 **우리 아이들이 알파벳 습득뿐만 아니라 영어 학습 전반, 즉 파닉스, 어휘, 리딩, 스피킹, 라이팅까지 잘못된 학습법으로 익히고 있지는 않은지 되돌아봤으면 한다.** 이로 인해 아이들이 인지부담을 많이 느낄 뿐만 아니라 시간과 돈의 투여에 비해 결과가 좋지 못하고, 심지어 영어를 싫어하게 되어 중학생이 되면 손에서 놓는 경우도 더러 본다.

그동안 영어 읽기 학습과 관련하여 뇌과학, 심리학, 교육학 등에서 여러 연구들이 있어왔다. 아이들의 학습은 과학적으로 이루어져야 한다. 물론 학습은 아이들 스스로 하는 게 맞다. 하지만 부모가 초기에 어떤 방법으로 이끌어줄지, 어떤 방향을 잡아줄지에 대해 많이 공부해야 한다. 그런데 우리는 정작 부모가 이런 공부는 하지 않고 그저 애들한테만 공부를 하라고 강요한 것은 아닐까? 이제 **아이들의 발달에 맞는 영어 읽기법**을 차근차근 살펴보자. 일단 뇌과학이 밝힌 읽기의 비밀부터 만나보자.

뇌과학이 밝혀준
읽기 발달의 3단계

언어지식은 소리→문자(패턴)→의미 순서로 발달한다

문자습득 단계에서 아이들의 언어지식은 '소리→문자(패턴)→의미'의 순서로 발달한다. 아이들은 문자를 배우기 이전에도 음성언어로 익힌 어휘들의 소리와 의미를 알고 있긴 하다. 이 어휘들은 문자습득 시 문자(패턴)와 매칭하는 훈련을 통해 학습의 기반이 되어준다.

하지만 음성언어로 익히는 어휘는 수천 개 수준(미국 초등 입학 기준 2,000~6,000개)으로 한계가 있고, 문자를 읽을 줄 알게 된 후 아이들의 어휘력은 폭발적으로 증가해서 2년 안에 수만 개에 달하게 된다. 따라서 읽는 법을 배운 이후의 언어지식의 단계가 굉장히 중요하다.

아이들은 먼저 귀로 듣고 소리를 알게 되고, 문자를 소리내어 읽을 줄 알아야 하며, 그래야 나중에 의미가 걸리게 된다. 어린아이들에게 소리내어 읽기가 매우 중요한 이유가 바로 이 때문이다. 단어를 소리내어 읽을 줄 알아야 의미가 따라온다. 특히 우리 아이들의 영어 학습은 소리를 (잘) 모르는 상태에서

아이의 언어지식 발달단계

시작하기 때문에 '소리→문자(패턴)→의미'의 순서가 더더욱 중요하다.

우리 머릿속에서 소리, 시각상징(부호), 의미는 각각 다른 구역에 나누어 저장된다. 프랑스의 세계적인 실험인지심리학 교수 스타니슬라스 드앤(Stanislas Dehaene)이 지은 『글 읽는 뇌(Reading in the Brain)』의 다음 그림을 보면, 뇌에서 의미가 저장 처리되는 구역과 소리(발음 및 조음)가 저장 처리되는 구역, 시각정보(시각상징인 문자)가 저장 처리되는 구역이 다 다르다는 것을 알

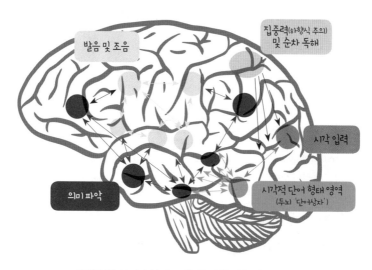

출처: 『글 읽는 뇌』 스타니슬라스 드앤 지음, 이광오·배성봉·이용주 공역, 학지사, 2017년, 84쪽 참조

수 있다. 우리가 영어 지문을 읽을 때는 이처럼 각기 다른 구역에 저장된 소리, 시각상징, 의미, 이 세 가지가 불려나와 합해지며 읽게 되는 것이다.

문제는 영어 같은 표음문자가 모국어인 사람들은 소리가 저장된 구역에 접속하지 않으면 의미가 불려나오지 않는다고 한다. 그래서 영어가 모국어인 사람들은 읽다가 무슨 단어인지 아리송하고 잘 모르겠는 경우 소리내어 읽어보면 "아~" 하며 의미가 떠오른다고 한다. 이것이 모국어가 표음문자인 사람들이 뇌를 사용하는 방식이다. 모국어가 무엇인지에 따라 뇌를 찍은 사진에서 활성화되는 부위가 다른 이유도 이 때문이다. 그래서 **영어는 소리내어 읽기가 매우 중요하며, 특히 어린아이일수록 더욱 중요하다.**[한국어도 표음문자가 아니냐고 묻는다면, 한국어에는 표의문자인 한자가 섞여 있어서 영어와 다르다는 부분까지만 말하겠다. 더 자세한 연구는 전공학자들의 몫이지, 영어교육 전공자가 논할 주제가 아니다. 참고로 '기능적 자기공명영상을 이용한 한자와 한글의 문자해석 신경기질'(조장희, 백선하, 김영보, 김남범, 황영은) 같은 논문이 등장하는 것을 보면 이 논의가 진행되고 있는 것으로 보인다.]

글씨 쓰기 발달 순서는 읽기 발달 순서를 증명한다

보통 영어 원어민 만 5세 아이에게 "네 이름 Robert를 써봐"라고 하면 R 자만 쓰고 나머지는 뭉갠다. 만 6세 아이는 첫소리인 R을 쓰고 중간을 뭉개고 끝소리인 t를 쓴다. 그리고 만 7세가 되면 Robert라고 다 쓴다.

이렇게 막 시작하는 단계의 쓰기를 '발현적 쓰기(emergent writing)'라고 하는데, 아이들의 쓰기 발달 순서는 읽기 발달 순서가 어떻게 되는지 보여주는 강력한 증거이다.

인간이 문자를 어떻게 읽는지에 대한 캠브리지대학의 연구에 따르면, 우리 뇌는 문자를 읽을 때 첫소리, 끝소리, 중간소리 순으로 주목한다. 즉, 읽기를 할 때 단어의 첫 부분과 끝 부분만 보고, 머릿속에 있는 단어와 맞추

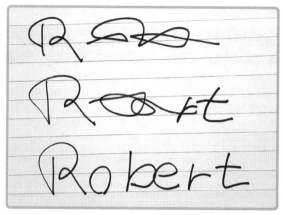

발현적 쓰기(emergent writing) 순서

어 찍고 다음으로 넘어간다. 이것이 '자동화된 읽기'이다. 많은 정보를 빠르고 효율적으로 처리하기 위해 인간이 택한 처리방식인 것이다.

　그래서 파닉스를 가르칠 때에도 첫소리를 가르치고, 끝소리를 가르치고, 그런 후 중간소리를 가르치는 것이다. 또한 유창한 영어 읽기를 위해 청크 연습이 매우 중요한 이유이기도 하다. 이와 관련해 1장의 뒷부분뿐만 아니라 5장에서 구체적인 내용과 연습방법을 설명했으니 참고하기 바란다.

영어 읽기 발달의 3단계

아이들의 읽기 발달도 언어지식 발달단계처럼 3단계이다. '문자 익히기→소리내어 읽기(낭독)→묵독'의 단계로 발전한다.

　우리나라 부모들은 파닉스를 대충 떼고 나면, 아이가 혼자 읽을 수 있을 것으로 착각을 많이 한다. 하지만 그렇지 않다. 시간도 더 걸리고 중간에 다른 과정도 필요하다. 문자를 읽힌 다음에 눈으로 읽는 묵독 단계까지 가려면 중간에 낭독 단계, 즉 소리내어 읽기 단계가 반드시 필요하다.

아이의 영어 읽기 발달 3단계

단계	문자 익히기	소리내어 읽기	묵독
책	· 파닉스 · 파닉스 리더스 · 사이트 워드 리더스	· 그레이디드 리더스 (등급별 책) · 챕터북	트레이드 북(일반서적)
교수법	누군가 읽어주기	가이디드 리딩 (도움 읽기, 또는 유도 읽기)	아이 혼자 읽기

문자 익히기 단계(Beginning to Read)

문자 익히기 단계는 본인이 읽는 것이 아니라 누가 읽어주는 단계이다. 이 단계에서 보는 책은 파닉스(phonics) 교재, 파닉스 리더스(phonics readers), 그리고 사이트 워드 리더스(sight word readers)이다. 이때 사용되는 교수법은 아직 읽기 전이라 다른 이가 읽어주기(being read)이다. 2~3장에서 상세히 설명한다.

소리내어 읽기 단계(Read Aloud)

아이가 소리내어 읽기를 익히는 단계다. 이 단계에서 읽는 책은 아이의 읽기 수준에 맞게 난이도를 조절하고 등급을 매긴 그레이디드 리더스(graded readers)와 챕터북(chapter book)이다. 교수법은 가이디드 리딩(guided reading)을 사용한다. 가이디드 리딩은 '도움 읽기' 또는 '유도 읽기'라고도 한다.

2000년대 초반 우리나라에서 소리내어 읽기 관련 책이 성인 베스트셀러가 되면서 붐을 일으킨 적이 있었지만, 지금은 수그러들었다. **우리나라에서는 아이들을 위한 체계적인 가이디드 리딩 교수법이 나온 적이 없다.**

청담어학원 등에서 아이가 영어 읽기 진단 테스트를 받았더니, 읽기 지수가 BR(Beginning to Read) 0단계로 나온 경우가 있을 것이다. 이것은 전혀 창피해할 일이 아니다. 내가 가르치던 대학의 교양영어 수업에서 다독 프로그램을 쓰면서 영어 읽기 진단 테스트를 해본 적이 있는데, 성인인 대학생들도 BR 0단계가 나오는 학생들이 있었다.

학생이 울상을 지으면서 "저는 영어를 전혀 못 읽는 건가요?"라고 하길래, "영어를 못 읽는다는 것이 아니라 '영어를 읽는 것이 자동화되지 않았다'는 뜻"이라고 말해준 적이 있다. **소리내어 읽기는 영어 읽기가 자동화되려면 꼭 거쳐야 할 단계이다.** 4~5장에서 상세히 설명한다.

묵독 단계(Silent Reading)

묵독은 아이가 책을 혼자서 소리 없이 눈으로 읽는 단계로, 우리가 파닉스, 소리내어 읽기 단계를 거쳐 궁극적으로 다다라야 하는 단계다. 읽기가 자동화면 소리가 사라진다. 즉, 읽기가 자동화되면 소리를 의식하지 않고 머릿속으로 읽게 된다.

우리가 한국어로 된 책을 읽을 때, 글자 하나하나의 소리를 새겨가며 읽는 것이 아니다. 중요한 단어 몇 개를 빼놓고는 전반적인 내용만 머리에 들어온다. 예를 들면 공항의 안내방송에서 이런 소리가 들렸다고 하자.

"승객 여러분께 알려드립니다. 뉴욕행 KE258번 비행기를 타시는 분께서는 게이트가 21번으로 변경되었으니 21번 게이트로 가주세요."

이때 머릿속에는 내가 타는 '뉴욕행 KE258번 비행기', '21번 게이트' 등 중요한 단어만 남아 기억할 수 있다. 나머지 단어들을 외워서 그대로 말할 수 있는 사람은 (일부 서번트 증후군을 지닌 이들을 빼고는) 없다. 나머지는 전반적인 메시지로 머리에 남지, 절대 아나운서가 구사한 단어 하나하나가 그대로 머릿속에 남지 않는다. 영어 읽기를 할 때에도 마찬가지다. 우리 머릿속에 지나가는 단어 하나하나가 그대로 다 남는 것이 아니다. 단어들이 쑥쑥 지나가버리고, 아주 중요한 몇 개 단어만 머리에 남는다.

묵독으로 가면 읽기 속도(reading speed)가 문제가 되기 시작한다. 잘 읽는 아이는 빨리 읽고, 빨리 읽는 아이는 잘 읽는다. 그런데 한국에서 외국어로서 영어를 배울 때는 이것이 안 맞을 수도 있다(뒤에서 따로 이야기한다).

묵독 단계에서는 문학 등 일반서적(trade books)을 읽는다. 이 단계에 오면 아이의 수준에 맞는 책을 어떻게 골라줄지, 아이가 혼자 읽은 다음에 독후활동은 뭘 해야 될지 같은 문제가 중요해지며, 읽는 것 자체를 도와주는 시기는 아니다. 6~7장에서 상세히 설명한다.

영어에서 '소리내어 읽기 단계'가 더욱 중요한 이유

앞에서 살펴보았듯, 영어가 모국어인 사람들은 뇌에서 소리가 저장된 구역에 접속해야 그 단어의 의미가 불려나온다. 또한 최근 뇌과학이 밝힌 읽기의 과정에 따르면, 인간은 텍스트를 읽을 때 눈으로 단어의 앞부분과 뒷부분을 찍으면서 넘어간다. 그리고 이것이 바로 읽기가 자동화된 상태라고 했다. 그런데 이렇게 빨리 읽으려면 소리가 없어져야 한다. 그래서 묵독이 우리가 목표로 하는 지점인 것이다.

영미권의 연구에 따르면, 소리내어 읽기의 경우 아무리 잘 읽는 명문대생, 대졸자들의 경우에도 1분당 152~153단어를 넘어가지 못한다. 목소리를 내어 글을 읽을 때는 문자를 처리하는 물리적 시간이 걸리기 때문이다[이 분야의 연구는 브리검영대학의 닐 앤더슨(Neil J. Anderson) 교수가 유명하다]. 그런데 묵독으로 가면 읽기 속도가 엄청나게 빨라진다. 인간이 문자를 택한 이유가 여기에 있다. 대학에 입학하는 원어민 학생들은 묵독을 할 경우 1분에 600~900단어를 읽는다고 한다.

그렇다면 우리는 영어를 얼마나 빨리 읽을까? 내가 강의하는 수도권 4년제 대학생들을 대상으로 학기 초에 여러 번 실험을 해보았는데, 가장 잘

초기 단계에서 소리내어 읽기를 하며 핑거링(fingering) 중인 아이. 소리내어 읽기를 좀 많이 오래해야 결과적으로 읽기 자동화가 더 잘된다.

읽는 학생이 1분에 290~300단어를 읽었고, 보통 1분에 170~180단어 정도를 읽었다. 이는 미국 초등학교 2~3학년 수준이다. **대학생들은 인지발달이 완성된 성인인데, 영어 읽기 수준은 초등 2~3학년 수준인 것이다.**

이 갭을 어떻게 메울 수 있을까?

가장 효과적인 해결책 중 하나는 어릴 때 영어 낭독 단계에서 소리내어 읽기를 많이 하고 좀 오랜 기간 하는 것이다. 그런 다음 묵독 단계로 넘어가면 영어 읽기 자동화가 더 잘되고, 이때 영어책이나 지문을 많이 읽으면 영어 읽기 속도가 빨라질 뿐 아니라 유창하게 읽을 수 있다.

영미권 원어민의 경우 가장 빨리 읽는 사람은 1분에 3,000단어도 읽는다고 한다. 대졸 이상의 고등교육을 받았고 평소 독서를 많이 해서 능숙한 성인의 경우 1분에 2,000단어도 읽을 수 있다고 한다. 정보를 처리하는 속도가 그만큼 매우 빠른 것이다. 앞에서 말했듯, 묵독으로 가면 읽기 속도가 문제가 되기 시작한다. 잘 읽는 아이는 빨리 읽고, 빨리 읽는 아이는 잘 읽는다. 이 부분은 이 장의 뒷부분에서 좀더 상세히 다루고, 5장에서 연습법도 본격적으로 알아보겠다.

인간의 뇌는 덩어리로 읽는다

—

다음을 한번 읽어보자. 이것을 읽을 수 있을까?

> 캠릿브지 대학의 연결구과에 따르면, 한 단어 안에서 글자가 어떤 순서로 배되열어
> 있는지는 중하요지 않고, 첫 번째와 마지막 글자가 올바른 위치에 있는 것이 중하다
> 요고 한다. 나머지 글들자은 완전히 엉창망진의 순서로 되어 있라올지도 당신은 아무
> 문제 없이 이것을 읽을 수 있다. 왜하냐면 인간의 두뇌는 모든 글자를 하나하나 읽는
> 것이 아니라 단어 하나를 전체로 인하식기 때이문다.

단어 안의 글자들이 뒤섞여 있지만, 우리는 별 무리 없이 읽을 수 있다. 인
터넷에서 굉장히 유명한 밈(meme)이다. 영어 버전의 밈은 2001년부터 인터
넷에서 퍼지기 시작해서 여러 나라 언어로 이미 수백만 번 공유되었고, 한
국어판은 5~6년 전부터 인터넷에 떠돌았다. 실제 이 연구를 한 캠브리지대
학 팀은 없으며, 1970년대에 비슷한 논문을 쓴 캠브리지 박사 논문은 존재
한다.

Aoccdrnig to rsceearch at Cmarbidge Uinervtisy, it deosn't mttaer in waht oredr the ltteers in a wrod aer, the olny ipmoratnt tinhg is taht the frist and lsat ltteer be in the rghit pclae. The rset can be a ttaol mses and you can sitll raed it wouthit a poribem. Tihs is bcuseae the hmuan mnid deos not raed ervey ltteer by istelf, but the wrod as a wohle.

2003년 영국 에딘버러대학의 연구인 '하위어휘 단위와 분할 중심와(Sublexical Units and the Split Fovea)'가 이 밈에 담긴 연구내용을 다루고 있다. 이후에도 인간의 뇌가 어떻게 이처럼 가운데 철자가 틀린 단어들을 읽을 수 있는지 그 이유에 대한 연구는 굉장히 많이 진행되었으며, 아직까지는 '문맥'이 인간의 읽기를 '사전활성화'하기 때문이라는 이유가 지배적이다. 뇌가 어떻게 작동하는지에 대한 정확한 메커니즘에 대한 연구는 지금도 진행 중이다. 캠브리지대학의 사이트에서 관련 최신 논의를 정리한 것을 볼 수 있다.

　인간은 텍스트를 한 글자 한 글자씩 읽지 않는다. 단어의 앞과 끝을 찍고, 앞부분과 끝부분이 맞으면 별 이상

According

없이 읽을 수 있다. 이를테면 우리의 눈과 뇌는 A와 뒤의 ing를 찍고 그냥 According이라고 읽어버린다. 이것은 우리가 읽기를 할 때 눈으로 단어의 처음과 끝을 보고 중간은 그냥 쓱 훑는다는 증거이다.

안구 추적: 신속운동 한번에 정보 7~9개

다음은 영어 지문을 읽을 때 안구 추적기로 우리의 시선이 어떻게 움직이는지를 추적한 것이다. 안구가 진한 별색 점으로 표시된 곳들(●)에서 한번씩 멈추고(고정 fixation), 나머지 부분들은 스윽 빠르게 스치며 지나가면서 시각 정보가 시신경 안으로 쫙 빨려 들어간다. 안구의 흔들림을 추적한 그래프를

보면 우리의 안구는 계속 흔들리고 있는데, 어느 한 지점에서 휙 하고 꺾이는 움직임이 있다. 이 휙 꺾이는 지점이 바로 시각정보가 시신경 안으로 들어오는 순간이고, 이 순간의 움직임을 '신속운동(saccade)'이라고 한다.

한 줄 끝에서 다음 줄의 시작까지는 안구가 리턴 스윕(return sweep)을 한다. 안구가 한 줄의 끝을 찍은 후, 다음 줄의 시작까지 사선으로 움직여 첫 단어를 찍고, 다시 오른쪽으로 간다. 때로는 시선이 앞으로 갔다가 돌아오기도 하는데 이런 안구의 움직임을 '언더 스코어(underscore)'라고 한다. 이를테면 모음 앞의 관사 the 같은 것을 확인하느라 안구가 되돌아가는 것이다.

안구 추적: 신속운동, 시신경 안으로 빨려 들어가는 순간

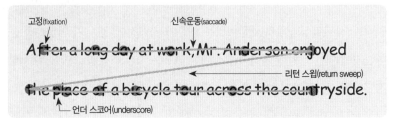

출처: Andrew Johnson, "Eye Movement During Reading"

가장 중요한 것은 신속운동, 즉 뇌 속으로 시각정보가 빨려 들어가는 움직임이다. 신속운동 한번에 빨려 들어가는 정보의 개수는 평균 7~9개이다. 만약 지금 책을 읽고 있다면 신속운동 한번에 정보가 7~9개 쭉 빨려 들어가고 있는 것이다. 안구의 신속운동을 좀더 자세히 연구하는 사람들은 우리가 글을 읽을 때, 우리 눈은 진한 별색 실선(━) 부분에 고정되어 있고, 우리의 시야 안에는 대충 검정선(━) 부분이 들어와 있다고 한다. 우리의 눈이 가 있는 부분(•••)에는 보통 한번에 7~9글자가 들어오고, 100% 정확하게 인지하는 부분(━)은 4~5글자이고, 우리의 시야(━)에는 오른쪽으로 14~15글자, 왼쪽으로 3~4글자가 들어온다고 한다.

신속운동 시 우리의 시야

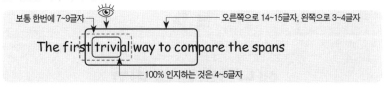

보통 한번에 7~9글자
오른쪽으로 14~15글자, 왼쪽으로 3~4글자
The first trivial way to compare the spans
100% 인지하는 것은 4~5글자

출처: Aline Frey, Marie-Line Bosse, "Perceptual span, visual span, and visual attention span: Three potential ways to quantify limits on visual processing during reading", *Visual Cognition*, pp. 412-129

유창성을 위한 스쿠핑: 청크 과정

결국 읽기는 청크(chuck) 과정이다. 청크란 하나의 의미덩어리를 말한다. 우리 뇌는 한 단어 한 단어, 한 문자 한 문자를 읽지 않고 덩어리로 받아들인다.

영어 텍스트를 잘 못 읽는 아이들은 디코딩(기호해독)을 잘 못해서 단어들을 더듬더듬 하나씩 읽는다. 이것을 '스타카토 리딩(staccato reading)'이라고 한다. 청킹을 못하고 한 단어씩 읽는 것이다. 유창한 영어 읽기를 위해서는 스쿠핑 연습을 하는 것이 좋다. 스쿱(scoop)은 아이스크림을 뜨는 수저 같은 도구이고, 이것으로 무언가를 푸는 행위를 '스쿠핑(scooping)'이라고 한다. 여기서는 여러 단어를 한번에 한 국자에 담듯 하나로 묶어 읽는 연습을 말한다.

아이들에게는 이렇게 설명하면 좋다. "단어를 하나씩 젓가락으로 건지는 것이 아니라, 여러 단어를 국자로 몇 번 퍼 담을 거야. 국자로 푸는 것처럼 단어들을 담듯이 읽어볼까?" 5장에서 영어 유창성을 키우기 위한 스쿠핑 및 청크 연습 과정을 상세히 소개한다.

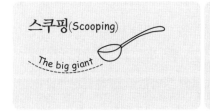

스쿠핑(Scooping)
The big giant

"스쿱(scoop)으로 여러 단어들을 한꺼번에 떠서 하나의 구로 읽어라"

The big giant walked toward the crowd and began to roar.

왜 누구는 잘 못 읽고,
누구는 잘 읽는 걸까?

—

앞에서 뇌에 장애가 없다면, 즉 정상 스펙트럼 안에 있는 사람이라면 누구나 안구의 신속운동 한번에 평균 7~9개 정보가 뇌 속으로 들어간다고 했다. 그렇다면 왜 누구는 잘 못 읽고, 누구는 잘 읽는 걸까?

한번에 읽어들이는 정보의 부피가 다르다

알파벳을 막 익힌 왕초보 단계의 아이도 안구의 신속운동 한번에 대략 7~9개 정보가 뇌로 들어간다(중간값인 8개로 설명하겠다). 다음은 '빨간 모자' 이야기인데, 이 아이는 배운 것이 알파벳밖에 없으니 한번에 o, n, c, e, u, p, o, n 글자 8개를 읽는다. 그런데 원어민 아이들은 머릿속에 '원스어폰어타임'이 음성언어로만 존재한다. 문제는 음성언어에는 띄어쓰기, 단어의 경계에 대한 개념이 없어서 '원스어폰어타임'을 하나의 덩어리로 알고 있기에, '원스'와 '어폰'을 따로 두 단어로 읽어도 이 단어들의 의미를 모른다는 것이다(비원어민 아이들은 '원스'와 '어폰'이 아예 음성언어로도 머릿속에 없기 때문에 역시 의미를 모른다).

알파벳을 막 익힌 아이의 8개

●●●● ●●●●
Once upon a time there was a dear little girl who was loved by everyone who looked at her, but most of all by her grandmother, and there was nothing that she would not have given to the child. Once she gave her a little riding hood of red velvet, which suited her so well that she would never wear anything else; so she was always called 'Little Red Riding Hood.'

이제 소리내어 읽기를 시작하는 단계의 아이는 한 단어씩 읽는 정도의 읽기 수준을 보인다. 이 아이도 안구의 신속운동이 한번 일어날 때 8개의 정보를 읽어들인다고 가정해보자. 이 수준의 학습자의 뇌가 한번의 신속운동을 통해 읽어들이는 정보는 다음과 같다.

소리내어 읽기를 시작한 아이의 8개

●　●　●　●　●　● ●●
Once upon a time there was a dear little girl who was loved by everyone who looked at her, but most of all by her grandmother, and there was nothing that she would not have given to the child. Once she gave her a little riding hood of red velvet, which suited her so well that she would never wear anything else; so she was always called 'Little Red Riding Hood.'

영어 읽기가 자동화된 고급 수준의 독서자는 안구의 신속운동이 한번 일어날 때 다음과 같은 8개의 정보가 뇌로 빨려 들어간다.

읽기가 자동화된 고급 독서자의 8개

Once upon a time

there was a dear little girl

who was loved by everyone

who looked at her,

but most of all

by her grandmother,

and there was nothing

that she would not have given

Once upon a time there was a dear little girl who was loved by everyone who looked at her, but most of all by her grandmother, and there was nothing that she would not have given to the child. Once she gave her a little riding hood of red velvet, which suited her so well that she would never wear anything else; so she was always called 'Little Red Riding Hood.'

즉, 갓 문자를 익힌 아이든, 더듬더듬 한 단어씩 읽는 아이든, 영어 읽기가 자동화되어 줄줄 읽는 아이든, 안구의 신속운동 한번에 읽는 개수는 8개 정도로 같다. **차이는 정보의 개수가 아니다. 동일한 개수의 정보 각각의 '부피'가 요건이다.** 즉, 정보 하나하나의 덩어리가 다르다. 잘 읽는 아이는 정보 하나하나의 덩어리가 엄청 커져 있다는 뜻이다.

다른 아이가 영어를 한 단어씩 읽고 있을 때, 잘 읽는 아이는 영어를 덩어리로 읽고 있으니 빨리 읽을 수밖에 없다. 영어를 한 단어씩 읽는 아이가 요만큼 읽고 있을 때, 잘 읽는 아이의 눈은 벌써 저 뒤에 가 있다. 따라서 **문자습득이 끝난 다음에 읽을 때의 덩어리를 키워주는 것이 중요하다.** 의미의 덩어리가 커져야 술술 읽는다.

머릿속에 읽기 덩어리를 만들려면

사실 영어를 잘 읽는 아이는 많이 읽는 아이다. 영어를 잘 읽는 아이는 많이 읽어서 머릿속에 의미덩어리, 스키마(schema 개요, 윤곽)가 많이 있다. 나는 편의상 이것을 읽기를 할 때 찍는 판, 즉 템플릿을 많이 만들어 머릿속에 저장한다고 설명하곤 한다. 이 덩어리로 찍는 템플릿('청크 템플릿'이라고 하자)을 크게, 많이 만드는 작업이 바로 잘 읽는 아이를 만드는 학습법이다.

예를 들면 영어 읽기가 자동화된 아이는 'once upon a time'을 한 단어씩 읽지 않고 덩어리로 처리해버린다. 옛날이야기 수백 편을 이미 듣고 읽었다면, 맨 앞에 'once upon a time'이라고 나오면 한 문자나 한 단어씩 읽을 필요가 없다. 그냥 눈으로 찍듯이 처리하고 넘어간다.

많이 읽어야 우리 뇌 속에 청크를 찍는 템플릿이 많이 생긴다. 영어 지문을 유창하게 읽으려면, 머릿속에 청크 덩어리의 부피를 키우면서 템플릿을 많이 만들어주어야 한다.

그렇다면 청크 템플릿을 늘리려면 어떻게 해야 할까?

어른들은 영어의 '정확도'에 집착하는데, 아이들은 아직까지는 정확도보다는 다른 부분에 신경을 써야 한다. 사실 한국말도 문법에 맞게 꼬박꼬박 말을 하는 사람이 몇이나 될지 생각해보자. 중학교 입학 전까지, 어릴 때는 정확성보다 '유창성'을 키워야 한다. 유창성을 계속 키워주다 보면 정확도는 따라오게 되어 있다. 영어 읽기 덩어리를 키우는 구체적인 방법에 대해서는 5장에서 상세히 설명한다.

영어 읽기의 마태효과: 잘 읽는 아이는 많이 읽는 아이다

뇌과학이 발달하면서 우리 뇌가 읽기를 어떻게 하는지에 대해 많은 부분이 밝혀졌다. 시신경으로 들어온 문자정보는 처음에는 단기기억 안으로 들어간다. 학습이 일어난다는 것은 새로 들어온 정보가 장기기억으로 들어간다는 의미인데, 단기기억으로 들어온 정보가 모두 장기기억으로 들어가는 것은 아니다.

새로 읽어들이는 텍스트들은 마치 영화의 자막처럼 단기기억 속에서 흐르다가 지나가고, 일정시간이 지나면 사라져버린다. 우리 인간의 단기기억은 용량의 한계가 있어서, 들어오는 많은 정보의 인풋들 중에서 일부만 기억하고, 나머지는 망각하는 전략을 취한다. 인류는 정보를 효율적으로 처리하기 위해 이런 정보처리 방식으로 진화해왔다.

그런데 학습은 새로운 정보가 장기기억으로 들어가는 것이지 않은가? 그렇다면 단기기억 속을 흐르고 있는 정보 중 일부를 장기기억으로 가지고 들어가는 메커니즘은 무엇일까?

첫 번째 메커니즘은 재미와 흥미이다. 인풋이 너무 재미있으면 장기기억으로 들어갈 수 있다. 문제는 우리나라 학습자들은 편하게 떠먹여주는 것을 무척 좋아해서 재미있게 가르치는 교강사(교수와 강사)들만 너무 많이 보인다는 점이다. 엔터테이너인 교강사들도 필요하지만 너무 많지 않나 싶다. 엔터테이너형들이 깊이까지 갖추기 힘들어서 더더욱 문제가 있다.

또 다른 메커니즘은 기존에 알고 있던 지식과 엮어주는 방식이다. 나는 이것을 '후크(hook 고리)'라고 하는데, 기존에 알고 있던 지식이 새로운 정보를 고리처럼 걸어서 장기기억으로 가지고 들어가는 역할을 하기 때문이다.

아이가 영어책에서 frog라는 단어를 보며 "지난 여름에 할아버지 집에서 본 그 개구리"라고 반응할 때, 아이는 자신이 알고 있던 개구리에 대한 기존 지식을 불러와 새롭게 영어 문자로 만난 frog와 연결짓는 것이다. 새로운 정보 인풋은 이렇게 연결지을 것이 있을 때 장기기억에 잘 들어간다.

책을 많이 읽은 아이들은 이런 연결고리가 많기 때문에 똑같은 지문을 읽어도 더 많은 정보를 장기기억으로 빨아들인다. 갈고리가 많으니 엮어서 장기기억으로 넣기가 좋기 때문이다. 그래서 똑같이 읽었는데 더 잘 이해하고 더 잘 기억하는 차이가 벌어진다.

마태복음에 "있는 자는 더 받아 풍족하게 되고, 없는 자는 그 가진 것도 빼앗기리라(25장 29절)"라는 구절이 있다. 마태효과(Matthew Effect)는 부익부 빈익빈을 말하는 이 성경 구절에서 따온 것으로, 교육학과 심리학 전반에 사용되는 용어이며, 토론토대학의 세계적인 읽기 심리학자 키스 스타노비치(Keith Stanovich)는 이를 학생의 읽기 문제에 적용했다.

영어 읽기 분야에서 마태효과는 잘 읽는 아이와 못 읽는 아이의 간극이 학년이 올라갈수록 벌어지는 현상을 가리킨다.

초등 1~2학년까지 잘 읽는 아이와 잘 못 읽는 아이의 차이는 불과 몇천 개의 어휘밖에 안 된다. 하지만 읽기가 자동화된 후 아이들의 어휘량은 폭발적인 증가세를 보이기에, 초등 5~6학년 정도가 되면 둘 사이의 간극은 몇 만 단어로 벌어지며, 잘 못 읽는 아이가 잘 읽는 아이를 도저히 따라갈 수 없게 된다. 물론 잘 못 읽는 아이도 천천히 늘기는 하지만, 잘 읽는 아이의 발달속도를 도저히 따라잡을 수 없게 되는 것이다.

그래서 미국 등지에서는 집에서 가정 문해력(home literacy)이 부족하여 읽기 능력이 뒤떨어진 채 학교에 입학하는 아이들이 고학년이 되기 전에 이 간극을 메꾸어주는 공적개입만이 교육으로 빈부격차를 줄일 수 있는 가장 효과적인 수단이라고 여기고 있다. 이를 '조기개입(Early Intervention)'이라고 하며, 이 국가들은 이 시기에 강력한 문해력 신장 프로그램을 실시하고 있다.

따라서 많이 읽는 것이 매우 중요하다. 영어를 줄줄 유창하게 읽을 수 있으면 뛰어난 정보습득력을 가지게 된다. 이는 현대사회에서 세계 시민으로 살아가는 데 날개를 달게 되는 셈이다. 인터넷상에서 유용한 정보의 90% 이상이 영어로 되어 있다. 영어 리딩이 그 어느 때보다 중요한 이유는, 영어로 정보를 습득하는 능력이 우리 아이들이 나중에 살아가는 데 커다란 디딤돌이 될 것이기 때문이다. 아이가 영어 읽기를 즐겁고 유창하게 하는 방법에 대해서는 5~6장에서 상세히 설명한다.

학습자 유형과
다중지능

내 아이의 학습자 유형은?

"초등 1학년으로 파닉스 초급 단계를 하고 있는데요. 아주 가끔씩 영어 그림책을 읽어주는데 쉬운 책을 읽어주면 너무 재미없다고 거부해요. 지금은 영어를 가르치려는 목표를 접어두고, 아이가 좋아하는 책을 읽어주며 영어 소리를 들려주는 것에 목표를 두어야 할까요?"

"남자아이인데 영어책 읽는 것을 좋아하지만, 소리내어 읽기와 반복 읽기를 안 좋아해요. 그래서인지 빨리 잘 읽기는 하는데, 청크로 끊어읽기가 안 되고 너무 빨리 주루룩 읽어버리고 마는 느낌입니다."

"책을 별로 좋아하지 않는 아이라면 어떻게 해야 할까요?"

학부모들을 대상으로 한 강의에서 자주 나오는 질문들이다. 이는 학습자 유형과 관련이 있는데, 아이의 학습자 유형에 맞게 부모가 코칭을 해주어야 한다(부록에 학부모들이 자주 하는 질문을 실어두었으니 참고하기 바란다).

시각형 학습자
(visual learner)

청각형 학습자
(auditory learner)

신체활동형 학습자
(kinesthetic learner)

아이들의 학습사 유형은 크게 보면 시각형 학습자, 청각형 학습자, 그리고 신체활동형 학습자로 나눌 수 있다.

시각형 학습자(visual learner)들은 그래프와 차트와 그림에 익숙하다. 주로 시각 채널로 세상을 인지한다고 볼 수 있다. 이런 학생들이 정보를 잘 기억하게 하려면, 노트 필기를 할 때 그림이나 그래프나 차트를 넣고, 중간에 집중을 방해하는 딴 것을 하지 말게 하고, 노트에 여러 색깔로 표시를 하게 한다.

청각형 학습자(auditory learner)들은 정보를 듣기와 말하기를 통해서 주로 받아들이는 아이들이다. 그래서 강의를 녹음하고 그다음에 듣는 것을 무척 좋아한다. 옆에 있는 사람들과 새롭게 얻은 정보에 대해서 얘기하는 것, 텍스트북도 소리내어 읽는 것을 좋아하고 동영상 클립을 보는 것도 좋아한다. 영상을 보면서 영어를 잘 배우는 사람들이 이 유형에 속한다.

신체활동형 학습자(kinesthetic learner)들은 무엇인가 손을 대서 만져보아야 한다. 이런 학습자들은 몸을 움직여야 하는 사람들이라 중간에 자주 쉬어주어야 한다. 학습자료도 액티브한 것, 몸으로 움직이면서 학습할 수 있는 것을 계속 만들어주는 것이 좋다. 현장학습(field work)을 많이 해주어야 한다. 어릴수록, 남자아이일수록 이 유형이 많다.

그런데 학습자 유형을 이렇게 3가지로만 나누면 일반화의 오류에 빠지기 쉽다. 사실 아이들에게 이 3가지 유형의 학습 스타일은 다 공존하나 지배적인 유형이 무엇이냐의 문제이고, 자라나면서 학교 환경의 학습에 익숙 해지다 보면 점점 시각형 학습자의 특징이 늘어나게 되어 있다.

내 아이의 다중지능 학습자 유형은?

아이들을 좀더 다채롭게 이해하려면, 미국의 저명한 심리학자 하워드 가드 너(Howard Gardner)가 제시한 다중지능(multiple intelligence)으로 이해하는 것이 더 좋다.

사실 시각형 학습자는 공간형(spacial) 학습자와 논 리-수리형(logical-mathematical) 학습자를 합한 유형이라 할 수 있다. 논리-수리 지 능이 높은 아이들이 학교 에서 가장 성공하는 아이 들이다. 기존의 교육 시스 템이 이 지능을 가진 이 들이 승승장구하는 구조 라서 이는 어쩔 수가 없다.

공간형 학습자란 공간적 지능이 높은 아이들로 그림을 잘 그리는 아이 들이다. 미술 전공 대학생들에게 교양영어를 가르쳐보면 이 유형들이 무척 많다. 이런 학생들한테 대뜸 영어 에세이를 쓰라고 과제를 주면 부담스러워 하고 잘 못한다. 간단한 그림들을 그려서 내되, 밑에 영어 문장들을 한 줄씩 만 써보라고 하면 곧잘 따라온다. 자신이 잘하는 일과 영어 학습을 연결하 는 방식이 효과가 있기 때문이다. 그래서 영어 또는 외국어를 배우는 경험

은 성공하는 경험이어야 한다고 거듭 강조하는 것이다.

음악적(musical) 지능이 높은 학습자가 바로 청각형 학습자들이다. 자기 이해(intra-personal) 지능이 높은 아이들은 내향적인 아이들이고 풍성한 내면 세계를 일구어간다. 그 외에도 언어적(linguistic) 지능, 신체-운동학적(bodily-kinesthetic) 지능, 대인관계(interpersonal) 지능, 의존적(existential) 지능, 자연탐구(naturalist) 지능 등이 있다.

언어적 지능과 논리-수리적 시능이 높은 아이들은 그냥 기존의 방식대로 앉아서 공부해도 잘 맞는다. 이외의 다른 유형에 속하는 지능을 가진 아이들은 우리의 기존 교육 시스템에서 잘 소화를 못하는 학습자 유형일 수 있다. 각 학습자를 배려해서 그 특성에 맞는 학습활동들을 만들어주는 것이 (학습자의 나이가 어릴수록) 중요하다. 그리고 활동을 마무리할 때에는 반드시 종이로 데리고 오는 것이 좋다. 글을 쓰는 것이 아니어도 된다. 어쨌든 모든 활동을 종이에 무언가를 쓰거나 그리거나 하며 정리하는 습관을 들여야 학교 공부에 적응하기 쉬워지기 때문이다.

학습자 유형 주의점, 영어도 내 아이에 맞는 학습법이 중요하다

학습자 유형과 관련하여 주의할 점을 살펴보자.

첫째, 한 아이에게 한 가지 학습자 유형이나 지능만 있는 것이 아니다. 더 두드러지는 어떤 유형이 존재하는 것뿐이지, 다른 지능의 요소가 전혀 없는 것이 아니다. 그래서 무조건 이 아이는 청각형 학습자이니 이렇게 해야 한다는 식으로 접근하면 안 된다. 기존 학교 시스템이나 우리나라의 일반 회사를 다닐 때에도 시각형 학습자, 또는 논리-수리 지능이 뛰어난 아이들이 익숙하긴 하다.

둘째, 나이가 어릴수록 신체활동형 학습자가 많고, 나이가 들수록 학교

경험으로 인해서 시각형, 논리-수리형이 강해진다.

셋째, 남자아이일수록 신체활동형이 많다.

넷째, 평균적으로 여자아이들이 남자아이들보다 신체, 지능, 정서 면에서 발달이 빠르다. 요즘 남자아이들이 초중고 때 여자아이들보다 공부를 못하는데 발달속도가 여자애들보다 느려서 그렇다. 만 18세가 되어야 여자아이들의 발달 정도를 따라잡는다. 특히 주의할 점은 집단 차이보다 개인 차이가 훨씬 크다는 점이다. 극단적으로 같은 학년이라도 가장 발달이 빠른 여자아이와 가장 발달이 느린 남자아이는 최대 5년까지 차이가 날 수 있다.

따라서 다른 아이와 비교하지 말아야 한다. 어릴 때는 여자아이들 중에 영어책을 잘 읽는 아이들이 많고, 남자아이들 중에는 드물 수 있다. 하지만 **더 중요한 것은 아이의 학습자 유형에 맞게 영어 학습을 시키는 것이다.** 남자아이라면 차라리 영어로 하는 과학교실이나 축구교실을 생각할 수도 있을 것이다. 아이의 학습자 유형과 적성이 그렇다면 그렇게 가는 것이 맞을 듯하다. "옆집 아이가 100권을 읽었다는데 너도 100권을 읽어야지." 이런 방식으로 영어에 접근해서는 안 된다. 사실 승부는 최소한 중고등학교 때 난다. 아이가 그때까지 영어를 좋아하는 마음을 계속 가지고 있고, '나는 할 수 있어'라는 자기효능감(self-efficiency)을 가지는 것, 그렇되 영어에 대한 기본은 놓치지 않는 것이 더 중요하다.

지금까지 영어 읽기에 대한 연구를 바탕으로 부모들이 꼭 알아야 할 것들을 살펴보았다. 다음 장에서 파닉스부터 살펴보겠다. 파닉스는 어릴 때 시리즈 하나를 끝내고 지나가는 것으로 알고 있는데 실제로 그렇게 간단한 것이 아니다. 중학생이어도 영어 읽기 수준이 부족하다면 파닉스 교정 교수를 해보는 것이 장차 도움이 된다.

잘못된 파닉스
접근법 부수기

02
Part

영어 읽기 100년 전쟁: 파닉스로 가르치는 것이 맞다

문자를 가르치는 방식은 크게 파닉스 교수법과 총체적 언어교수법이 있다. 한국에서 통문자학습법이라고 1990년대 말, 2000년대 초반에 유행했던 학습법이 바로 총체적 언어교수법이다. 미국에서는 두 파가 '아이들한테 읽기를 어떻게 가르쳐야 하느냐'를 두고 120년 넘게 싸웠다. 미국에서는 이것을 '읽기 전쟁(Reading War)'이라고 한다.

총체적 언어교수법(Whole Language Approach)

미국에서 총체적 언어교수법은 지금도 남아 있다. 교대와 교육대학원을 나온 많은 교사들이 총체적 언어교수법을 열렬하게 신봉한다. 일종의 굉장히 민주주의적인 가치관을 아래에 깔고 있어서 그냥 마음으로 무척 믿고 싶어 하는 것 같다.

총체적 언어교수법의 읽기를 가장 잘 설명하는 표현은 애리조나대학의 교수 케네스 굿맨(Kenneth S. Goodman)의 "심리언어학적 추측 게임

(psycholinguistic guessing game)"이라는 표현이다(1997). 어떤 과정이 머릿속에서 일어나는지는 잘 알 수 없어도, 머릿속에서 어찌어찌 꿰어 맞추어 읽게 된다는 입장을 이렇게 잘 나타낸 표현도 드문 것 같다.

총체적 언어교수법은 결국 아이들에게 단어를 많이 보여주면서 읽게 하면 점점 잘 읽게 된다는 것이다('look-and-say 교수법'이라고 한다). 즉, 많은 인풋이 결국 결과를 낸다는 교수법인데, 애정과 관심으로 학습자의 계급, 피부색, 성별에 관계없이 많은 인풋을 통문자로 계속 제시하면 학습자들이 자연스럽게 문자를 헤아려내어 학습을 일구어낸다고 한다. 총체적 언어교수법은 미국 건국 초기에 교육을 통한 계급 철폐 같은 사상과 맞물리면서 그 민주주의적 가치관으로 많은 이들에게 사랑을 받아왔다. 그러나 이것은 가치 있는 관념들(value sets)이지 교수법(teaching approach)이 아니라는 비판도 만만치 않다. 교수법이라고 한다면 실험과 측정과 재현이 가능해야 하는데, 총체적 언어교수법에서 유일하게 실험이 가능한 테크닉은 오류분석(miscue analysis) 밖에 없다.

30, 40대의 원어민 교사들은 어릴 때 총체적 언어교수법으로 배운 사람들이 많다. 그래서 총체적 언어교수법 이야기를 자꾸 한다. 초등학교 때부터 미국에서 나온 30, 40대 미국 교포들도 총체적 언어교수법으로 아이들을 가르치는 경우가 있다. 내가 듣다가 "당신이 배운 방식은 총체적 언어교수법이다. 파닉스가 아니다"라고 하면 잘 이해를 못한다. 영어교육 전공자가 아니면 둘의 차이가 뭔지도 모르기 때문이다.

뇌과학과 미국 국립읽기위원회가 증명하는 파닉스 교수법

파닉스는 역사가 100년이 넘었고, 지금 우리가 사용하는 파닉스는 3세대 파닉스, 이른바 '스마트 파닉스'이다. 3세대 파닉스는 이 책의 앞에서 잠깐 소개했던 '유추'를 사용하는 교수법이다. [파닉스에는 크게 4가지 유형이 있다. 종합적 파닉스, 분석적 파닉스, 유추식 파닉스, 의미 중심으로 배우는 파닉스(embedded phonics)이다. 앞의 둘은 구조와 규칙을 더 중요시하는 교수법이고, 뒤의 둘은 문맥을 더 중시하는 교수법이다.]

미국에서는 1971~1988년 초등 1~2학년 때 파닉스를 배운 학생들과 안 배운 학생들을 5학년 때 읽기 능력을 측정하는 실험을 전국적으로 두 번에 걸쳐 실시한 바 있다. NAEP(National Assessment of Education Progress: 전국교육향상평가위원회)가 시행한 이 실험 결과, 문자습득 단계에 파닉스를 배운 아이들의 읽기 능력이 훨씬 좋았다.

또한 2000년대 이후로 들어서면서 심리언어학(뇌과학)에서는 우리 뇌의 읽기 원리에 대한 연구가 빠르게 발전했고, 디코딩(decoding 기호해독), 인코딩(encoding 기호화), 리코딩(recoding 재해독)이 이루어지는 과정에 대한 많은 연구가 있었다. 이런 연구들은 파닉스 학습법이 우리 뇌의 읽기 원리와 잘 맞는다는 것을 증명해주었다(뒤에서 자세히 살펴본다).

이에 2007년 미국 교육부 산하의 국립읽기위원회(National Reading Panel)는 파닉스로 가르쳐야 된다고 결론을 내렸다. 그럼에도 여전히 파닉스파와 총체적 언어교수법파의 논쟁이 계속되고 있다. 사실 이 둘을 혼합한 균형적 교수법(balanced approach)이 등장했고, 2016년 국제난독증협회는 파닉스 교수법에 치우친 구조적 접근법(structured approach)의 손을 들어주었다(C.D. Cowen, "What is Structured Literacy?", 2016). 영어를 외국어로 배우는 아이들은 모국어 화자들보다 압축적으로, 그리고 효율적으로 영어를 배울 필요성이 있는 바, 파닉스 접근법이 최선이라고 본다.

2차에 걸친 전국적 실험 결과

미국국립읽기위원회 "파닉스로 가르치는 게 맞다."

심리언어학(뇌과학)이 밝히는 읽기의 원리

영어는 왜 파닉스가 필요할까?

영어를 가르칠 때 왜 파닉스가 필요할까? **영어는 문자의 투명도(transparency)가 낮기 때문**이다. 특히 모음의 투명도가 낮아서 단어에 따라서 여러 가지로 발음된다. 그래서 영어는 파닉스의 규칙을 익혀야 읽기가 수월해진다.

사실 미국의 문해력이 낮은 첫 번째 이유도 이처럼 문자의 투명도가 낮기 때문이다. 순수 영어가 30%가 안 되며 나머지는 외래어이다. 라틴어, 그리스어, 프랑스어, 북유럽어, 이태리어 등에서 단어들이 마구 들어오면서 철자가 무척 복잡해졌다. 그래서 규칙성이 부족하다는 것이 단점이다. 대신 외부의 문화적 인풋을 받아들일 때 다른 언어의 유입에 엄청 열려 있다는 것은 장점이다. 이는 영어가 세계화가 된 중요한 요인 중 하나다. 허나 규칙성이 떨어져서 문자를 배우기가 힘들어진 고통이 늘 문제가 되고 있다.

미국의 문해력이 낮은 또 하나의 이유는 이민자가 많아서이다. 영어를 못하는 상태나 부족한 상태로 공교육에 들어오는 아이들이 생각보다 굉장히 많아서 문해력에 문제가 생길 수밖에 없다.

참고로, 스페인어는 파닉스를 안 배운다. 스페인어의 알파벳은 자음도 모음도 소릿값이 하나씩밖에 없어서 읽는 법을 한번 배우면 어떤 단어든 그냥 그 소릿값대로 읽으면 된다. 스페인어에서 casa blanca는 그냥 알파벳 발음대로 '까사 블랑까'라고 읽으면 된다. 스페인어는 '문자의 투명도가 높다'고 할 수 있다.

결국 영어에서 파닉스의 규칙성을 따르는 단어는 84%밖에 안 되고 16%는 규칙성이 없다. 영어 단어를 보고 어떻게 읽어야 할지 감을 잡을 수 없는 단어들이 많다는 소리다. 그래서 영어는 그나마 규칙성을 따르는 84%의 파닉스 원리를 알아야 읽기가 수월하다. 이것이 영어 원어민 아이들도, 외국어로 영어를 배우는 사람들도 파닉스를 배우는 이유이다.

한국 엄마들의
파닉스와 읽기에 대한 오해

파닉스가 안 되는 대학생, 무엇이 문제였을까?

내가 수도권 대학에서 가르치는 교양영어 수업을 듣는 대학생들을 대상으로 소리내어 읽기(read aloud)를 시켜보면, 평균 30~40명 정도 되는 반에서 모음 앞의 the를 [ði]로 제대로 읽는 학생은 상위 4~5명에 불과했다. 이들은 영어 지문을 빨리 읽는 것에 익숙하고 잘 읽는 학생들이다.

다음은 대학생들이 지문을 소리내어 읽을 때 들으며 표기한 오류들이다.

Speaking a second language is an important skill in today's global economy. An employee who can do business in more than one language is a valuable asset to most companies. However, companies should hire employees who are already bi-or trilingual rather than train them. Corporations should not pay for their employees to learn a second language because some people may not have the ability to learn another language, and the process takes too much time.

소리내어 읽기를 할 때, 우리 뇌는 두 가지 작업을 한다. 문자를 읽으면서 동시에 입에 운동명령을 내린다. 우리가 소리내어 읽기를 할 때 안구 추적기로 추적해보면, 우리 눈은 텍스트에서 1,000분의 1초 단위로 앞으로 미리 갔다가 다시 돌아와서 운동명령을 내린다.

영어 읽기가 자동화되어 있는 학생들은 빨리 읽으니까 안구가 앞으로 갔다가 뒤로 올 여유가 있다. 하지만 영어 읽기를 잘 못하는 학생들은 안 틀리려고 한 자 한 자 스타카토 식으로 끊어서 읽기 때문에 안구가 오른쪽 방향으로만 간다. 그래서 the apple처럼 모음 앞의 the를 [ði]라고 읽지 못하고 그냥 [ðə]라고 읽고 지나가는 것이다.

또한 영어 읽기를 못하는 학생들의 특징은 굴절형을 다 누락한다는 것이다. 예를 들어 3인칭 단수동사의 s를 안 읽는다. 눈에 안 들어오는 것이다. 이것을 '유표성(salience)이 떨어진다'고 하는데 하위 학생들에게서 보이는 특징이다. 아울러 철자가 좀 복잡하고 이중모음이 있으며 묵음이 있는 foreign 같은 단어를 못 읽는 학생도 반에 3~4명 있었다. 대학생임에도 파닉스가 아직 안 된 것이다.

그런 학생들에게 물어보니 중고등학교 때부터 영어를 포기했다며, 어떻게 영어를 해야 되는지 모르겠다고 했다. 이럴 경우 성인용 파닉스 책을 보아야 한다(원서 중에 성인용 파닉스 책이 있다). 아니면 파닉스 교정 교수(phonics remedial lesson)를 받아야 한다(뒤에서 설명한다). 일단 영어 지문이나 책을 소리로 읽을 줄 알아야 다음에 의미가 따라오기 때문에, 성인이 된 영포자들은 파닉스를 먼저 보강해야 한다.

지문을 읽긴 하는데, 의미가 안 걸리는 아이들

한국어는 문자 투명도가 무척 높기 때문에 읽기를 배우기 쉽다. 한국인의 문해력이 미국인보다 높은 여러 이유 중 하나이다. 그런데 우리 아이들에게 어떤 문해력 문제가 보이냐면, 문자를 기계적으로 읽긴 하는데 의미를 모르는 현상이다. **이것은 너무 어려서 인지발달이 이루어지지 않았을 때 문자를 가르치기 때문에 생겨나는 부작용이다.**

아이들이 문자를 배우기 전에 완성되어야 하는 **사전 문해성 6가지 기능** (pre-literacy skills)이 있다. 이것이 완성되었을 때 아이를 문자의 세계로 데려와야 한다(뒤에서 살펴본다). 그렇지 않으면 아이들은 글자를 외워서 읽게 되고, 기계적으로 소리와 문자를 매칭시켜 읽지만 의미를 모를 수 있다. 읽기의 궁극적인 목적은 이해(comprehension)인 바, 의미 없는 읽기가 대체 무슨 소용이 있나 싶다.

이런 잘못된 문자습득은 초등 4학년 정도가 되면 문제가 되기 시작한다. 초등 1~2학년 때는 교과서 지문이 길지 않아서 아이들이 의미를 모르고 읽으면서도 그냥 들은 대로 외워서 수업을 어느 정도 따라간다. 이를테면 시험을 볼 때 외워서 점수를 내는 것이다. 그런데 초등 4~5학년 정도 되면 이제 외워야 하는 양이 많아진다. 그래서 4~5학년 정도가 되면 학력 차이가 확 벌어지기 시작한다. 따라서 아이를 너무 일찍 문자의 세계로 데리고 오면 안 된다. 문자를 배워도 괜찮은 최저 연령은 만 3세 반(42개월), 우리나라 나이로 5세 이상이다.

부모가 안 가르쳐주었는데 일찍 문자를 배우는 아이들이 있긴 하다. 이런 아이들은 머리가 굉장히 좋은 것이고 인구집단의 5% 정도로 '천재'라 불리는 아이들이다. 인구집단의 5%는 언제나 천재들이고 이는 철저히 유전자가 좌우한다. 아이가 타고난 천재가 아닌 한 만 3세 반이 읽기를 시작하는 최저 연령이다. 그전에 아이가 문자를 물어보면 가르쳐주는 것은 괜찮지만 일부러 가르치지 않는 것이 좋다.

우리 아이가 파닉스를 뗐다고?

영어 원어민 아이들은 파닉스를 몇 년 배울까? 영국 교육부에서 나온 커리큘럼을 보면, **영국 아이들은 이중모음 몇 가지를 마지막으로 해서 파닉스를 초등 5학년 때까지 배운다.** 영어를 쓰는 원어민 아이들도 초등 5학년까지 파닉스를 익히는 것이다.

그런데 우리나라 엄마들은 파닉스 교재 한 세트를 떼면 "우리 아이는 파닉스를 뗐다"고 한다. 하지만 그렇지 않다. 문자습득이 그렇게 쉽게 이루어지고, 영어 읽기가 그렇게 쉽게 자동화되는 것이 아니다.

영어 읽기는 길게 보고 가야 하고, 아이의 읽기 발달단계를 알고, 파닉스 교재를 뗀 후 파닉스 리더스, 사이트 워드 리더스 시리즈, 문자습득에 도움이 되는 그림책으로 뒷받침을 해주며 읽기를 도와주고, 이후 챕터북과 그레이디드 리더스와 글밥이 많은 그림책으로 옮겨가게 이끌어주는 과정이 필요하다.

파닉스는 언제
가르쳐야 될까?

—

파닉스는 한국어가 어느 정도 되고 가르쳐야 한다. 일단 모국어를 어느 정도 읽고 쓸 줄 안 다음에 배우기 시작하는 것이 좋다. 현재 한국 공교육에서 영어교육을 시작하는 나이인 초등 3학년, 즉 만 8세와 9세 정도가 영어를 외국어로 배우기 시작하기에 가장 이상적인 나이라고 생각한다. (영국을 제외한) 유럽에서는 보통 만 9세 정도에 아이들에게 영어를 가르치기 시작하다가 2000년대 이후 점점 연령이 낮아지고 있다. 이는 유럽연합(EU)의 볼로냐 프로세스(Bologna Process)에 의거한 M+1 원칙(EU의 시민들은 모국어 외에 한 개의 회원국 언어를 더 해야 한다는 원칙)이 끼친 영향이기도 하다. 스페인의 경우 만 3세까지로 이 연령이 낮아졌다. 하지만 주의해야 할 점은 외국어를 가르치는 연령을 만 3세로 낮추기 위해서는 반드시 전제되는 인프라가 충족되어야 한다는 점이다.

외국어를 가르치는 연령을 낮추기 위한 전제

첫 번째 전제는 음성언어로 가르쳐야 한다는 점, 두 번째 전제가 정말로 중요한데, 영어 전담교사가 아니라 담임이 가르쳐야 한다는 점이다. 전문용어로 영어 전담교사는 전문교사(specialist teacher)라고 하고, 유치원에서와 같이 아이들의 전 과목을 가르치는 담임은 일반교사(general teacher)라고 한다.

아이들은 영어 전담교사가 일주일에 두 번 와서 한 시간씩 가르치는 것보다, 모든 과목을 가르치고 아이들 개개인의 특성을 잘 파악하고 있는 일반교사, 즉 담임이 매일 15분씩 가르치는 것이 더 효과적이다. 이는 아이들의 집중력이 15분 정도인 것 때문이기도 하고, 짧은 간격으로 반복해주는 것이 중요해서도 그렇다. 즉, 전 과목을 가르치는 담임이 영어도 가르칠 수 있는 인프라가 구비되면, 영어를 외국어로 배우는 연령을 하향 조정해도 된다는 뜻이다. 이를 부모가 집에서 영어를 가르치는 경우에 적용해보자면, 매일 15분씩 엄마가 반복해주는 영어 인풋이 중요하다고 하겠다.

교정 불가능한 오류를 기억하자

"영어유치원을 보내면 되지 않느냐?"고 물어보는 분도 있는데, 일단 우리나라의 영어유치원은 유치원이 아니라 학원이다. 유치원 인가를 받고 운영하는 곳이 아니며, 정부에서 만든 유치원 교과과정인 누리과정을 따르지 않는다. 유치원은 선생님들이 유아교육 전공자이고 아이들의 발달단계에 맞추어 교육한다. 하지만 영어유치원의 원어민들은 아이들의 발달단계를 모른다. 이것이 생각보다 매우 중요하다.

나의 경우, 어린이 영어교재를 만들다가 어린이 영어교육에 눈을 뜨게 되었다. 주로 대학생들을 가르치던 내가 유치원 아이들의 인지발달에 대해 무얼 알았겠는가? 옆에 유치원에서 10년 넘게 가르친 선생님이 붙어서 같이 연습문제를 하나하나 만드는 경험을 하고 나서야 아이들의 인지발달 단계에 대해 알 수 있었다. 파란 깃발과 하얀 깃발을 가지고 '깃발 올려, 깃발 내려' 놀이를 만들었더니 5세반 선생님들이 절대 안 된다고 했다. 5세 정도 아이의 발달단계상 보기를 2개 이상 주면 안 된다는 것이다. 그러면 보기를 몇 개 만들어야 하는지 물어보니 5세, 6세, 7세 연령대별로 다 달랐다.

이제 1장에서 알파벳을 가르칠 때 초기부터 단어의 알파벳을 하나하나 읽게 만들면 안 되고, 유추를 하게 해야 한다고 한 이유가 짐작될 것이다. 발달단계상 아이가 그렇게 할 수 없으며, 그렇게 가르치면 인지적으로 너무 부담되는 것을 자꾸 하나씩 하라고 하니 영어를 싫어하게 되고 영포자가 된다.

예를 더 들어보면, 어린아이들은 '내가', '나는'이란 말을 잘 못한다. 만 3세가 되어도 여전히 헷갈려 하며, '내가'라고 하지 않고, 자신을 3인칭으로 지칭해 '서연이가'라고 말하는 현상을 보인다. 이것은 거울 자아이론과 관계가 있는데, (간단히 얘기하자면) 인간의 자아는 남들에게 자신을 비추어보면서 발달하는 바, 남들이 부르는 이름으로 자신을 일컫는 단계가 '내가'라고

베이비토크로 글을 쓴 DK사의 그림책 *My Do It!*(Ros Asquith, Sam Williams(ILT), Dk Pub, 2000)

일컫는 단계보다 먼저이다. 12~16개월 아이들은 'I'를 배워서 쓰기는 하지만, 만 3세가 넘을 때까지 'I' 대신 me 혹은 my를 사용하며 혼동하는 모습을 보인다. 그래서 토들러(toddler)용 영어 그림책 중에는 일부러 유아용 베이비토크(baby talk)로 글을 쓰는 경우도 있다. I 대신 my를 써서 "My do it!"이라고 한다.

한국 아기들도 자기 장난감을 챙기느라 '내 거'라고 하는 소유대명사는 잘 말해

도, '나는', '내가'라는 말은 여전히 헷갈려 하고, 만 3세를 넘어가야 이런 표현이 자리잡게 된다. 이러한 아이의 인지발달이 어린이 영어교육에 시사하는 바는 분명하다. 이것을 모르는 영어 강사가 '내가'라는 표현을 아직 잘 못하는 아이한테 영어의 'I'를 가르치는 것은 괜찮은 걸까?

또 다른 예로 come과 go가 있다. 아이들에게 오다/가다라는 개념은 무척 어렵다. 3~4세 아이한테 전화를 걸어본 부모들은 알 것이다. 엄마가 전화통화에서 "빨리 갈게"라고 하면 아이가 "응, 엄마, 빨리 가"라고 대답한다. "엄마, 빨리 와"라고 하려면 상대성과 주체성의 개념을 바꿀 수 있어야 하는데, 이것은 고급 인지기술이다. 이런 고급 인지기술은 만 10세 무렵 완성된다.

만 10세 이전에는 한국어로도 '오다/가다'를 헷갈려 하는 아이들이 있을 수 있다. 이런 경우 아이가 틀렸을 때 교정해주어도 고쳐지지 않는다. 문장을 통째로 외워서 특정한 상황에서 쓸 수는 있지만 그 상황을 벗어나서 표현을 응용할 수 없다. 이것을 **교정 불가능한 오류**라고 한다. 아이의 인지발달이 그만큼 안 되어 생기는 오류이기 때문이다. 이럴 경우 아이의 인지발달이 그만큼이 될 때까지 기다려야 한다.

또한 초등 2학년 정도까지 아이들, 특히 남자아이들은 글씨 쓰기를 힘들어 할 수 있다. 남자아이들이 여자아이들보다 손가락을 움직이는 소근육발달(minor motor skills)이 대체로 늦다. 운필력이 떨어져서 힘에 부치는 아이에게 영어를 써오라는 고통스러운 반복과제를 자꾸 내주는 것이 과연 영어를 좋아하게 만드는 일인지 잘 생각해보아야 한다.

이러한 이유들 때문에 어린이 영어교육은 성인 영어교육보다 훨씬 어렵다. 아이들의 인지발달 단계를 알아야 하기 때문이다. 내가 영어유치원 간판을 단 학원들을 반대하는 이유가 바로 이런 이유 때문이다.

대부분의 영어유치원에는 영어 전문가, 어린이 전문가도 없지만 어린이 영어교육 전문가도 없다. 영어를 잘하면 영어를 잘 가르치느냐 하면 그것도 아니다. 마치 우리가 원어민으로서 한국어를 잘한다고 해서, 외국인에게 한국어를 잘 가르치는 것은 절대 아닌 것과 마찬가지다. 영어 원어민이라고 해서 아이에 맞게 영어교육을 할 수 있는 것은 절대 아니다.

한국에서 어린이 영어교육 최고의 전문가들은 영국문화원 어린이 영어교실의 교사들이라고 생각한다. 어린이 영어교육에 특화된 주니어 델타 (DELTA: Diploma in English Language Teaching) 자격증을 가지고 10년 이상 가르친 교사들이 있다(영국문화원에서 주는 자격증에는 CELTA와 DELTA가 있는데, DELTA는 석사 학위가 있는 이들도 많이 듣는 고급 자격증이다).

사실 영어교육도 적어도 5년 정도 이상은 해야 영어를 가르치는 것이 뭔지 좀 감이 생긴다. 영어를 오래 가르쳐보니 학습자가 무엇을, 왜 모르는지 이해되기 시작하는 시점이 한 5년 지났을 때부터였다. 어린이 영어교육 전문 자격증과 10년 이상의 티칭 경력을 가진 교사들을 영국문화원 말고 다른 곳에서 더 나은 이들을 본 적이 없다. 외국에서 명문대를 나온 강사는 있을 수 있지만 성인 교육과 어린이 교육은 전혀 다르다.

영어를 음성언어로 충분히

아이가 어릴 때 거주하는 지역의 영어유치원에 데려가서 진단 테스트를 받은 적이 있다. 그때 미국에서 대학을 나온 교포 강사가 테스트를 하더니, 아이가 영어를 하나도 못한다고 말하는 것이 아닌가. 내가 "그럴 리가 없다"고 하면서 무엇을 물어보셨냐고 물었다. 그랬더니 오늘이 무슨 요일이냐, 즉 "What day of the week is it today?"라고 물어보았다는 대답이 돌아왔다. 어이가 없어서 내가 그 어린 강사에게 알려주어야 했다. "아이는 아직 한국말로도 오늘이 무슨 요일인지 몰라요." 이 강사는 아이들의 시간 개념이 어떠한지, 어린이 인지발달에 대한 이해가 전혀 없었다. 이것이 영어만 잘하는 강사가 저지를 수 있는 크나큰 오류이다.

정리하면, 파닉스는 영어로 된 글을 읽으려고 하는 것이기에 우리나라 초등 3학년 정도에 하는 것이 적당하다고 생각한다. 물론 그 이전에 영어를 가르치지 말라는 것이 아니라, 그 이전에는 영어를 음성언어로만 가르쳐야 한다는 것이다. 영어에 듣기와 말하기 위주로 노출되고 있어야 한다. 영어책을 읽어주지 말라는 것이 아니라, 영어책을 읽어주되 아이에게 읽으라고 하지 말고 부모가 읽어주고 있어야 한다는 뜻이다.

우리나라에서는 아이들이 미리 한글을 배우고 초등학교에 들어가지만, 미국에서는 초등학교에 입학하면서 글자를 배운다. 이 상태에서 미국 아이들은 초등 2학년이 되면 어휘력이 폭발적으로 늘어난다. 글을 읽을 줄 알게 되면 귀로 들어서 배우는 단계보다 훨씬 빠른 속도로 어휘를 습득하기 때문이다. 이것이 읽기의 힘이기도 하다. 그래서 한국어로 읽고 쓸 줄 아는 아이, 한국어로 읽어서 어휘를 스스로 늘릴 줄 아는 아이가 영어 읽기/쓰기를 시작해야, 한국어 읽기/쓰기에 사용하는 기술들이 전이되어 쉽게 시작하기 때문에 부담이 줄어든다.

바이링구얼리즘(Bilingualism)과
뇌의 가소성을 높이는 영어교육

바이링구얼(Bilingual)에 대해 많이들 하는 착각

바이링구얼, 즉 두 가지 언어를 둘 다 골고루 잘하는 사람은 '거의' 없다. 두 가지 언어를 원어민 수준으로 하는 사람을 '균형 잡힌 이중언어자(balanced bilingual)' 라고 하는데, 연구조사에 따르면 거의 없다. 사실 없다고 봐도 무방하다. 이 는 한 사람 내에서 반드시 '한 언어'가 우위를 점한다는 뜻이다. 두 번째 언 어를 사회적인 기능을 하는 데에 무리 없을 정도로 잘하는 것은 가능하지 만, 두 언어를 모두 원어민처럼 잘하는 것은 거의 불가능하다는 뜻이다.

또한 요즘은 바이링구얼의 의미도 확장되어서, 성인이 되어 외국어를 배워 두 번째 언어를 하는 이들도 바이링구얼이라고 한다. 어릴 때부터 두 언어를 배운 사람들만 바이링구얼이라고 하지는 않는다.

그래서 영어를 부르는 명칭도 이전에는 ESL(English as a Second Language: 제2언어로서의 영어라는 뜻으로, 영미권으로 이주해 영어를 배울 경우에 해당), 혹은 EFL(English as a Foreign Language: 외국어로서의 영어로, 비영어권에서 영어를 배우는 경우에 해당)로 구분하다가, 이제는 이를 구분하지 않고 EAL(English as an Additional Language: 모국어 외에 더 하는 언어로서의 영어)이라고 한다.

한 부모 한 언어(One Parent One Language) 법칙에 대한 새로운 시각

나는 『우리 아이 바이링구얼로 키우기』라는 책을 기획, 해설했고, 『2가지 언어에 능통한 아이로 키우기』라는 책을 번역한 바 있다. 후자의 책은 세계적인 바이링구얼리즘 분야 석학 앨리슨 매키(Alison Mackey)와 켄들 킹(Kendall King Jr.)이 비전문가인 부모들을 위해 쓴 책이다. 이 책들은 바이링구얼에 대한 여러 가지 이야기들을 하고 있고, 어떤 점은 구식이라(유효하지 않다고 연구결과들이 말하고 있어서) 더 이상 의미가 없고, 후자 책의 어떤 점은 이상적이나 한국에 적용하기 힘든 부분도 있긴 하다.

『우리 아이 바이링구얼로 키우기 (*Growing up with Two Languages*)』, 유나 커닝햄-안데르손 & 스테판 안데르손, 이유진 역, 21세기북스, 2010년

일단 과거에 한참 얘기했던 '한 부모 한 언어' 법칙은 효과가 없다고 연구결과들은 말하고 있다. 이는 아이를 바이링구얼로 만들기 위해 부모가 언어를 나누어 한쪽은 한국어로, 한쪽은 영어로 말을 걸며 키우면 바이링구얼로 자란다는 법칙인데, 그렇지 않다.

한국에서도 샘 해밍턴의 아들 윌리엄과 벤틀리를 보면, 한국어를 주 언어로 하고 영어를 나중에 배우는 모습을 볼 수 있다. 샘이 구태여 영어를 강요하지 않아서

『2가지 언어에 능통한 아이로 키우기(*The Bilingual Edge*)』, 켄들 킹 & 앨리슨 매키 저, 조이스 박 & 김지현 역, 마이북스, 2012년

그럴 수도 있지만, 그보다는 아이들이 거부하는 영어를 구태여 가르치지 않는 것이다. 아이들은 자신들 주변의 주류 언어(mainstream language)를 먼저, 그리고 우선순위로 습득한다. 그리고 그 주류 언어가 아닌 다른 언어를 거부

하는 모습도 보인다. "한국말로 해!"라고 하는 벤틀리의 모습을 모두 본 적이 있을 것이다.

또한 이 원칙을 사용하며 생기는 가장 큰 부작용은 주류 언어를 하는 부모보다 그렇지 않은 부모를 아이들이 덜 중요하다고 여기며 위계화한다는 점이다. 즉, 영어권에서 살면 영어를 하는 부모 쪽을 중요한 사람으로 자리매김한다는 뜻이다. 아울러 이 원칙은 다른 언어의 인풋을 주는 부모 쪽이 그 언어의 원어민일 때 그나마 효과가 있다.

한 곳 한 언어(One Place One Language) 원칙은 과연?

또 다른 원칙으로는 '한 곳 한 언어' 원칙이 있는데, 이는 밖에서는 영어, 집 안에서는 한국어를 사용하는 식으로 두 언어의 인풋을 주는 것이다. 주로 영미권으로 이민을 간 이민자들이 사용한다. 하지만 실효성에 의문이 드는게, 집안에서도 흘러나오는 영어 방송을 막을 수 없어서 이 원칙을 고수하는 게 불가능하다.

아이들이 스스로 만들어낸 원칙을 존중해야 한다

아이들은 언어를 배우면서 나름대로의 원칙을 만들었다가 자라면서 이를 버린다. 호주에서 이민자 부모에게서 태어나 자라는 조카들과 그 사촌들을 보면, 어른들은 한국어를 하고 아이들은 영어를 하는 거라고 생각하며 자란다. 주변의 어른들은 죄다 한국인들이라 한국어를 하지만, 사촌들은 학교를 다니면서 영어를 하니까 그렇게 생각하는 듯하다. 좀 큰 뒤 밖에 나가 영어를 하는 백인 호주인들을 가리키면서 "저 사람은 어른인데 영어를 해!"라고 말했다는 전설(?)이 전해 내려온다. 이 에피소드가 시사하는 바가 중요하다.

아이들에게 언어 인풋을 줄 때에 어떤 원칙이 있어야 한다는 것이고, 그

원칙이 꼭 어른들이 주는 원칙대로 생기지는 않으며, 아이가 받아들이며 스스로 만들어낸 원칙을 존중해야 한다는 점이다. 때가 되면 아이는 이 원칙을 버리니까 걱정할 필요는 없다. 아이들 나름대로 받아들일 당시의 그 인지구조에 맞는 일관성이 필요한 듯하다.

『2가지 언어에 능통한 아이로 키우기』에서 말하는 내용들은 정말 이상적이고 좋으나, 여기에서 사용하는 방식은 한국에서는 사용하기 힘들기 때문에 여러 시사점들만 찾아보면 된다. 이 책에서는 결국 다국어 플레이그룹에 아이를 넣거나, 다른 언어를 하는 보모를 구하는 것을 가장 좋은 방법으로 추천하고 있다. 이 책은 외국어를 가르치려는 목적 자체를 아이의 삶을 풍요롭게 하는 데 두고 있다. 그래서 성공의 수단으로서 영어를 가르치려는 부모들에게 이 책에서 권하는 방법은 세상 태평한 방법으로 여겨질 수도 있을 것 같다.

양방향 이머전(Two-way Immersion)

바이링구얼리즘의 또 다른 대가로 엘런 비알리스톡(Ellen Bialystok)이 있다. 이 학자는 비전문가용 책은 쓴 적이 없으므로, 그가 말한 내용 중에서 이머전(immersion 몰입)에 대해서만 간략히 소개하겠다.

가장 효과가 있는 이머전은 양방향 몰입이다. 이는 캐나다 일부 지역과 미국 일부 지역에서 아주 효과적으로 사용되고 있는데, 거기에서만 아주 효과적일 수 있다. 이 방식은 영어와 불어 혹은 영어와 스페인어로 시행되는데, 학생들을 두 그룹으로 나누어 A 그룹은 1~3학년까지 영어로만, B 그룹은 스페인어로만 수업을 하다가, 4학년이 되면 두 그룹의 언어를 통째로 바꾸어준다. 즉, 4학년부터는 A 그룹은 스페인어로만 수업을 하고, B 그룹은 영어로만 수업을 하는 식이다.

이 방식이 가장 좋은 이유는 두 언어 간의 위계를 없애서 동등하게 만들기 때문이다. 캐나다나 미국 모두 영어가 주류 언어이기 때문에, 어떤 언어를 이머전으로 가르친다고 해도, 불어와 스페인어는 열등한 언어로 취급하는 아이들의 태도를 바꿀 수 없었고, 열등한 언어라고 생각하기 때문에 결국 잘하지도 안/못했다.

하지만 이렇게 두 언어의 위계를 평등하게 조절해서 일정 학년이 되면 언어를 교체하는 방식을 썼을 때, 운동장에서 어떤 언어를 히는 아이들과도 자연스럽게 어울렸고, 다른 언어도 서슴없이 배워서 잘하게 되는 모습을 보여주었다고 한다.

우리의 CLIL은 초등학교까지만 유효하다

한국에서 '이머전'이라고 하는 것은 국제학교가 아닌 이상 이머전이 아니기 때문에, 그냥 현실을 인정하고 CLIL이라고 말하고, CLIL을 제대로 하는 게 좋지 않을까 싶다. 학원에서 이머전이라는 말은 그냥 포장용으로 쓰는 말이기 때문에 이에 혹하지 않았으면 좋겠다. CLIL은 Content & Language Integrated Learning의 약자로 '콘텐츠와 언어를 통합하는 학습'으로 번역할 수 있는데, 이때 콘텐츠는 영어와 다른 교과를 칭하는 영어교육 용어이다. 즉, 수학을 영어로 가르치기, 과학을 영어로 가르치기 등을 하면 이게 CLIL이 된다. CLIL은 대체로 초등학교까지만 유효하다. 이유는 중고등 수준으로 넘어가면 각 교과 과목의 내용이 심화되므로 영어로 담아내다가는 그 내용의 질이 떨어지기 때문이다.

네덜란드 언어교육에서 배울 점

대학 수준으로 넘어가서 영어로 수업을 하면 이를 EMI(English Medium

Instruction)라고 불러주는데, EMI의 가장 큰 단점은 영어로 전달을 하느라 내용의 질이 떨어질 수 있다는 점이다. 그러나 네덜란드, 스웨덴, 노르웨이 등 북유럽 국가의 대학들은 EMI를 성공적으로 아주 잘해내고 있다. 특히 네덜란드의 경우 학부는 50%를 영어로, 대학원은 90% 이상을 영어로 수업을 진행한다. 중계무역이 발달한 나라라서 그런 것 같다. 네덜란드에서 대학을 나온 대졸자들은 보통 4개 국어 정도를 예사롭게 구사한다(외국어 교육정책은 이 나라에서 배워야 할 듯싶다). 세계에서 외국어를 가장 못하는 축에 속하는 나라가 바로 미국과 영국이 아니던가(영어권에서는 스코틀랜드가 외국어 교육정책이 그나마 성공적이다).

아이 뇌의 가소성을 높이는 영어교육

나는 『2가지 언어에 능통한 아이로 키우기』 책의 외국어 교육을 바라보는 관점을 좋아하고 지향한다. 아이의 삶을 풍요롭게 만드는 외국어!

두 가지 이상의 언어를 하는 아이는 뇌의 가소성(plasticity)이 높아진다.

즉, 하나의 사물을 보며 그 사물의 이름이 여러 개일 수 있다는 가능성, 하나의 단어의 뜻이 여러 개일 수 있다는 가능성, 한 단어의 번역어인 외국어 단어가 그 단어와 의미의 스펙트럼이 겹치는 부분도 있고 아닌 부분도 있을 수 있다는 가능성(예를 들면 table은 테이블이기도 하지만 '목차'이기도 해서 한국말의 '테이블'보다 의미의 스펙트럼이 넓다)에 대해 열린 사고를 가지게 된다. 즉, 세상을 좀더 오픈 마인드로 바라볼 수 있게 된다는 뜻이다. 이것이 앞으로 코스모폴리탄으로 살아가게 될 아이들이 세상에 대처하는 훌륭한 마인드셋이 되어준다.

또한 뇌의 가소성이 높으면 창의성도 높다(둘은 비례 관계). 하나의 물건을 주고 무엇이든 만들어보라고 하는 실험을 하면, 한 가지 언어밖에 못하는 아이들은 그 물건의 원래 용도에만 집착하는 경향을 보이지만, 두 가지 이상의 언어를 하는 아이들은 그 물건의 원래 용도와 관계없이 상상력을 발휘하며 물건을 사용한다. 좀더 상세히 소개하면, 실험에서 빈 병을 주면, 한 가지 언어만 하는 아이들은 자꾸 무엇을 담는 용기로 쓰려고 하지만, 두 가지 이상의 언어를 하는 아이들은 원래 용도에 구애받지 않고 자유자재로 사용하는 경향이 큰 것으로 나타났다.

외국어로 영어를 배우는 목적이 삶을 좀더 풍요롭게 하기 위해서, 세상을 좀더 열린 마음으로 바라보기 위해서가 될 때, 영어는 정말로 좀더 넓은 세상으로 나가는 문을 열어주지 않을까 생각한다.

사전-문해성
6가지 기능

사전-문해성 기능(pre-literacy skills)은 문자학습에 들어가기 전 아이에게 발달되어 있어야 하는 6가지 기능을 말한다. 외국어인 영어는 고사하고 한글을 가르칠 때도, 먼저 아이가 이런 인지적 발달을 보인 다음에야 시작해야 한다. 이 사전-문해성 6가지 기능이 발달되어 있지 않은 상태에서 문자학습은 무리수다.

3~4세 아이한테 문자를 가르치는 것이 좋지 않은 이유가 여기에 있다. 문자를 너무 일찍 가르친 경우, 일부는 초등 3~4학년 정도가 되었을 때 그 폐해를 눈으로 확인할 수 있다. 문자를 너무 이른 시기에 받아들여 인지부조화가 일어날 경우, 문자를 기계적으로 읽으나 의미가 따라오지 않아서 자기가 읽는 내용을 이해하지 못하는 일이 벌어진다. 이것도 사실은 일종의 난독증이다.

다만, 서구권에서는 초등 입학 전에 문자를 미리 가르치는 경우가 드물어 이런 경우의 난독증은 문제가 되지 않기에 수행된 연구가 없다. 한국에서도 그저 그런 부작용을 보이는 학습자들이 있다고 할 뿐이다. 성공한 사례는 널리 소문을 내지만 실패한 경우 쉬쉬하며 숨기기 때문에 생각보다 많은 학습자들이 이런 경험을 하고 있으리라 추측해본다.

초등 1~2학년은 의미를 모르고 책을 읽어도 그냥 귀로 들어서, 또는 엄마가 외우라고 해서 외워서 학업을 따라가지만, 3~4학년 정도 되어 교과서와 참고서적의 글밥이 많아지면, 의미가 없이 문자를 읽는 문해력 때문에 본격적으로 학력차가 벌어지기 시작한다. 이때서야 뒤늦게 후회하게 되는 경우가 있다.

문자를 일찍 가르치는 것이 꼭 좋은 것은 아니라는 점을 기억하자. **아이에게서 사전-문해성 6가지 기능이 보인 후에 문자학습으로 들어가야 한다.** 외국어인 영어학습은 모국어 문자학습 다음으로 미루어도 괜찮다. 모국어는 인지발달의 동력이기 때문에 무조건 모국어 습득과 문자학습을 우선시해야 한다. 이중언어자로 키우면 된다는 당찬 꿈은 꾸지 말았으면 좋겠다. 부모 중 한쪽이 영어 원어민 화자이거나, 어릴 때부터 영어권으로 가서 살지 않는 한 함부로 시도하지 않는 것이 좋다(바이링구얼에 대해서는 앞에서 상세히 설명했다.)

1. 어휘력(Vocabulary)

여기서 어휘력은 아이가 '음성언어'로 알고 있는 모국어 어휘를 말한다. 보통 아이들은 초등학교에 입학할 때 음성언어로 3,000~5,000개의 단어를 안다. 사물의 이름을 많이 아는 것은 이후 문자학습에 큰 도움이 된다. 모국어 문자습득 과정을 보면, 이 정도의 단어들을 음성언어로 안 상태에서 문자를 배우면서 머릿속의 소리와 의미를 시각상징인 문자와 매칭하는 작업을 하게 된다. 아이가 음성언어를 많이 아는 상태에서 문자학습으로 들어가는 것이 좋다.

미국은 보통 만 5세에 초등학교 K학년(kindergarten)으로 입학해 문자를 배우기 시작하므로, 영어권 연구는 만 5세를 기준으로 대부분 수행되었다. 문자를 습득할 수 있는 가장 어린 나이는 만 3세 반(우리 나이로 치면 5세 정도)이다. 상위 5% 정도의 머리가 뛰어난 아이라면 그 이전에도 문자를 습득해 읽을 수 있긴 하지만, 본인의 아이가 천재나 영재라고 함부로 착각하지 말고, 만 3세 반 이전에는 되도록 문자의 세계로 인도하지 않는 것이 좋다. 아이가 문자가 궁금하다고 물어보면 가르쳐주는 것은 괜찮고, 문자 읽기 여부와 관계없이 책을 계속 읽어주는 습관은 아주 중요하다. 천재 혹은 언어 영재라면 문자를 늦게 배워도 무리 없이 따라잡아 금방 평균을 추월해버리거나, 가르치지 않아도 혼자 읽기 시작하니 가르칠 필요가 더더욱 없다. 그보다는 문자 이외의 다른 영역, 즉 정서적·신체적·사회적 발달을 충분히 이루어, 이후에 풍성한 삶을 살도록 기반을 다져주는 것이 천재이든 아니든 아이가 행복하게 사는 데에 더욱 중요하다.

2. 인쇄물에 대한 동기(Print Motivation)

인쇄물에 대한 동기가 생기려면 책을 좋아하는 것이 매우 중요하다. 부모가 책을 읽는 모습을 많이 보여주고, 또 아이에게 책을 많이 읽어주며, 책 읽기 놀이를 많이 해주는 것이 좋다.

우리나라는 아이들에게 책을 많이 사주지만, 부모가 평소에 책 읽는 모습을 많이 보여주지는 못하고 있다. 2021년 문화체육관광부의 국민독서실태조사에 의하면 우리나라 성인의 52.5%는 한 해에 책을 단 한 권도 읽지 않는 것으로 나타났다(종이책, 전자책, 웹소설, 오디오북 포함). 글을 잘 읽는 아이, 문해력이 좋은 아이로 키우고 싶으면 엄마 아빠가 평소에 책 읽는 모습을 많이 보여주는 것이 매우 중요하다. 아이들은 책 읽는 부모의 등을 보고 자란다.

미국의 슬럼가에 사는 가난한 아이들을 연구에서는 보통 '도심부 아이들(inner city children)'이라고 한다. 야덴(D. B. Yaden) 등이 수행한 초기 문해력(early literacy)과 도심부 아이들에 대한 연구에 따르면, 빈민가 가정에 가서 보면 집에 책이 딱 한 권 있는 경우들이 있었다고 한다. 그 한 권이 뭐냐면 바로 Yellow Pages(전화번호부). 심지어 성경도 없는 경우가 태반이었다. 이 정도로 책이 주변에 없고, 부모가 책이든 영수증이든 읽는 모습을 보여주지 않는 가정에서 자란 아이들이 대체 글을 얼마나 유창하게 읽을 수 있을까? 요즘은 전화번호부를 아무도 쓰지 않으니까 전화번호부조차 없을 것이다. 인쇄물에 대한 동기는 책이 있는 환경에서, 양육자가 책을 읽는 모습을 보여주고 동시에 아이에게 책을 읽어주는 환경에서 생겨난다.

3. 인쇄물 개념(Print Concept)

영유아들은 보드북을 가지고 놀 때, 문자를 모르면서도 책을 읽는 척하며 책장을 넘긴다. 부모가 책 읽는 모습을 보며 '책장을 오른쪽에서 왼쪽으로 넘기는구나', '시선이 왼쪽에서 오른쪽으로 가는구나' 보고 배워서 모방행동을 하는 것이다. 이것은 인쇄물 개념으로 무척 중요하다.

아이가 인쇄물 개념이 있는지 테스트하는 방법 중 하나를 보자. 책을 거꾸로 주었는데 아이가 받아서 위아래를 돌려 잡는다면 인쇄물 개념이 생긴 것이다. 그림이 있는 책, 그림이 없는 책 둘 다 해보는 것이 좋다. 또는 "읽기 놀이를 해볼까?"라고 했을 때, 아이가 책장을 오른쪽에서 왼쪽으로 넘긴다면 인쇄물 개념이 생긴 것으로 볼 수 있다.

나라마다 책장을 넘기는 방향이 다르다. 일본과 아랍은 우리와 달리 책장을 왼쪽에서 오른쪽으로 넘기고, 눈이 움직이는 방향도 우리와 다르다. 이런 점을 고려할 때 책장을 넘기는 방향과 글 속의 줄을 따라 눈이 움직이는 방향은 철저하게 모방행동이다. 부모가 책 읽는 모습을 보여주어야 하는 이유이기도 하다.

아이가 인쇄물 개념을 가지고 있는지 여부는 문자학습 전에 갖추어야 할 6가지 기능 중에서 가장 쉽게 테스트할 수 있다. 인쇄물 개념이 생겼을 때 비로소 문자를 가르치기 시작해야 한다.

4. 서사 능력(Narrative Skills)

서사 능력이란 이야기를 듣고 이해할 뿐 아니라 이야기를 할 수 있는 능력을 말한다. 아이가 자기 주변에서 일어나는 사건을 묘사할 수 있고, 이야기에 시작-전개-결말이 있다는 것을 아는 것은 매우 중요하다. 어릴 때부터 잠자리에서 옛날이야기 같은 것을 많이 들려주는 것이 도움이 된다.

미국에서는 초등 저학년에 쇼앤드텔(show and tell), 호주에서는 뉴스타임(newstime)이라고, 돌아가면서 친구들에게 이야기를 하는 시간을 갖는다. 나라마다 이 시간을 부르는 명칭은 좀 다르다. 아이들이 매일 돌아가면서 지난 휴가에 가족들과 어디에 갔다왔는지, 거기서 가져오거나 사온 물건, 또는 사진을 들고 와서 보여주며 10분 정도 이야기를 한다. "애들아, 나는 지난 여름 가족이랑 어디에 갔는데, 무엇을 했고, 뭐가 좋았어." 이렇게 아이들의 서사 능력을 키워준다.

미국에는 발표할 아이 편에 미리 스토리백(story bag)을 보내는 교사도 있다. 이야기 발표 준비물 등을 만들어 미리 담아 오라고 한다. 그러면 아이가 집에서 부모와 준비해 와서 뉴스타임에 발표를 한다. 미리 준비를 하는 시간을 주어 발표의 두려움을 덜어주는 좋은 방법이다. 아이가 서사 능력이 있어야 책을 읽으며 내용을 따라갈 수가 있다.

5. 문자에 대한 지식(Letter Knowledge)

문자에 대한 지식은 문자에는 A, B, C 같은 이름이 있고, 알파벳이 여러 개 있으며, 특정 알파벳은 특정 소리를 가지고 있다는 것 등을 아는 지식을 말한다. 아이는 주변 사람들이 말하는 것을 들으며, dog라는 말은 d로 시작하고 [d]이라는 소리를 가진다는 것을 알게 된다. 이것이 문자에 대한 지식이다.

아이들은 보통 간판을 보고 문자에 대한 지식을 익히기 시작하는 경우가 많다. 미국 도시 아이들이 가장 먼저 익히는 알파벳이 M이라고 한다. 맥도날드(McDonald's) 때문이다. 도시 곳곳에서 간판을 볼 수 있고, 어린이 고객을 위한 해피밀을 먹고 해피밀 장난감도 따라 나오는 무척 기분 좋은 곳이기 때문이다. 한국에서도 엄마가 아이와 길을 걷다가 간판을 보고 "저건 어디에 있는 무슨 자" 식으로 문자를 하나씩 가르치기 시작한다. 보통 아이한테 가장 의미 있는 정보는 자기 이름이다. 자기 이름 속에 있는 문자부터 알려주어도 된다.

6. 음운 인식(Phonological Awareness)

음운은 음소보다 더 넓은 개념이다. 음소는 단어
의 의미를 구별해주는 말소리의 최소 단위로, 이
를테면 man과 pan에서 m, a, n, p 같은 것이 바
로 음소다(음소 인식 활동 8가지는 뒤에서 소개한다).

man / pan

음소(phoneme): 단어의 의미에 차이를 만드
는 말소리의 가장 작은 부분

반면 음운은 최소 단위보다는 큰 다른 소리와 같은 소리들을 구별하는
인식 정도로 이해할 수 있다. apple이라는 단어를 들으면, 애ㅍ[æp]와 프~
ㄹ[pl]의 두 소리를 구별할 수 있는데 이는 음운을 구별한 것이다. 그래서
음운 인식은 단어를 구성하는 소릿값
을 듣고 구별하고 조작할 수 있는 능력
을 말한다. 문자학습에 들어가려면 음
소를 정확하게 알 필요까지는 없고, 너
서리 라임을 가지고 놀 수 있는 정도면
된다. 음운 인식은 파닉스를 본격적으
로 시작하기 전에 먼저 라임을 가지고
노는 것부터 시작한다.

이렇게 사전-문해성 6가지 기능에 대해 알아보았다. 아이가 이런 능력
을 가지고 있을 때, 즉 이 정도의 인지발달이 이루어져야 그때부터 문자를
가르치는 것이 좋다. 가장 확실하게 알 수 있는 것은 인쇄물 개념이 있는지
여부인데, 아이들은 모방행동을 하면서 책을 가지고 놀다가 인쇄물 개념이
생긴다. 아이가 인쇄물 개념이 있는지 테스트해보고, 그다음에 문자습득
으로 인도해야 한다.

부모가 꼭 알아야 할
파닉스(Phonics) 키포인트

─

파닉스는 기본적으로 음소 조작에 대한 것이다. 음소도 알파벳으로 표기한다.[귀로 듣고 입으로 말하는 음소는 포님(phoneme)이라고 하고, 글자로 적는 음소는 문자소, 그래핌(grapheme)이라고 해서 구별하기는 한다. 정확하게 말하면 음소를 알파벳으로 적은 것이 그래핌이다.] 영어 알파벳은 26개, 영어 음소는 44개가 있다.

앞에서도 말했듯이, 음소(phoneme)란 단어의 의미에 차이를 만드는 말소리의 가장 작은 부분이다. 예를 들어 man, pan이 있다면 p와 m이 각각 하나의 음소이다. man, men이라고 하면 [æ], [e] 소리가 차이를 만들고, man, map이라 하면 맨 끝의 [n]과 [p] 소리가 다른 단어를 만든다. 이런 것들을 '음소'라고 하는 것이다.

파닉스 학습의 키포인트

파닉스에서 키포인트는 다음의 두 가지이다. 이 두 가지를 '파닉스의 요체'라고 한다.

첫째, **알파벳 원리를 아는 것**이다. 아이가 말은 여러 가지 소리로 구성되어 있고, 글자로 이 소리들을 표기할 수 있다는 것을 인식해야 한다. 즉, 아이가 우리가 하는 말에 매칭하는 시각상징이 있다는 것을 알아야 한다.

둘째, **음소 인식**이다. 아이가 단어는 여러 개별 소릿값으로 구성되어 있고, 이 소릿값을 조작해서 다른 단어를 만들 수 있다는 것을 인식해야 한다. 원어민들은 아이가 음소를 인식할 수 있도록 어릴 때부터 너서리 라임을 들려주며 이 인식을 키워준다.

잘못된 파닉스 책의 예: 영어 음소를 가르치는 데는 순서가 있다

영어 음소를 가르칠 때는 무엇부터 가르쳐야 하는지, 순서가 있다. 이것은 뒤에서 설명하고, 우선 잘못된 파닉스 책부터 살펴보자. 안타깝게도 우리나라 파닉스 교재를 보면 절반 정도가 다음처럼 차례가 A부터 Z까지 26개의 챕터로 구성되어 있다.

잘못된 파닉스 책의 예: 차례

Contents

이런 책의 한 과가 어떻게 구성되어 있는지 보면, 먼저 각 알파벳 문자를 대문자와 소문자로 제시한다. 그리고 그 알파벳으로 시작하는 영어 단어를 몇 개 보여주고, 그다음 그 영어 단어가 들어간 읽기 지문이 나온다. 이를테면 알파벳 A의 경우 대문자 A, 소문자 a가 나오고, 알파벳 a로 시작하는 apple, ant, animal, arrow 같은 단어를 주고, 이 단어들을 사용한 문장의 예를 준다.

잘못된 파닉스 책의 예: 본문 구성

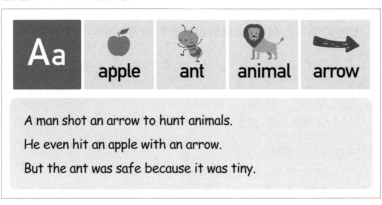

이런 책의 문제점을 살펴보면 크게 3가지로 이야기할 수 있다.

첫째, 파닉스를 하면서 알파벳만 제시하고 끝난다. 정작 파닉스의 핵심인 음소가 없다. 이것을 파닉스 책이라고 낸 사람들은 알파벳과 음소도 구별 못할 정도로 파닉스 교육이 무엇인지 모르는 것이다. 이런 책들은 그냥 버려야 한다.

둘째, 파닉스 책이라고 하면서 A 알파벳에서 apple의 [æ] 발음 하나만 달랑 제시하고 만다. 알파벳 A의 음은 [æ], [ei], [ɑ], [ɑ:], [ə] 등 여러 가지다. apple이라고 할 때는 [æ] 발음이 나오고, army에서는 [ɑ:] 발음, agent에서는 [ei] 발음, assist에서는 [ə] 발음, art에서는 큰 [ɑ] 발음이 나온다. 그런데 단지 [æ] 발음 하나만 보여주고 만다. 이런 책은 파닉스 책이라고 할 수 없다.

셋째, 알파벳 A에서 apple, ant, animal 등 [æ] 발음의 단어만 내놓았음에도, 지문에서는 a의 다른 소리인 an, safe 등이 중구난방으로 나온다. 이런 책으로 공부하면 아이가 파닉스의 규칙성을 익힐 수 없다. 규칙성을 익힐 수 없다면 파닉스를 학습하는 의의가 없지 않겠는가.

파닉스 키포인트 1: 알파벳 원리 인식

파닉스를 가르칠 때, 먼저 아이가 알파벳 이름과 알파벳 소리를 구별해야 한다. 즉, A는 알파벳 첫 자이고, 소리는 [æ], [ɑ], [e], [eː], [ə] 등으로 나온다는 것을 인식해야 한다.

우리말도 보면 ㄱ의 이름은 '기역'이지만, '가곡'이라고 할 때 첫소리 '가'의 ㄱ은 [k] 정도로 소리가 나오고, '곡'의 첫소리 ㄱ은 모음 사이에 있어서 [g] 소리가 나고, 받침 ㄱ은 [k] 정도로 소리가 나온다. 아이가 영어 알파벳의 이름과 알파벳의 소리가 다르다는 것을 인식하는 것은 매우 중요한 과정이다.

사실 파닉스의 규칙은 A라는 알파벳에 있지 않다. 이를테면 __at에서 a 발음은 [æ]라고 나온다. 그래서 아이들한테 규칙을 제시할 때는 __at이 [æt] 발음이 난다는 것을 가르쳐주고, 그런 다음 자음들을 바꾸면서 m의 뒤에 at이 나오면 mat[mæt]이고, p의 뒤에 at이 나오면 pat[pæt]이라고 발음되는 규칙성이 있다고 가르쳐야 한다.

A		ㄱ	
이름	소리	이름	소리
에이	/æ/, /ɑ/, /e/, /eː/, /ə/…	기역	/g/, /k/

파닉스 키포인트 2: 음소 인식이 중요하다

파닉스 책에는 음소 인식 활동이 반드시 나와야 한다. 이것이 안 보이는 파닉스 책은 버려야 한다. 음소 인식이란 음소를 구분해서 듣고 조작할 수 있는 것, 즉 음성언어에 대한 이해를 말한다. 파닉스란 음소와 글자와의 관계를 이해하는 것, 즉 음성언어와 문자언어의 관계에 대해 이해하게 되는 것이다.

영어는 자음의 신뢰도(reliability)가 높고, 한국어는 모음의 신뢰도가 높다. 여기서 신뢰도란 자음이나 모음의 소리가 변하지 않고 하나로 발음되는 것을 말한다.

한국어에서 모음은 어디에 있든 소릿값이 변하지 않고 딱 하나로 발음된다. 예를 들어 ㅏ 모음은 '가, 나, 다, 각' 식으로 어디에 있든 같은 소리를 낸다. 하지만 자음은 우리가 학교에서 배운 구개음화, 자음접변 등으로 단어에서 어느 자리에 오는지에 따라 소리가 달라지는 경우가 생각보다 많다. 또한 받침도 ㄲ, ㅆ, ㄳ, ㄵ, ㄶ 등 다양하지만 대표 발음은 7개 정도밖에 안 된다. 그래서 외국인을 위한 한국어 교재는 '아이, 오이, 우유' 같은 단어부터 나오면서 모음부터 가르친다.

반면 영어는 자음의 신뢰도는 높으나 모음의 신뢰도가 낮다. 예를 들면 b와 p의 소릿값은 /b/와 /p/ 외에는 없다. 그러나 모음 a를 생각해 보라. ant, ale, art, all 등, a의 소릿값이 다 다르지 않은가.

다음은 영어 음소 44개 중에서 모음으로 된 음소 19개이다. 모음도 3가지 종류가 있는데, [a] 같은 단모음, [ei] 같은 이중모음, 그리고 이중모음을 제외한 [e:] 같은 장모음이다(사실 이중모음도 장모음에 속한다). 한국어에서는 '에이' 2음절로 발음하지만, 영어는 한국어와 음절 개념이 달라서 [ei]가 하나의 음절로 발음되는데, 이런 것들을 '이중모음'이라고 한다.

영어 44개 음소 중 19개 모음 음소

슈와(Schwa)

1	/ā/ (bake)	6	/a/ (fat)	11	/ə/ (above)	16	/oi/ (toy)
2	/ē/ (meet)	7	/e/ (Ted)	12	/â/ (pair)	17	/ou/ (mouse)
3	/ï/ (bike)	8	/i/ (fish)	13	/û/ (bird)	18	/ōō/ (moon)
4	/ō/ (coat)	9	/o/ (mock)	14	/ä/ (art)	19	/ŏŏ/ (cook)
5	/yōō/ (tube)	10	/u/ (puck)	15	/ô/ (mall)		

> 단모음 ▶ 이중모음 ▶ 장모음

* 약음인 /ə/ 사운드를 '슈와(Shuwa)'라고 한다.

다음은 영어 음소 44개 중에서 25개의 자음으로 된 음소이다. 자음도 단자음, 이중자음, 자음군이 있다. 이중자음은 알파벳은 2개인데 소리는 하나인 것이다. 예를 들어 sh를 발음할 때 [ʃ]와 같은 것이다. 자음군은 여러 개의 자음이 겹치는데 소릿값이 다 따로따로 나는 것이다. 예를 들면 strong의 [str]이 그 예이다.

영어 44개 음소 중 25개 자음 음소

1	/b/ (bin)	6	/j/ (jay)	11	/p/ (pan)	16	/w/ (wind)	21	/zh/ (pleasure)
2	/d/ (day)	7	/k/ (kiss)	12	/r/ (role)	17	/y/ (yoga)	22	/th/ (thing)
3	/f/ (fin)	8	/l/ (long)	13	/s/ (sand)	18	/z/ (zipper)	23	/the/ (the)
4	/g/ (giga)	9	/m/ (map)	14	/t/ (tep)	19	/ch/ (choose)	24	/hw/ (wheat)
5	/h/ (hell)	10	/n/ (nose)	15	/v/ (victory)	20	/sh/ (shock)	25	/ng/ (sing)

> 단자음 ▶ 이중자음 ▶ 자음군

아이들은 먼저 귀로 듣고 그다음에 글로 온다. 즉, 아이들은 먼저 소리를 알고, 그다음에 의미를 알고, 그런 후에 글로 들어온다(읽기를 시작해 어휘가 확장되는 소리―문자―의미의 단계와 다르다). 그런데 우리 아이들이 영어를 배울 때에는 소리를 모르는 상태인 경우가 대부분이다. 한국 아이들은 '책상'이라는 우리말 소리와 뜻을 알지만 'table'이라는 영어의 소릿값이 없는 상태이다.

따라서 영어 원어민이 아닌 우리 아이들한테 파닉스를 가르칠 때 힘든 점은 소리와 문자를 다 주어야 한다는 것이다. 영어 단어의 소릿값을 알려주고, 모국어(한국어)로 알고 있는 사물을 제시해서 의미를 일단 고리로 걸어서 알게 하고, 그다음 영어 문자를 주어야 한다. 그러려면 귀로 영어 이름을 많이 알고 있는 상태에서 파닉스로 들어와야 편해진다. 따라서 영어 문자를 배우기 전에 영어를 귀로 들으면서 노는 것이 매우 중요하다.

파닉스, 첫소리→끝소리→중간소리로 가르치는 이유

파닉스를 가르칠 때에도 단어의 첫소리를 가르치고, 끝소리를 가르치고, 그런 후 중간소리를 가르치는 이유가 있다. 앞에서 말했듯이, 인간이 문자를 어떻게 읽는지에 대한 캠브리지대학의 연구에 따르면, 우리 뇌는 문자를 읽을 때 첫소리, 끝소리, 중간소리 순으로 주목한다.

즉, 읽기를 할 때 단어의 첫 부분과 끝 부분만 보고, 머릿속에 있는 단어와 맞추어 찍고 다음으로 넘어간다. 이것이 자동화된 읽기이다. 많은 정보를 빠르고 효율적으로 처리하기 위해 인간이 택한 처리방식이다. 그래서 파닉스를 가르칠 때에도 첫소리를 가르치고, 끝소리를 가르치고, 그런 후 중간소리를 가르치는 것이다. 또한 이중모음을 맨 끝에 가르치는 이유도 마찬가지이다. 우리 뇌에서 대부분 단어의 중간에 위치한 이중모음 인지가 가장 늦게 이루어지기 때문이다. 그래서 영국 교육부의 커리큘럼에서도 초등 5

학년 맨 마지막에 이중모음을 가르치는 것이다.

단어 제시 순서가 정해져 있는 이유

단어를 제시할 때 기본적으로 cat처럼 '자음+모음+자음(CVC)'인 단어부터 시작한다. 왜냐하면 이런 단어들 안에 있는 모음은 거의 단모음(정확하게는 closed syllable)이고, 단모음이 가장 쉽고 음소 조작도 무척 쉽기 때문이다. 그 다음에 이중자음을 가르치고, '자음+자음+모음+자음(CCVC)'인 단어, '자음+모음+자음+자음(CVCC)'인 단어 순으로 접근한다.

자, 지금까지 우리는 뇌과학이 밝힌 읽기의 비밀과 한국 부모들의 파닉스와 읽기에 대한 오해, 그리고 파닉스 키포인트까지 살펴보았다. 이제 유창한 영어 읽기를 위해 파닉스를 어떻게 가르칠지 알아보자.

파닉스를 어떻게 가르쳐야 할까? 1
-알파벳 인식 활동

일단 아이가 파닉스에 들어가기 전에 입말(소릿값)로 영어를 어느 정도 하고 있어야 한다. 즉, 영어 그림책을 읽어주거나 영어 노래를 같이 하거나 영어로 놀아주거나 해서 아이가 영어 소리에 어느 정도 노출되어 있어야 한다.

이 상태에서 파닉스로 들어가려면, 처음에는 알파벳을 제시해야 한다. 보통 엄마들은 알파벳송, 대문자, 소문자를 가르치고 쓰는 연습을 시키면 '알파벳을 뗐다'고 생각하는데 그렇지 않다. 아이의 학습은 그렇게 한순간에 딱 되는 것이 아니다.

알파벳 인식 활동은 최소 한 달 이상 해야 한다. 아이가 공부한다는 생각이 들지 않게, 하지만 그 활동 중에 학습이 일어나는 방법을 써야 한다. 원래 아이들 학습은 이런 방식이 가장 이상적이다. 그럼, 파닉스의 첫걸음 알파벳 인식 활동부터 살펴보자.

알파벳 코너부터 만들자

처음에는 알파벳 코너를 만들어주는
것이 좋다. 알파벳 매트를 깔거나 알
파벳 포스터 같은 것을 벽에 붙여놓
아 알파벳 코너를 만드는 것이다.

알파벳 기차놀이

아이들은 먼저 몸으로 놀며 무언가를 경험하고, 그런 다음에 종이와 연필로
정리해야 학습이 제대로 일어난다. 아이에게 알파벳을 가르친다고 해서 대
뜸 종이로 학습부터 시켜서는 안 된다.

어린아이일수록 학습자 유형이 미치는 영향이 굉장히 크다. 특히 신체
활동형 학습자들의 특징은 어릴수록 강하다. 그래서 몸으로 놀고 그다음에
종이와 연필로 들어와야 한다. "알파벳 스티커를 붙여봐", "알파벳 스탬프
를 찍어봐." 이렇게 시작해서 나중에 쓰기로 가야 하며, 무조건 종이에 "알
파벳 하나하나 써봐" 이러면 안 된다.

알파벳 기차를 가지고 아이와 놀이를 해보자. 빅 A와 스몰 a가 같은 칸
에 타야 한다. 성인인 우리는 영어 대문자와 소문자 인식이 자동화되어 당
연히 같은 글자인 줄 알지만, 원래 빅 A와 스몰 a는 그래픽 정보가 상이하
다는 점을 명심하고 아이들에게 제시해야 한다.

1. 엄마가 "빅 A는 어디로 갈까?"(Where does big A go?)라고 하면 아이가 빅 A
   를 그 자리에 넣는 식으로 할 수 있다. 알파벳 기차에 알파벳들이 그려져
   있으니 아이가 알파벳을 몰라도 자리에 찾아넣을 수 있을 것이다.

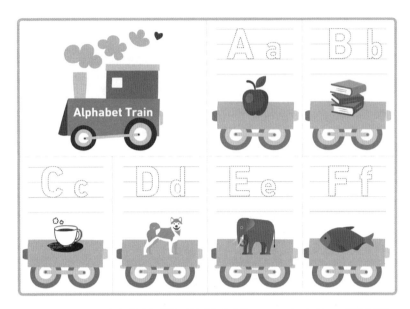

[특별부록: 워크시트 PDF 제공] 알파벳 기차는 출판사 홈페이지(www.smartbooks21.com)의 **[자료실]**→ **책부속자료** 코너에서 다운받을 수 있다. 알파벳 26자, 대소문자 모두 A4 용지 크기의 PDF 파일로 만들었으니 유용하게 사용할 수 있을 것이다.

2. 엄마가 "빅 A는 어디로 갈까?"라고 물어보며 빅 A를 알파벳 기차에 놓으면, 아이가 스몰 a를 넣는 식으로 해도 된다.

3. 엄마가 "스몰 a는 어디다가 넣었지?"라고 물어보고 아이가 대답하는 식으로 할 수도 있다.

알파벳 컵

알파벳 컵에 알파벳 카드를 넣는 놀이다. 알파벳 카드 말고 알파벳 탁구공 던져넣기를 해도 된다.

[특별부록·워크시트 PDF 제공] 알파벳 대문자, 소문자 스티커 그림은 출판사 홈페이지에서 PDF 파일을 다운 받아서 종이컵에 붙여서 사용하면 된다. 또는 문구점에서 자석 테이프를 사서 오린 글자 뒤에 하나씩 붙이고, 컵 안에 하나 붙여서 달아서 사용해도 된다.

또 아이와 같이 알파벳들을 가위로 오리면 서 가위 노래(scissors songs) 같은 것을 불러도 된다. 이를테면 아이와 알파벳들을 오리면 서 아래 가사를 '학교 종이 땡땡땡' 동요에 맞춰서 부르는 방식이 좋다(다음의 가사는 이 노래에 맞춰 필자가 쓴 것이다).

With your scissors, cut it out, cut it out like this!

Snip snip snip snip, cut it out, snip, snip, cut it out.

노래와 행동을 같이 따라하면 cut이라는 단어를 몰라도 그 의미를 느끼게 된다. 원래 아이들은 언어를 귀와 행동으로 배우는 것이다. 아이랑 알파벳 을 자르면서 a를 자르는 노래, b를 자르는 노래 같은 것을 같이 한다.

알파벳 타워

A부터 Z까지 순서를 읽히게 할 때 좋다. 아이와 함께 블록이나 나무, 주사위, 종이박스 등에 알파벳을 붙인 다음에 순서대로 쌓는 놀이를 해보자.

알파벳 주사위 놀이, 알파벳 컵케이크 게임

알파벳 판을 준비한 다음, 주사위를 굴려서 윗면에 나오는 알파벳에 따라 그 자리에 찾아 놓는 게임이다. 아울러 알파벳 컵케이크 게임은 알파벳 조약돌(또는 바둑알)을 컵케이크 판에서 찾아서 넣는 것이다. 이런 게임은 그래픽 정보를 맞추는 활동으로 매우 필요하다. 그래야 아이의 뇌에서 문자 인식 과정이 활성화된다.

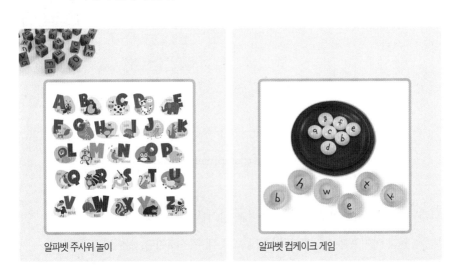

알파벳 주사위 놀이   알파벳 컵케이크 게임

[특별부록: 워크시트 PDF 제공] 알파벳 주사위 놀이판(Alphabet dice game board) PDF 파일을 다운받아 사용해도 된다. 아이와 함께 만들어도 좋을 것이다. 알파벳 주사위는 쇼핑몰에서 1만원 정도로 구할 수 있다. '알파벳 주사위'라고 검색하면 된다. 컵케이크 종이와 베이킹 틀도 구매 가능하다.

알파벳 빈 백(Bean Bag) 던지기, 알파벳 클레이 만들기

일종의 알파벳 오자미 던지기 놀이인데, 커다란 알파벳 판에 알파벳 콩주머니를 던져 맞추는 놀이다. 이를테면 B 콩주머니를 들고, 알파벳 판의 B를 맞추면 된다. 알파벳 판과 알파벳 콩주머니 모두 인터넷에서 구매할 수 있다. 또는 클레이(찰흙)로 알파벳을 만드는 놀이를 해도 된다. 아이들은 이처럼 몸으로 해봐야 글자 인식 능력이 좋아진다.

알파벳 오자미 던지기 놀이   알파벳 클레이

알파벳 숨바꼭질

알파벳을 집안에 여기저기 붙여놓고 찾아오는 놀이다. 엄마가 알파벳을 붙일 때 영어 단어의 첫 글자에 맞게 붙이는 것도 좋은 방법이다. 이를테면 냉장고의 사과에 A, 바나나에 B를 붙이는 식으로 말이다.

[특별부록: 워크시트 PDF 제공] 알파벳 숨바꼭질을 아이와 집에서 즐길 수 있도록 A~Z까지 그림과 함께 있는 단어카드를 제공하니 사용해보자.

알파벳 사냥 놀이

알파벳 사냥(hunt) 놀이는 마당에서 하면 좋은 놀이다. 먼저 그림처럼 알파

알파벳 사냥 놀이

벳 칸들을 만든다. 그런 다음 아이가 각 알파벳 칸에 그 알파벳으로 시작하는 물건을 찾아서 갖다놓는 것이다. 예를 들어 G 칸에 glove(야구 글러브), grass(잔디), glass(유리) 같은 것을 갖다놓는다. 이 놀이를 하려면 아이들이 영어 소리로 사물들의 이름을 알고 있어야 한다. 그러므로 엄마가 책을 많이 읽어주고 영어로 놀아주어 아이가 영어 단어를 소리로 좀 알고 있는 상태에서 할 수 있는 놀이다.

몸으로 알파벳 만들기: 바디 알파벳(Body Alphabet)

바디 알파벳은 아이들이 몸으로 알파벳을 만드는 놀이다. 아이가 형제자매나 친구, 부모와 함께 몸으로 A 자를 만들고 B 자를 만드는 식이다. 아이가 좋아하는 강아지나 곰 인형 같은 것들을 가지고 같이 하는 것도 좋다. 아이

Body Alphabet

[특별부록: 워크시트 PDF 제공]

가 직접 몸으로 알파벳 글자를 만들어보면 뇌리에 새겨진다.

가장 좋은 방법은 아이가 몸으로 알파벳 글자를 만들면 사진을 찍어 출력을 해서 붙여주는 것이다. 굉장히 동기부여가 된다. 아이들의 동기부여에서 가장 중요한 것은 개인화(personalization)이다. '내가 저기 나왔어' 같은 것이 매우 중요하다. "나 P 자 만들었어" 같은 경험을 하면 P 자를 절대 안 잊어버린다.

알파벳 집게 게임

아이가 알파벳을 인식한 다음에 가장 먼저 해야 하는 것이 자기 이름의 알파벳 알려주기이다. 유치원에 가면 아이들은 내 이름표가 붙어 있는 옷걸이, 칸이 어디 있는지부터 배운다. 사실 이것이 아이들의 인지발달 단계상 맞다. 본인한테 가장 유의미한 정보가 자기 이름이다.

알파벳 글자를 익혔다고 해서 쓰는 것부터 하지 않고, 내 이름에 매칭하는 알파벳을 찾는 놀이부터 하는 것이다. 그렇게 하지 않고 알파벳 쓰기부터 하면 아이가

알파벳 집게 게임

힘들어한다. 아이의 영어 이름이 Caroline(캐롤라인)이라면 그에 맞는 알파벳이 달려 있는 집게들을 갖다 꽂으면 된다.

[준비하기] 쇼핑몰에서 디스플레이용 나무집게를 검색해 구매한 후 알파벳 글자를 붙여서 만든다. 아이가 클레이로 자기 이름의 알파벳을 만들어 붙이는 것도 좋은 방법이다.

그 외의 알파벳 인식 놀이

알파벳 스탬프(stamp)는 커다란 알파벳 카드를 가지고 하는 놀이다. stamp 는 '발을 구르다'라는 뜻이 있다. 알파벳 카드를 크게 출력한 다음 방에 늘어 놓고, 엄마가 "P"라고 소리치면 아이가 P 카드를 찾아 발로 밟으며 "P"라고 외치는 놀이다.

알파벳 공을 휴지심 위에 놓는 놀이도 있다. 알파벳 공에는 소문자를 쓰 고, 휴지심에는 대문자를 쓴 다음에 아이가 대문사 A 휴지심 위에 소문자 a 알파벳 공을 올려놓는 식으로 하면 된다.

알파벳 하드막대 놀이는 네모 종이상자에 엄마가 알파벳들을 적은 다음 에 각 알파벳 밑에 칼집을 내어준다. 그런 다음 아이가 각 알파벳의 구멍에 맞는 알파벳 막대를 꽂는 것이다. 이를테면 상자의 A 구멍에 아이가 A 자 막대를 꽂는다. 대문자 매칭에 익숙해지면, 상자에 알파벳 대문자들을 쓴 다음에 아이가 각각 매칭하는 소문자 막대를 꽂는 식으로 해도 된다.

  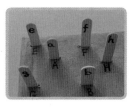

[준비하기] 알파벳 공은 쇼핑몰에서 '공'으로 검색하면 쉽게 구할 수 있다. 엄마가 공에 알파벳을 써주면 된 다. 하드막대는 쇼핑몰에서 '하드바 막대', '나무 스틱', '아이스크림 스틱' 등으로 검색하면 된다. 아이가 수 개념, 더하기 빼기 등을 익힐 때도 이용할 수 있도록 여러 색깔로 이루어진 막대 세트를 선택하는 것이 좋을 것 같다.

알파벳 인식 활동은 최소 한 달 이상 해야 한다. 그러고 나서 마지막에 알 파벳 쓰기를 한다. 이 경우에도 내 이름 쓰기부터 하는 것이 좋다. 이처럼 알파벳 인식 활동부터 하고 알파벳을 가르친 다음에 파닉스로 들어가야 한다.

파닉스를 어떻게
가르쳐야 할까? 2
- 라임(Rhyme) 즐기기

음운 인식 발달에도 순서가 있다

음운 인식에도 발달 순서가 있다. 무조건 음소부터 시작하는 것이 아니다. 앞에서도 살펴봤듯이, 음소는 그 자체로는 뜻이 없고, 단어의 뜻의 차이를 만들어내는 가장 작은 단위다. 예를 들면 cat과 cap에서 t와 p는 두 단어를 다른 단어로 만들어주는 각기 다른 소리값인데, 이 t와 p가 바로 음소다.

영어권에서는 음소 인식과 구분을 너서리 라임(nursery rhyme)이라는 어린이 동요로 어릴 때부터 익숙해지도록 만드는데, 이것이 바로 모국어 습득의 채널이기도 하다. 반면 한국어는 음절 중심의 언어이기 때문에 영어를 배울 때 (성인의 경우) 음소 인식이 거의 없이 시작한다고 볼 수 있다. 하지만 문자보다 먼저 음성언어로 영어를 배우는 아이들은 영어학습의 첫 단추를 음소 인식을 키우는 방향으로 끼워야 한다.

아이가 음운을 인식하려면 그 앞에 선행되어야 하는 단계들이 있다.

첫째, 라임(rhyme) 즐기기다. 원어민 아이들은 어릴 때부터 라임(너서리 라임 혹은 마더구스)을 해왔기에 안 가르쳐도 되지만, 한국 아이들은 라임을 가르쳐야 한다. 이와 동시에 문장과 단어를 구별하는 훈련을 한다. 둘째, 음절 구별하기다. 영어 음절 구별은 한국의 성인들도 잘하지 못한다. 음소 인식보다 어려울 수 있다(뒤에서 설명한다). 셋째, 초성(onset)과 모음, 종성자음을 포함한 라임(rime)을 구별하는 법을 연습한다. 넷째, 음소 가지고 놀기를 한다.

영어 음운 인식을 위한 단계

| 라임
즐기기 | 음절
구별하기 | 초성과 라임
구별하기 | 음소
가지고 놀기 |

라임(Rhyme) 즐기기

영어가 모국어인 아이들은 어릴 때 너서리 라임을 자연스럽게 습득한다. 마더구스(mothergoose)라고도 부르는 영어 동요를 불러주는 것이다. 문자로 읽지 않고 그냥 소리로 들려준다. 영어권에서 수백 전부터 불려온 'To Market, to Market(시장으로, 시장으로)'이라는 마더구스를 보자.

To Market, to Market	시장으로, 시장으로
To buy a fat p**ig**.	뚱뚱한 돼지를 사러 (가자).
Home again, home again	다시 집으로, 다시 집으로
Jiggity j**ig**.	(으쓱으쓱) 춤추며.

To Market, To Market, Anne Miranda, Janet Stevens(ILT), Voyager Books, 2001

To market, to market	시장으로, 시장으로
To buy a fat h**og**.	뚱뚱한 돼지를 사러 (가자).
Home again, home again	다시 집으로, 다시 집으로
Jiggity j**og**.	(으쓱으쓱) 춤추며.

쉬운 어휘와 짧은 문장으로 라임을 매우 잘 살린 동요이다. 강조된 단어들이 라임(rhyme, 운)을 맞춘 것들이다. a-b-c-b로 운을 맞추고 있다. 아이한테 너서리 라임을 불러주다가 음소에 대한 인식을 좀더 키워주고 싶으면 p**ig**, j**ig**, h**og**, j**og**를 좀더 강조해서 읽어준다.

또한 라임을 익히기에 가장 좋은 너서리 라임 중 하나가 바로 'See You Later, Alligator(나중에 보자, 악어야)'이다. 19세기 말의 시를 바탕으로 널리 불리다보니 여러 버전이 있는데, 노래에 맞춰 가장 부르기 쉬운 버전으로 소개한다. 이 시는 "넓고 넓은 바닷가에 오막살이 집 한 채~"로 시작하는, 19세기 미국 서부 민요로 유명한 '클레멘타인(Oh My Darling, Clementine)'의 음에 맞추어 부르면 된다.

See Ya Later, Alligator

Tune: Oh My Darling, Clementine

See ya later, alligator

In a while, crocodile

Give a hug, ladybug

Blow a kiss, jellyfish.

See you soon, big baboon

Out the door, dinosaur

Take care, polar bear

Wave goodbye, butterfly.

이 너서리 라임은 영어 그림책으로도 많이 출간되었는데, 2016년 샐리 홉굿(Sally Hopgood) 글, 엠마 레비(Emma Levey) 그림으로 출간된 영국 그림책을

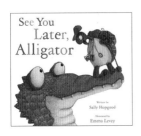

See You Later, Alligator, Sally Hopgood, Emma Levey(ILT), Sky Pony Press, 2016

추천한다(앞의 시에 변형을 주어 동물들과 라임들이 더 나온다). 이 그림책에서는 상냥한 거북이 모험을 떠나기로 맘먹고 동물원 친구들에게 작별인사를 한다. 그런데 악어, 캥거루, 너구리 등 동물원에는 동물들이 너무 많다. 거북은 인사만 하다 결국 동물원을 떠나지 못하고, 여행을 내일 떠나기로 미루는 것으로 끝을 맺는다. 밝고 재미있는 일러스트가 돋보이며, 운율이 뛰어나서 읽어주면 아이들이 좋아한다.

책 내용을 조금만 살펴보면, 빨간 모자를 쓴 거북이 가방을 메고 길을 떠나며 악어에게 인사한다.

"See you later, Alligator." (나중에 보자, 악어야.)

가는 도중 또 다른 악어를 만났다.

"I'll be a while, Crocodile." (좀 있다 올게, 악어야.)

엄마 캥거루와는 배의 아기 주머니에 들어가 마주보며 작별인사를 한다.

"Toodle-oo, Kangaroo." (다음에 또 봐요, 캥거루.)

다시 길을 걸어가다 나무 위의 너구리를 만나자 손을 들고 인사한다.

"I'll call you soon, Mr. Raccoon." (곧 전화할게요, 너구리 님.)

이와 같은 구성으로 여러 동물들에게 죽 인사를 하는데, 인사말과 인사하는 동물 이름이 운이 계속 맞는다.

너서리 라임 책은 아이가 읽는 것이 아니라, 엄마가 읽어주고 아이가 듣는 책이다. 아이들은 엄마가 읽어주는 소리를 귀로 들으면서 later/Alligator, while/crocodile, Toodle-oo/Kangaroo/soon/Raccoon 같은 라임을 느끼게 된다.

유튜브에 이 그림책을 읽어주는 영상들이 많은데, 그중에서 '스토리즈

바이셸리(StoriesbyShelley)의 영상을 추천한다(영국 그림책이라 영국 발음인 점 주의!). 이 동영상은 부모가 영어 그림책을 어떻게 읽어주어야 하는지에 대한 정석을 보여준다. 처음에 표지에서 무엇을 읽어주어야 하고, 표지 그림을 보면서 아이와 어떤 이야기를 해야 하고, 속표지는 어떻게 읽어주어야 하는지, 그리고 본문의 텍스트는 어떻게 읽어주며 그림을 보면서 무슨 말을 해야 되는지 등 좋은 예를 보여준다.

스토리즈바이셸리(StoriesbyShelley)의 그림책 읽어주는 영상

이 스토리텔러는 그림책을 읽어주면서 계속 "이거 유니콘이야?" 같은 질문을 한다. 영어 그림책을 읽어줄 때, 글만 있는 그대로 읽어주는 것이 중요한 것이 아니라 그림을 보고 아이와 상호작용을 어떻게 해주는지가 중요하다.

한국의 부모들은 질문과 대답을 하면서 자라지 않았기 때문에, 아이에게 책을 읽어주면서 적절한 질문을 하며 상호작용을 하는 것을 잘 못한다. 텍스트 토크(Text talk)라고 하는 그림책 읽어주기 방법이 있는데, 이 영상은 정석대로 그림책을 읽어주므로 모범 동영상으로 권해 드린다(영어 그림책 읽어주는 방법에 대해서는 2장에서 상세히 다룬다).

파닉스를 어떻게
가르쳐야 할까? 3
- 문장과 단어 구별하기

아이들은 문자와 읽기를 배우기 전에는 음성언어로 의미덩어리로 메시지를 주고받는다. 그래서 단어 개념이 잘 발달해 있지 않다. 읽기와 쓰기는 아이가 무엇이 단어이고 아닌지를 확실히 알고 있는지에 큰 영향을 받는다. 한 문장의 의미는 문장 속의 특정 단어들이 좌우하고 그 단어들의 순서가 중요하기 때문에, 문장과 단어를 구별하는 훈련이 필요하다.

영어 문장과 단어를 구별하는 훈련

물론 이미 한국어로 읽기를 배운 아이는 문장과 단어를 구별하는 지식이 영어를 배울 때 전이되어 넘어오기 때문에, 그럴 경우 이 훈련은 간단히 하고 넘어가도 괜찮다.

문장과 단어의 구별은 다음과 같은 훈련을 하면 된다. 주의! 이때 아이는 문장을 읽지 않는다. 엄마가 읽고 아이는 박수만 친다.

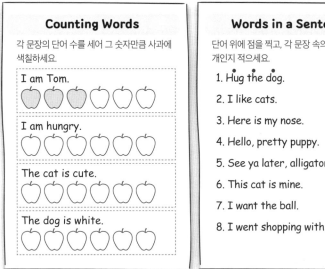

Counting Words

각 문장의 단어 수를 세어 그 숫자만큼 사과에 색칠하세요.

I am Tom.

I am hungry.

The cat is cute.

The dog is white.

Words in a Sentence

단어 위에 점을 찍고, 각 문장 속의 단어가 몇 개인지 적으세요.

1. Hug the dog. _____3_____
2. I like cats. _____
3. Here is my nose. _____
4. Hello, pretty puppy. _____
5. See ya later, alligator. _____
6. This cat is mine. _____
7. I want the ball. _____
8. I went shopping with my dad.

_____

[특별부록: 워크시트 PDF 제공] 영어 문장과 단어를 구별하는 'Counting Words', 'Words in a Sentence' 워크시트는 PDF 파일로 제공하니 다운받아 사용하기 바란다.

문장 속 단어 듣기 훈련

다음과 같은 놀이로 문장 속 단어를 구별하는 훈련을 할 수도 있다.

1. 한 단어당 하나의 블록을 준비한다.

2. 아이에게 아주 짧은 문장을 말해준다.

   Ex. John eats.

3. 블록 1을 가리키며 "John", 블록 2를 가리키며 "eats"라고 말한다.

4. 같은 방식으로 다른 문장들을 연습한다.

기본 문장 연습

다음은 일상생활에서 자주 쓰이는 문장들의 첫머리이다. 이 표현들을 붙여 놓고 아이와 말하기 연습을 한다. 이때 아이는 읽지 않는다. 그냥 보기만 한다. 이 표현을 이용해 여러 문장 만들기를 연습한다.

Start Your Sentence!

This is my	Here is an
This is a	I like the
I see a	I am a
I see the	I like my
Look at my	I spy a
Here is the	

지금까지 아이가 영어 문장과 단어를 구별할 수 있도록 하는 간단한 연습법을 알아보았다. '아이와 쉽게 시작할 수 있겠구나' 싶을 만큼 연습법이 쉽고 간단하다. 단어 개념이 잘 발달해 있지 않은 아이들에게 꼭 필요한 연습이니 부담없이 시작해보자.

파닉스를 어떻게
가르쳐야 할까? 4
- 음절(Syllable) 구별하기

보통 영어권에서 태어나 자란 원어민 아이들은 귀로 듣고 음절을 구분할 수 있다. cotton이라는 단어를 들려주고 "음절이 몇 개니?"라고 물어보면 귀로 듣고 안다. "cotton 하면서 박수를 쳐봐"라고 하면 아이들이 귀로 듣고 손뼉을 짝짝 두 번 친다.

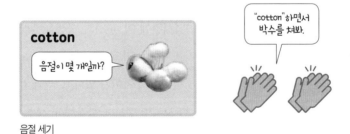

음절 세기

그런데 영어의 음절구조와 한국어의 음절구조는 다르다. 한국어는 모음의 글자 수가 음절 수와 일치하고 강약이 없다. '버스'라고 하면 2음절로 발음한다. '세탁기'라고 하면 3음절, '텔레비전'이라고 하면 4음절로 말한다. 반

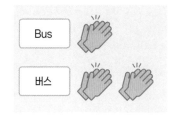

면 영어에서 Bus는 1음절인데, 한국 사람들은 '버.스'라고 2음절로 발음하는 경우가 많다. 성인들도 영어 음절을 많이 틀린다. 모국어 간섭 현상 때문이다. 또한 한국인들은 next라는 단어를 보면 '넥.스.트' 3음절로 발음하려고 한다. 영어로 next는 [nekst]로 1음절로 발음함에도 한국어는 음절 블록화 현상이 있기 때문에, 한국인들은 자음이 혼자 있는 꼴을 못 본다. 그래서 무의식적으로 '으'나 '이' 같은 모음을 붙이려고 한다.

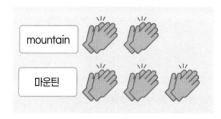

더구나 원어민들은 영어의 이중모음을 1음절로 발음하는데, 한국인들은 2음절로 발음한다. 영어에서 mountain[máʊntn]은 이중모음 [aʊ]를 1음절로 발음하여 2음절이다. mount이 1음절이고, 뒤에 tain이 붙는다. 그런데 한국인들은 이중모음을 '아.우' 각각 1음절씩으로 발음하여 [마.운.틴] 이렇게 3음절로 발음하는 경향이 있다. 그래서 한국인들은 성인들도 영어식 음절을 새로 배워야 하는 경우가 많다.

대학에서 3월 첫 교양영어 수업시간에 약 40명의 학생들에게 영어 단어 'bus'와 '버스'를 들려주고 차이를 말해보라고 했다. 버스와 bus의 발음은 '으'라는 음소를 넣었느냐 안 넣었느냐의 차이가 있다. 그런데 이것을 알아맞히는 학생들이 십수 퍼센트, 한 3~4명 정도에 불과했다. 보통 "첫 번째 것은 짧고, 두 번째 것은 길어요"라고 대답한다. 완전히 틀린 대답은 아니지만 음절 수가 다르다는 생각을 안 하는 것이다. 한 3~4명 정도는 "'으' 발음을 집어넣었어요"라고 대답했다. 음소를 구별할 줄 아는 학생들이다. 이 학생들이 바로 청각형 학습자들이다.

인지 채널의 민감성은 사람마다 다르다. 인간은 시각·청각·촉각·후각·미각 등 오감이 있는데, 사람마다 이 오감 신경이 조여져 있거나 헐렁한 정도가 다 다르다. 사람들이 외부세계에서 정보를 받아들이는 주된 채널이 다 다른 것이다. 청각형 학습자들은 귀로 정보를 많이 받아들이는 사람들이다. 아이들은 이 차이가 매우 크다. 성인들은 차이가 아주 크지는 않는데, 10여 년간의 학교생활을 통해서 시각형 학습법에 많이 적응되어 있기 때문이다. 하지만 음소 구별은 성인도 차이가 난다. 성인이 되어 뒤늦게 영어를 배우는데도 발음이 좋은 사람들은 청각형 학습자들이다. 음소를 구별할 줄 알아서 그렇다.

음절을 인식하는 것과 '으'와 '이' 발음을 안 넣는 것은 매우 중요하다. language는 '랭.귀.지'라고 해서 '이' 발음을 넣어 3음절로 발음하는 것이 아니라 lan-guage[læŋgwɪdʒ]라고 2음절로 발음해야 한다. bus[bʌs]라고 발음할 때, s는 목젖이 안 울리는 무성자음으로 발음해야 한다. 그런데 '스'라고 발음하면 모음은 모두 유성음이기 때문에 목젖 부분이 울리게 된다.

아이들이 한국어와는 다른 영어의 음절을 놀며 인식하고 경험해야 한다. 뒤에서 아이들이 영어 음절을 즐겁게 익히는 방법을 따로 소개한다.

음절 연습 사이트 이용하기

음절 카운터 사이트(www.howmanysyllables.com)에서 영어 음절을 연습할 수 있다. 이 사이트에서 영어 단어를 입력한 후 돋보기 단추를 누르면 된다. mountain이라는 단어를 입력하면 2음절이라고 나오고, 음절이 끊기는 부분, 강세가 어디 있는지와 발음을 어떻게 하는지도 알 수 있다.

파닉스를 어떻게
가르쳐야 할까? 5
- 초성(Onset)과 라임(Rime) 구별하기

초성(Onset), 라임(Rime), 운율(Rhyme) 구분하기

초성(onset)
라임(rime)

초성은 단어의 첫소리이고, 라임(rime)은 뒤의 모음과 종성자음을 포함한 것을 말한다. dog에서 d가 초성이고 og가 라임이고, pop에서 초성은 p이고 op가 라임이다.

문제는 사람들이 라임(rime)과 운율(rhyme)을 헷갈려 한다는 것이다. 이두 단어는 발음은 둘 다 [raɪm]으로 똑같지만 뜻이 다르다. 예를 들면 care와 pair는 운이 맞다(care and pair rhyme! 여기서 rhyme은 '운이 맞다'는 동사로 쓰인다). 왜냐하면 두 단어의 소리가 비슷하기 때문이다.

하지만 care와 pair는 라임(rime)은 다르며, 같은 워드 패밀리(word family)에 속한 것이 아니다. care는 bare, fare와 같은 워드 패밀리이고, pair는 hair, chair와 같은 워드 패밀리다. 즉, care와 pair는 서로 운(rhyme)은 맞지만 라임(rime)은 다르다(워드 패밀리는 어휘 연구에서는 다른 뜻도 있다. create, creator, creation, creature는 같은 워드 패밀리에 속한다). 우리가 보통 영시를 지으면서 "운을 맞춰요"라고 할 때는 운(rhyme)을 말하며, 단어에서 첫소리, 끝소리를 연습할 때는 라임(rime)을 말하는 것이다.

> | care | pair |
> | --- | --- |
>
> · 두 단어는 rhyme(운)은 맞다.
> · 두 단어는 rime(라임)은 다르다.
> · 둘은 같은 워드 패밀리가 아니다.
>   care는 bare, fare와 같은 워드 패밀리.

아이들이 파닉스를 배울 때는 초성과 라임을 꼭 구별할 줄 알아야 한다. 초성과 라임의 구별은 1음절 단어에서만 유효하다.

초성과 라임 구별하는 연습법

초성과 라임을 구별할 때는 보통 이런 연습을 한다. 초성, 라임, 펀치(punch 주먹으로 치기) 3단계로 연습한다. 만약 map이라는 단어를 가지고 초성과 라임을 구별한다면, 초성인 m을 발음한 다음에 라임인 −ap을 발음하고, 이제 단어 전체를 map이라고 발음하며 주먹을 쥔다(펀치). 여러 단어를 가지고 초성과 라임을 구별할 때, 아이가 눈으로, 머리로 읽는 것이 중요한 것이 아니라 몸으로 익히는 것이 중요하다. 그래야 배우는 것이 뇌와 몸에 새겨진다.

초성과 라임 구별하는 원-투 펀치(One-Two Punch)

하나: 초성   둘: 라임   셋: 펀치

파닉스를 어떻게
가르쳐야 할까? 6
- 음소(Phoneme) 가지고 놀기

음소 인식에는 다음과 같은 8가지 종류가 있다. 영어가 모국어인 아이에게
는 난이도에 따른 음소 인식의 8단계라 할 수 있다. 한국어가 모국어인 우
리에게도 난이도가 같은지는 아직 실험연구가 진행 중이다.

난이도에 따른 영어 음소 인식의 8단계

음소 분리	음소 식별	음소 유형화	음소 분할
음소 혼합	음소 추가	음소 삭제	음소 대체

음소 분리 활동

음소 분리란 한 단어 안에서 음소를 분리할 줄 아는 것을 말한다.

　　"map! map에서 첫소리는 뭘까?"

　　이를테면 아이가 map이라는 단어를 귀로 들었을 때, 첫소리가 m이라

는 것을 아는 것이다. 하지만 "map"이라고 발음을 해준 다음 대뜸 첫소리가 무엇인지 물어보면 안 된다. 이런 질문은 나중에 해야 한다.

처음에는 다음과 같은 활동으로 영어의 음소 분리 감각을 익히는 것이 좋다. 아이들에게 인지부담을 주지 않으며 놀이나 게임 속에서 음소 분리를 인식하게 도와주자.

이름의 첫 글자 맞추기(Me, Myself & I)

1. 아이들에게 자기 영어 이름이 적힌 종이를 한 장씩 준다.
2. 자기 영어 이름에서 첫 글자에 동그라미를 치라고 한다. 내 이름이 Nina 라면 N에 동그라미를 치면 된다. 이 종이는 본인만 볼 수 있다.
3. 아이들이 돌아가면서 자기 이름의 첫소리만 발음한다. 이름이 Nina라면 첫 자인 N을 발음한다.
4. 다른 아이들이 듣고 이 발음을 맞춘다. 이렇게 번갈아가며 서로 이름의 첫 글자를 맞추는 게임을 하면 된다.

아이들이 자기와 친구들의 이름을 가지고 음소 분리를 하는 것이다. 아이들은 음소 분리도 종이와 연필로 하면 안 되고 이렇게 활동으로 해주는 것이 좋다. 자기한테 가장 중요한 정보가 이름이라서, 이름을 통해 음소 분리 활동을 하는 것이다.

[TIP] 엄마와 둘이 '이름의 첫 글자 맞추기'를 하려면 인형들을 두 편으로 나눈 다음, 내 이름과 엄마 이름, 그리고 인형들 이름의 첫소리 발음을 맞추는 게임을 하면 된다. 유튜브에서 'phoneme isolation activities' 로 검색하면 다양한 음소 분리 활동을 만날 수 있다.

음소 식별 활동

음소 식별은 여러 단어에서 같은 소리를 인식하고 찾아 묶는 활동이다.

"pat, put, pin에서 같은 소리는 무엇일까?"

이들 단어에서 p가 같은 소리인 것을 인식하는 것이다.

발음 왕국 놀이(Sound Kingdom Game)

1. 일단 A, B, C, D 등 알파벳 26자로 시작하는 단어카드를 많이 만들어둔다.
2. 엄마가 B-왕국의 문지기라면, 방이나 거실 한쪽에 영역을 표시하고 'B-Kingdom'이라는 깃발을 세운다. 이때 단어카드는 뒤섞어 놓는다.
3. 아이가 B로 시작한 단어카드를 찾아서 문지기인 엄마에게 가져와서 보여준다. bed, ball, bear 등 b로 시작하는 단어카드를 제대로 찾아왔다면

B-왕국으로 들어갈 수 있다. 이 놀이를 할 때, 우리나라 전래동요 '대문놀이'(문지기, 문지기, 문 열어라~)에 맞춰서 이렇게 하면 더 재미있을 것이다.

문지기: Show me B and show me B.

You can't enter without B.

아이: Here's B, here's B. I have B with me!

아이가 B로 시작하는 단어를 가지고 온 경우에 문지기는 이렇게 노래한다.

문지기: Oh, it's (bear)! Good job, kid!

You can enter B Kingdom!

아이가 B로 시작하는 단어를 못 가져온 경우라면 이렇게 말한다.

문지기: It's not B, it's not B. Sorry, kid. It's not B.

4. 이제 B-왕국의 문지기인 엄마와 B로 시작하는 단어카드를 같이 읽어본다.

[준비하기] 다양한 알파벳 단어카드를 아이와 함께 그림을 그려서 만드는 것도 좋다. 시간이 안 된다면 쇼핑몰에서 영유아용 영어 단어카드를 구입해 사용하면 된다.

음소 유형화 활동

음소 유형화 활동은 여러 영어 단어 중에서 소리가 다른 단어를 찾아내는 능력을 키운다. "fit, fun, cat, fan에서 첫소리의 발음이 다른 것은 뭘까?"

발음이 다른 단어 찾아 아웃시키기

1. 영어 단어카드를 4장씩 한 세트로 만든다. 이때 3장은 첫소리가 같은 단어카드로, 나머지 1장은 첫소리가 다른 단어카드로 묶는다. 영어 단어카드는 앞에는 영어 단어가 씌어 있고, 뒤에는 그 단어에 해당하는 그림만 있는 것이 좋다.

2. 도화지에 커다란 삼각형을 그린다.

3. 아이에게 단어카드 4장으로 이루어진 한 세트를 준다. 이를테면 fish, push, frog, fork 단어카드를 주는 것이다.

4. 아이가 단어카드를 보고, 삼각형의 세 꼭지점에 첫소리의 발음이 같은 카드를 놓고, 첫소리가 다른 카드는 중간에 놓는다. 아이가 아직 영어 단어를 읽지 못하므로, 카드 뒤의 그림을 보고 영어로 발음해도 되고, 아니면

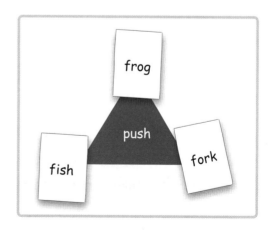

엄마가 읽어주어도 된다.

5. 이제 단어카드 4장을 엄마와 함께 읽는다.

첫소리가 다른 음소인 단어카드만 따로 있다는 것을 몸으로 익히는 것이다. 아이들은 영어도 이처럼 몸으로 익히고, 그런 다음에 정리활동을 할 워크시트를 주는 것이 좋다.

[TIP] 만약 유치원이나 친구들끼리 할 때는 바닥에 커다란 삼각형을 그린 다음, 아이들이 4장의 단어카드를 각각 한 장씩 가진 다음, 삼각형의 세 꼭지점에 같은 첫소리로 시작하는 단어카드를 가진 아이들이 서고, 중앙에 첫소리가 다른 단어카드를 가진 아이가 서며, 나중에 자기가 가진 단어카드를 돌아가면서 읽으면 된다.

음소 분할 활동

음소 분할 활동은 한 단어의 음소를 분리하는 능력을 키운다.

"hat이라는 단어에 들어 있는 소리를 3가지로 나누어 볼래?"

그러면 /h/ /a/ /t/이라고 해야 할 것이다.

또는 "hat이라는 단어에는 소리가 몇 개 있을까?"라고 물어도 된다. 그러면 /h/ /a[æ]/ /t/로 소리가 3가지가 있다는 것을 알게 된다.

디딤돌 놀이(Stepping Stone Game)

1. 아이들을 한 줄로 서게 한다.

2. 단어카드를 하나씩 주고 읽게 한 다음, 음소 하나당 한 명씩 박스 안에 들어간다.

만약 dish라는 단어를 주었다면, 아이들이 다 같이 소리내어 읽은 다음, 앞에서부터 한 아이가 /d/를 발음하고 첫째 칸에 들어가고, 그다음 아이가 /ɪ/를 발음하고 두 번째 칸에 들어가고, 그다음 아이가 /ʃ/ 하고 소리를 낸 다음에 세 번째 칸에 들어간다. 음소가 3가지이므로 네 번째 아이는 칸에 들어가면 안 된다.

3. 여러 단어를 같은 방식으로 진행한다. 아이가 음소 분할을 이처럼 몸으로 익히는 것이다.

음소 분할: 디딤돌 놀이

집에서 혼자 한다면 엘코닌 박스(Elkonin Boxes)

집에서는 교육학자이자 심리학자인 보리소 비치 엘코닌이 만든 엘코닌 박스를 그려서 하면 된다. 영어 단어를 발음하면서 음소 1개당 바둑알 하나를 엘코닌 박스의 한 칸에 넣는다. 만약 dish라면 바둑알을 한 칸에 하나씩 /d/ /i/ /ʃ/라고 3개를 순서대로 넣으면 된다.

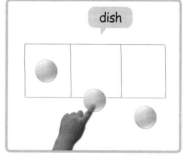

엘코닌 박스

[특별부록: 워크시트 PDF 제공] 음소 분할 연습을 위한 엘코닌 박스를 PDF로 제공하니 다운받은 후에 아이와 함께 해보자.

음소 혼합 활동

음소 혼합(Blending)은 한 단어의 분리된 음소들을 연달아 귀로 들은 후, 음소를 합쳐서 그 단어를 찾을 수 있는 능력을 말한다.

"/p/ /a/ /t/가 함께 있는 단어는 무엇일까?"

그러면 아이가 pat이라는 단어를 찾는 것이다. 1989년 무렵 우리나라에 파닉스 교육이 처음 도입될 때 주로 쓰던 방법이다. 지금도 '파닉스 활동'이라고 하면 음소 혼합을 떠올리는 부모들이 있는데, 음소 인식 8가지 활동 중에서 하나일 뿐이다. 아울러 음소 혼합도 종이와 연필로만 해서는 안 된다.

영어 단어카드 음소 붙이기

1. 영어 단어카드 세트를 구비했다면, 아이와 함께 각 단어의 음소를 확인하여 그 개수만큼 단어카드를 가위로 자른다. cat이라면 가위로 카드를 /c/ /a/ /t/ 등 3개로 자른다. apple이라면 음소가 [æpl]의 3가지이니 카드를 /a/ /pp/ /le/의 3등분으로 자르면 된다. 또는 아이와 함께 영어 단어카드를 만들어 사용한다면, 카드에 그림을 그린 다음에 잘라서 음소를 써준다. cat이라면 첫 번째 조각에 c, 누 번째 조삭에 a, 세 번째 조각에 t를 써주면 된다.

2. 이제 잘린 단어카드를 순차적으로 붙이면서 발음한다. cat이라면 먼저 c 조각을 내밀면서 /c/라고 발음하고, 그다음 a 조각을 붙이면서 /æ/라고 하고, 마지막으로 t 조각을 붙이면서 /t/라고 발음하면 된다.

3. 단어 조각을 모두 붙였다면 이제 cat[kæt]이라고 큰소리로 발음해본다.
   우리가 시중에서 구입할 수 있는 영어 단어카드 세트는 100~150장이다. 이것을 다 해볼 필요는 없다. 이렇게 하면 아이가 지친다. 그저 아이가 친숙하게 알 만한 단어 10~20장 정도만 해도 충분하다. 만약 영어 단어카드가 없다면, A4 용지에 아이가 소리를 알 만한 영어 단어에 해당하는 그림을 20개쯤 그려서 사용해도 좋다. 아이가 엄마와 함께 영어 단어카드들을 음소에 따라 잘라보고, 엄마가 음소에 따라 알파벳을 쓰는 것을 보고, 같이 카드를

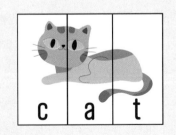

붙여서 발음해보는 활동을 통해 음소 혼합 인식을 키울 수 있다. 잊지 말자. 아이는 몸으로 즐겁게 익혀야 하며, 그 감각을 알면 커갈수록 스스로 그것을 응용하며 발전해간다.

음소 조작 활동

음소 조작은 한 단어에서 음소 하나를 빼거나 더하거나 대체하는 활동이다.

음소 삭제: "smile이라는 단어에서 첫소리 /s/를 빼면 어떤 단어가 남을까?"

음소 추가: "top이라는 단어 앞에 /s/를 붙이면 어떤 단어가 될까?"

음소 대체: "bug의 끝소리 /g/를 /m/으로 바꾸면 어떤 단어가 될까?"

이 3가지 활동을 통틀어서 '음소 조작'이라고 한다.

단어 탐정 게임

1. 그림처럼 종이 돋보기를 만든다. 여러 개 만들어도 좋다. b 자 돋보기를 만들었다고 하자.
2. 단어카드의 첫 문자에 돋보기를 댄다. b 자 돋보기를 cat이라는 단어의 c에 대면 bat이 된다. 음소를 /c/에서 /b/로 대체한 것이다. cat에서 bat으로 어떻게 변하는지를 몸으로 해보는 활동이다.

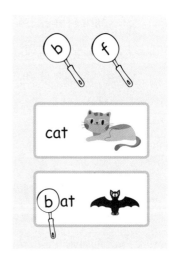

음소 조작 영어 그림책 추천

초급편 | 음소 조작 활동을 해볼 수 있는 책으로 *Did you take the B from my _ook?*(내 _ook에서 B 글자를 가져갔니?, 글그림 Beck & Matt Stanton)이라는 책을 추천

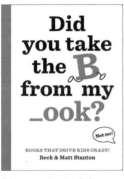

Did you take the B from my _ook?, Beck & Matt Stanton, Little Brown & Co, 2017

한다. 단어가 아주 쉬워서 영어를 조금 접하고 bed 같은 기초 영단어를 소리로 아는 아이라면, 엄마가 재미있게 읽어주면서 아이와 놀 수 있는 책이다.

이 책에는 알파벳 b 자가 떨어져나간 여러 단어들이 등장한다. 이를테면 침대 그림이 나오고, 그 옆에 "I love my _ed."라고 씌어 있다. 엄마가 b 자를 빼고 -ed 라고 읽으면 아이들이 재미있어 한다.

"I love my _ed."

아이가 'b 자가 떨어진 단어들이구나!' 눈치를 채고 'b 자를 빼고 발음하기 놀이를 하고 있구나!'를 알면, 자기가 b 발음을 붙여 발음해서 엄마의 읽기를 고쳐주거나 다른 단어들에서도 b 발음을 빼고 발음해보려고 한다.

영어 지문과 단어가 쉬우면서도 이야기가 유머러스하며, 아이디어가 반짝이고, 구성과 그림, 타이포 디자인도 뛰어난 책이다. 아이들은 빠진 음소(b)를 넣음으로써 단어의 발음 변화를 느낄 수 있을 것이다. 음소 인식과 음소 조작에 대한 감을 익히는 시기의 아이에게 강력 추천한다.

[유튜브 추천 영상] 스토리타임 위드 빌(Storytime with Bill)의 영상을 추천한다.

중급편 | 앞에서 소개한 책이 음소 b 하나를 떼었다 붙였다 하는 쉬운 수준의 음소 조작 활동을 보여주었다면, *If the S in Moose Comes Loose*(순록 속의 S가 빠져버린다면, 글 Peter Hermann, 그림 Matthew Cordell)은 단어의 음소를 다른 음소로 바꾸어 다른 단어가 되는 '음소 대체'를 보여주는 좀더 수준 높은 책이다.

책장을 펼치면 암소가 "moo" 하고 큰소리로 운다. 아이쿠, 그 바람에 moose(순록) 단어에서 뒤의 s 자와 e 자가 떨어져 나가버렸고, 암소는 친구

인 순록을 잃게 된다. '아, g-l-u-e(풀)를 가
지고, 순록에게 s 자와 e 자를 찾아서 붙여
주자!'

암소는 g-l-u-e 글자를 찾아나선다.
첫소리는 g, 마침 염소가 지나간다.

"기다려, 염소(goat)야, 너의 첫소리 g 자
를 좀 줘."

"너한테 g 자를 주면, 나는 oat가 되어
아무것도 아니게 돼."

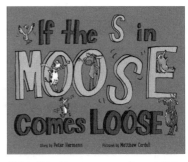

If the S in Moose comes Loose, Peter
Hermann, Matthew Cordell(ILT), Harpercollins
Childrens Books, 2018

그러자 암소는 곰(bear)한테 가서 b 자를 훔쳐다가 염소(goat)의 첫소리 g
자와 바꾼다. 암소는 g 자를 얻었고, 곰(bear)은 첫소리 b 자를 잃고 귀(ear)가 되
고, 염소(goat)는 첫소리 g 자를 암소에게 주고 b 자를 받아 보트(boat)가 된다.

암소는 이렇게 여기저기 돌아다니며 알파벳 글자를 하나씩 모아서
g-l-u-e(풀)를 만들어내고, 그 풀로 moo 자에 s 자와 e 자를 붙이니 moose
가 된다. 드디어 순록(moose) 친구가 돌아온다.

이 책에서는 암소가 moo가 되어버린 순록(moose) 친구에게 s 자와 e 자
를 붙여주려고, g-l-u-e의 알파벳 글자를 하나씩 찾으며 음소를 넣고 빼
고 다른 것으로 바꾸어 다른 단어가 되는 과정이 흥미롭게 펼쳐진다. 파닉
스에 조금 익숙해진 아이에게 추천한다. 엄마와 아이가 함께 책을 읽으면서
음소에 따른 단어 변화에 관해 이야기하기에 좋은 책이다.

[유튜브 추천 영상] 유튜브 TV랜드(TV Land)에 올라와 있는 저자 피터 허먼이 직접 읽는 영상을 추천한
다. 일단 저자가 읽는 영상이 있으면 그 영상부터 보는 것이 좋다.

어떤 파닉스 교재를
봐야 할까?

파닉스 순서(Sequence)부터 체크하자

파닉스 시리즈 또는 책마다 음소를 제시하고 가르치는 순서(파닉스 시퀀스)가 다른 경우가 있다. 어떤 순서로 파닉스를 배우는 것이 아이들이 인지부담이 적고 수월하게 배울 수 있을까? 먼저 시중에 나와 있는 파닉스 시리즈의 순서 유형부터 살펴보자.

모음 중심 파닉스 시리즈

모음 중심의 파닉스 시리즈로 단모음→장모음→이중자음→이중모음 식의 순서이다. 파닉스 시리즈가 5권짜리라면 보통 1권에서는 알파벳을 제시하고, 2권은 단모음, 3권은 장모음, 4권은 이중자음과 자음군, 5권은 이중모음을 다룬다. 우리나라에서 나오는 파닉스 책의 절반은 이 순서를 따른다.(앞에서 말했듯이 나머지 절반은 차례가 알파벳 순서대로 되어 있고 그것이 파닉스인 줄 아는 책인데, 이런 책은 권하지 않는다.) 우리나라에서 가장 많이 팔리는 파닉스 교재

모음 중심 파닉스 책 차례의 예

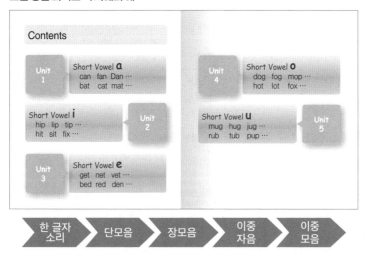

도 모음 중심의 파닉스 순서를 따르고 있다. 하지만 영어는 모음의 신뢰도
가 낮기 때문에 이 순서가 좋은 건지 모르겠다.

원어민 아기의 옹알이 음소 순

다음은 졸리 파닉스(Jolly Phonics)라고, 매우 유명한 영국의 7권짜리 파닉스
교재의 음소 제시 순서인데, 음소를 가르
치는 순서가 무척 특이하다. s, a, t, i, p,
n···. 이는 영어 원어민 아기들이 옹알이
소리를 내는 음소의 순서라고 한다. 참고
로 한국어를 모국어로 하는 아이들은 옹
알이로 어떤 음소부터 소리내는지도 궁
금해서 찾아보았다. 1990년대 관련 연구
논문에 따르면 ㄱ, ㅋ, ㄴ, ㅌ, ㅈ, ㅊ의
순이었다. 생각해보니 정말로 아이가 옹

Jolly Phonics

① s, a, t, i, p, n
② ck, e, h, r, m, d
③ g, o, u, l, f, b
④ ai, j, oa, ie, ee, or
⑤ z, w, ng, v, oo, oo
⑥ y, x, ch, sh, th, th
⑦ qu, ou, oi, ue, er, ar

알이 시절에 했던 말이 "아그 띠그, 아그 띠에" 이런 소리였다. 그래서 영어 알파벳도 이 순서대로 제시하면 어떨까 고민해본 적이 있는데, 한국어는 음절 블록화 현상이 너무 강해서 별로 효과가 없을 것이라는 결론을 내렸다. 이런 순서도 있다는 정도로 재미로 보고 넘어가자.

입 앞쪽 소리부터 뒤쪽 목구멍으로 이동하는 순서

다음은 레츠고 파닉스(Let's Go Phonics) 시리즈 중 첫 권의 차례인데, 레츠고 (Let's Go) 시리즈와는 별개의 시리즈다. 영미권에는 이처럼 순서가 특이한 파닉스 책도 있다. 영어 원어민이 아니라 외국인 초보자(international learner)를 위한 책으로, 차례를 보면 b와 p, d와 t, f와 v, m과 n 등 단자음을 배운 후에 모음으로 a e i o u가 나온다. 그다음에 h와 j를 배우고, 강한 소리와 부드러운 소리 g, 강한 소리와 부드러운 소리 c를 익힌 다음에 s와 z, r과 l, w와 y, k와 x 소리를 배우고, q는 모두가 qu이기 때문에 그냥 qu로 준다.

이는 입 앞쪽에서 나오는 양순음부터 시작해서 입 뒤쪽의 목구멍에서 나오는 후음으로 이동하는 순서이다. 또한 음소 두 개를 한꺼번에 주어 유추를 사용하게 한다. 아이들이 각각의 소리가 무엇이 비슷하고 다른지 느낄 수 있다. 나는 개인적으로는 이처럼 입 앞소리에서 입 뒤쪽으로 넘어가는 순서로 파닉스를 배우는 것이 좋다고 생각한다.

입 앞쪽 소리→목구멍 소리 파닉스 책 차례의 예

Table of Contents		
	The Alphabet	page 2
Unit 1	b and p	9
Unit 2	d and t	12
Unit 3	f and v	15
Unit 4	m and n	18
Unit 5	Review: Units 1-4	21
Unit 6	Short a	24
Unit 7	Short e	26
Unit 8	Short i	28
Unit 9	Short o	30
Unit 10	Short u	32
Unit 11	Review: Units 6-10	34
Unit 12	h and j	37
Unit 13	hard and soft g	40
Unit 14	hard and soft c	43
Unit 15	s and z	46
Unit 16	r and l	49
Unit 17	w and y	52
Unit 18	k and x	55
Unit 19	qu	58
Unit 20	Review: Units 12-18	60

출처: 레츠고 파닉스 시리즈 1권의 차례 중 일부

좋은 파닉스 책의 예

퍼니 파닉스(Funny Phonics, 글그림 H. Q. Mitchell, Marileni Malkogianni) 시리즈는 1~2권은 알파벳 A부터 Z까지 제시하고, 3~5권에서 음소 인식 활동을 하며, 단모음, 장모음, 이중모음 순으로 되어 있다.

알파벳 A는 발음규칙이 없지만, ar에서 a의 발음규칙은 /a/ 하고 큰소리가 나온다. 그래서 farm, farmer, park, car에도 이런 규칙이 적용된다. 이런 파닉스 규칙을 제시해야 아이들이 혼자서 영어책을 읽을 수 있다. 이 시리즈는 다른 파닉스 책과 달리 이런 파닉스 규칙을 제시하는 것이 장점이다.

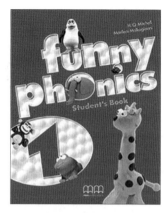

Funny Phonics, H. Q. Mitchell, Marileni Malkogianni, MM Publications, 2012

퍼니 파닉스 시리즈의 순서

3권		4권		5권	
·단모음	a e i o u	·장모음	a e i o u	·장모음	ar er or ir ur
·자음군	bl cl pl fl	·자음군	gl sl st tr sn	·이중모음	ou oi oy ai ay oa ow
·이중자음	th wh ch sh	·장모음	ea ee	·자음군	sp sk sm sw
		·자음군	br cr gr pr dr fr	·이중자음	ng nk ck
		·이중모음	oo		

내용도 먼저 스토리를 듣게 하고, 키워드를 듣고 소리내어 발음해보게 하고, 그 후 음소 인식 활동을 하게 하되, 내용이 간명해 아이들이 쉽게 접근할 수 있다. 이 시리즈는 책보다 IWB(Interactive WhiteBoard)가 더 좋은데, 앞에서 소개한 음소 인식 활동들이 모두 나오고 음소 삭제 활동 등은 게임처럼 할 수도 있게 되어 있다.(참고로 이 시리즈는 영국 책인데 미국 아마존에서는 판매하지 않고, 우리나라 네이버 쇼핑에서 판매 중이다. 이 출판사와 개인적인 관계는 없다.)

아이들이 자주 보이는
3가지 파닉스 오류

아이들이 헷갈려 하는 알파벳 문자들

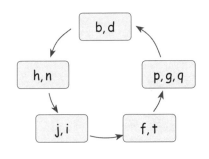

아이들은 보통 b와 d, p와 g와 q, f와 t, j와 i, h와 n 같은 알파벳을 헷갈려 한다. 아직 그래픽 정보 처리과정에 머물러 있고 문자 정보 처리과정으로 들어가지 못했기 때문이다. 아이에게 무조건 외우거나 쓰라고 해서는 안 되고, 앞에서 소개한 유추 과정을 통해 알파벳 인식 능력을 키워주어야 한다(앞에서 알파벳 인식을 위한 여러 유추 활동을 소개했으니 참고하기 바란다).

단어의 끝 추측하기

파닉스를 할 때 아이들이 자주 보이는 오류 중 하나를 보면, 만약 아이가 알고 있는 단어가 bed라면, bear 단어카드를 보여주어도 "bed"라고 읽고,

band 단어카드를 보여줘도 "bed"라고 읽는 식이다. 아이가 첫 문자만 읽고 있는 것이다. 이럴 때는 초성과 라임을 분할해서 보여준 다음에 다시 혼합해서 하나로 합치는 연습을 해주어야 한다(112쪽을 참조하기 바란다).

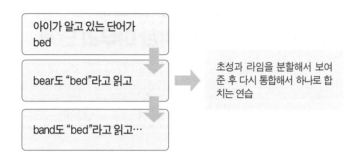

혼동하기 쉬운 음소 혼합

아이들이 음소 혼합 단계에서 자주 헷갈리는 것이 있는데 ai, oi, oa 같은 이중모음이나 ch, sh, th 같은 이중자음이다. 이중모음이나 이중자음들은 한 번에 몰아서 가르치면 안 된다. 여러 날에 걸쳐서 따로따로 준 다음에 나중에 종합해서 다시 한번 연습해야 한다.

음소 혼합 혼란

파닉스를 얼추 뗐으나
잘 못 읽는 아이를 위한 마무리 단계

워드 패밀리 드릴(Word Family Drill)

파닉스를 얼추 뗐으나 다 뗀 것 같지 않은 아이들은 워드 패밀리 드릴을 하는 것이 좋다. 인터넷에서 구할 수 있는 '돈 파터의 드릴(Don Potter's Drill)'은 무료이고 연습문제가 PDF로 90여 쪽이 나온다.

돈 파터의 드릴은 파닉스를 얼추 뗐으나 잘 못 읽는 아이들이 파닉스 완성을 위해서 마지막 단계에 해주어야 하는 파닉스 교정 교수에 해당한다. 다만, 드릴을 하는 법을 잘 독해해야 하는데 이 부분이 만만치 않을 수 있다(이 자료는 가르치는 전문가들에게만 추천한다).

```
           PART 1. Introductory Sounds
                      Drill 1
           a    b c d f g h j l m n p r s t x

sat     mat     rat     bat     cat     fat
cap     sap     map     tap     lap     rap
am      ram     Sam     ham     dam     jam
rag     bag     tag     wag     hag     lag
can     man     ran     tan     fan     pan
sad     mad     had     lad     pad     dad

sat     sap     Sam     sad
map     man     mad     mat
tan     tap     tag     tax
cab     cat     cap     can
bag     bad     ban     bat
hat     ham     hag     had
rap     rat     ran     rag
lad     lap     fan     fat

sat     man     fat     tan     pat     ban
map     can     mad     cat     man     cab
rag     cat     lap     ham     bat     tap
jam     fan     dam     had     tag     rap

sat     cap     rag     can     sad     mat     sap
ram     bag     man     mad     rat     map     Sam
tag     ran     had     bat     tap     ham     wag
tan     lad     cat     lap     dam     hag     fan
pad     fat     rap     jam     lag     pan     dad
```

파닉스 완성을 위한 돈 파터의 드릴(Don Potter's Drill)
출처: www.donpotter.net/pdf/remedial_reading_drills.pdf

130

'돈 파터의 드릴'보다 쉬운 연습을 할 수 있는 것으로 *Rime Time: Building Word Families with Letter Tiles*(라임 타임: 글자 타일로 워드 패밀리 만들기, 글 Joan Westley, 그림 Hyru Gau) 책을 추천한다. 주어진 라임(rime)에 첫소리 글자를 넣어 단어를 만드는 연습인데, 단어가 아닌 것(non-word)은 제외해야 한다. 이 책과 시리즈인 *Time to Rhyme: Building Words with Rimes that Rhyme*(라임을 맞추는 시간: 라임을 사용한 단어 만들기) 책도 있다. 이 책들은 끝소리와 중간

Rime Time: Building Word Families with Letter Tiles, Joan Westley, Hyru Gau(ILT), Primary Coneepts, 1999

소리에 대한 연습은 없다. 그래서 먼저 이 책들로 연습한 다음, 자세하게 연습하려면 앞에서 소개한 돈 파터의 드릴을 참고하는 것이 좋다.

다음은 이 책의 파닉스 교정 교수 방법을 독자들에게 설명하기 위해 구성 아이디어를 가져와서 비슷하게 편집한 화면이다.

Name		Words I can build:
	c d g	① cap
	m n r	②
___ap	s t cl	③
		④
		⑤

*Rime Time: Building Word Families with Letter Tiles*의 구성 아이디어를 가져와 비슷하게 편집한 화면

___ap에 옆의 알파벳을 넣어 단어가 되면 빈칸에 쓰면 된다. 이 과정에서 -ap 워드 패밀리 인식이 생길 것이다. 아이의 파닉스 실력을 다지고 교정교수하는 데 유용한 책이다.

파닉스 리더스와
마더구스

★★★
★

03
Part

나선형(Spiral) 학습의 힘:
수용적 지식에서 표현적 지식으로

—

'나선형 학습의 힘'에 대한 본격적인 이야기를 꺼내기 전에, 먼저 이 책을 읽는 우리가 지금 어디에 서 있는지부터 이야기를 해보자.

우리는 1장에서 뇌과학과 나의 현장에서의 오랜 영어 교육경험을 통해 영어 읽기에 대해 부모들이 꼭 알아야 할 중요한 지식들을 점검했다. 그리고 2장은 아이의 읽기발달 3단계 중에서 문자 인식 단계(beginning to read)로서, 한국 엄마들의 파닉스와 읽기에 대한 오해를 알아보고, 기존의 잘못된 파닉스 접근법을 부수고, '유추' 등 아이들에게 인지부담을 덜 주면서 파닉스를 익히게 하는 전반적인 방법에 대해 살펴보았다.

앞에서도 말했듯이, 우리 엄마들은 파닉스 시리즈 한 세트를 떼면 "아이가 파닉스를 뗐다"고 하지만, 영국 교육 커리큘럼을 보면 원어민 아이들조차 초등 5학년까지 계속 파닉스 교육을 한다.

사실 '읽기', 다른 말로 문해력은 모든 학습의 기초다. 읽기가 곧 문해력이란 의미는 아니지만(문해력은 그보다 더 포괄적 개념이다), 읽기가 문해력의 기초인 것은 사실이다. 한국어에서도 아이가 읽기 독립을 하면 스스로 학습을 할 기초가 마련되듯, 영어학습에서도 아이가 '영어 읽기 독립'을 하면 스스로 실력을 향상시켜갈 발판이 마련되는 것이라 할 수 있다. 따라서 파닉스를 튼튼하게 다져주는 것이야말로 아이 영어학습의 좋은 출발이라고 할 수 있겠다.

자, 이제 1장에서 봤던 아이의 읽기 발달 3단계 표를 다시 보자. 이번 3장에서는 부모가 아이와 함께 파닉스 리더스와 사이트 워드 리더스를 통해 파닉스 실력을 다지는 방법을 알아볼 것이다.

아이의 영어 읽기 발달 3단계

단계	문자 익히기	소리내어 읽기	묵독
책	· 파닉스 · 파닉스 리더스 · 사이트 워드 리더스	· 그레이디드 리더스 (등급별 책) · 챕터북	트레이드 북(일반서적)
교수법	누군가 읽어주기	가이디드 리딩(도움 읽기 또는 유도 읽기)	아이 혼자 읽기

그 전에 '나선형 학습의 힘'부터 살펴보겠다. 무엇보다 '나선형 학습의 힘'에 대한 이야기는 부모가 파닉스를 갓 떼고 본격적으로 영어 읽기에 도전하는 아이들에게 좋은 책을 골라주는 기초지식이 될 것이다. 여러 번 강조하듯, 인간의 인지발달과 학습법에 대한 부모의 공부가 장차 내 아이의 힘을 덜어주고 더 좋은 효과를 가져올 수 있다는 것을 기억하자.

학습은 나선형으로 이루어져야 한다

연구에 따르면 일반적인 아이, 발달단계에 맞게 읽고 있는 아이들은 단어를

4~14회 노출해주면 익히며, 잘 못 읽는 아이들(struggling readers)은 40번 이상 노출해주어야 한다고 한다.

잘 못 읽는 아이들은 문제가 여러 가지일 수 있는데, 간략하게 얘기하자면 좁은 의미의 난독증이 있고 넓은 의미의 난독증이 있다. 좁은 의미의 난독증은 시신경에서 뇌로 전달되는 어딘가에 문제가 있어서 문자 정보처리를 못하는 경우이다. 이 경우 언어치료 전문가의 도움이 필요하다.

아이가 일반적인 발달단계를 거치고 있는데, 잘 못 읽는 경우 노출을 많이 해주어야 한다. 그런데 이때 똑같은 단어를 같은 방식으로 계속 노출하면 아이가 지루해하고 학습이 되지 않는다. 성인이라도 단순 반복은 힘들기 때문에 학습을 시키고자 하는 측이 효율적 방법이 무엇일지 고민해야 한다.

이러한 인간의 인지 습성을 고려한다면 학습은 나선형 계단으로 이루어져야 한다. A를 한번 배운 다음, 돌아와서 좀더 위 단계에서 A와 또 한번 만나 익히고, 또 위 단계로 올라가 또다시 A를 다른 방식으로 보게 되는 식으로 노출해주어야 한다.

영미권의 좋은 영어교재를 보면, 앞에 제시했던 주요 어휘들이 뒤에 나오는 구성에서 반복되는데, 매번 반복하는 방식이 달라진다. 어떤 단어가 처음으로 지문에 나왔다면, 다시 지문 뒤에 키워드로 제시하며 뜻을 알려주고, 다음 과에서는 명사형이 나오고, 그다음 과에서는 반대말이 나오는 식이다. 즉, 같은 단어에 반복적으로 노출시키되, 아이들에게 노출되는 방식과 형태를 계속 바꾸는 것이다. 좋은 영어교재에서는 한 단어 항목을 반복하되, 1과에서 뜻, 2과에서 명사형, 3과에서 반대말 식으로 그 단어 항목의 다른 측면을 매번 건드리는 방식으로 노출하는 현상을 찾아볼 수 있다.

수용적 지식에서 표현적 지식으로

나선형 학습은 반복학습을 지루해하는 아이들에게도 도움이 되지만, 한편 으로는 아이들이 수용적 지식(receptive knowledge)에서 표현적 지식(productive knowledge)으로 나아가는 데도 도움이 된다.

이를테면 한국어 원어민인 우리는 책 등에서 읽어서 아는 한국어 단어 가 무척 많다. 하지만 내가 말을 하거나 글을 쓸 때 구사할 수 있는 한국어 단어 수는 그보다 훨씬 적다. 내가 머리로 보고 아는 단어는 수용적 지식 상 태에 있고, 내가 말을 할 때나 글을 쓸 때 머릿속에서 꺼내어 쓸 수 있는 단 어가 표현적 지식에 들어간다.

종이에 씌어 있는 문제를 푸는 것은 무척 얕은 지식이자 수용적 지식이고, 우 리가 말을 하거나 글을 쓸 때는 정말로 체화된 표현적 지식만 나온다. 단어를 하 나 알더라도 표현적 지식으로 나올 수 있어야 한다. 단어에 대한 나선형 학 습은 표현적 지식으로 나오는 데 큰 도움이 된다. 따라서 나선형 학습 교재 를 골라야 하고, 아이들이 지루하지 않게 다양한 단어 인식 활동을 해주어 야 한다.

좋은 교재를 고르는 또 하나의 팁

나는 성인 영어 회화책이든 어린이 영어 회화책이든, 교재를 선택할 때는 먼저 목차를 본다. 제대로 된 교재와 아닌 교재를 판단할 수 있는 근거는 이 처럼 목차를 보는 것이다.

영어학습을 할 때는 교재나 강사가 어떤 문장부터 가르치느냐가 무척 중요하다. 외국 영어책들은 현재진행형부터 먼저 가르친다. 현재진행형이 먼저 나오고 단순현재가 나중에 나와야 한다. 어린이용이든, 외국어로서 영어를 배우는 성인용이든 마찬가지다.

사실 어린아이들에게는 직접 명령문이 가장 쉽다. 그리고 어린아이들은 눈앞에서 벌어지는 현재진행형 행동, 예를 들어 "노래를 하고 있다", "점심을 먹고 있다" 같은 현재진행형 행동을 인지하고 말하는 것이 그나마 쉽고, 현재진행형의 -ing가 붙은 모습도 눈에 잘 띈다. 따라서 현재진행형이 단순현재보나 먼저 나오는 책을 신택하는 깃이 좋다. 단순현재부터 나오는 책은 영어교육에 대해 잘 모르는 사람이 쓴 것이다.[이는 영어 모국어 학습자이건 외국어 학습자이건 공통적인 형태소 습득 순서에 근거한 기준이다. 구글에서 '형태소 습득 순서 (morpheme acquisition order)'라고 치면 어떤 순서로 영어 형태소를 학습하는지 목록을 찾을 수 있다.]

지금 현재진행형을 배우고 있는 아이가 단순현재를 틀렸다면, 이 오류는 지금 고쳐준다고 수정되지 않는다. 앞에서 인지발달 단계상 교정해주어도 교정이 안 되는 '교정 불가능한 오류'에 대해 이야기한 바 있는데, 이는 언어발달 단계상 나중의 단계라서 지금 고쳐도 학습자가 못 고치는 '교정 불가능한 오류'에 해당한다. 예문의 시제가 어떤 것부터 나오는가는 이처럼 좋은 영어 교재를 고르는 기준 중 하나이다.

지금까지 나선형 학습과 좋은 영어 교재를 고르는 팁을 알아보았다. 이제 이렇게 고른 책을 가지고 어떻게 읽어주어야 할지 알아보겠다.

텍스트 톡(Text Talk) 1: 읽어주기 전 단계(Before Reading)

앞에서 살펴보았듯이, 문자 인식 단계에서는 파닉스 책, 파닉스 리더스와 사이트 워드 리더스를 병행하는 것이 좋다. 문자 인식 단계에서 부모의 교수법은 '읽어주기'이다.

그럼, 영어 그림책을 어떻게 읽어주어야 할까? 이 부분에 대해서 알아보자. 여기서 예를 든 책은 파닉스 리더스나 사이트 워드 리더스는 아니다. 하지만 그림책 읽어주는 법은 사실 한국어 그림책이든 영어 그림책이든, 글밥이 적은 책이든 많은 책이든 대동소이하다 하겠다. 다만, 부모가 책의 난이도와 아이의 수준이나 학습자 유형에 따라 적용하길 바란다.

텍스트 톡(Text Talk) 3단계

미국 피츠버그대학의 저명한 영어교육학자 이사벨 벡(Isabel Beck)과 마가렛 맥커운(Margaret G. McKeown) 교수는 2001년 언어 및 영어교육 학술지『리딩 티처(*The Reading Teacher*)』에 '텍스트 톡: 어린아이에게 소리내어 책을 읽어주는 경험의 장점 살리기(Text Talk: Capturing the benefits of read-aloud experiences for young children)'라는 논문을 발표했다. 소리내어 책 읽어주기를 꼭 '텍스트 톡'이라는 용어로 일컬을 필요는 없지만, 이들이 이 분야의 정석을 정리해서 제시한 것은 맞다.

텍스트 톡은 결국 책을 소리내어 읽어주며 아이들과 얼마나 '상호작용(interaction)'을 많이 해서 학습을 더 효율적으로 만들어주는지가 관건이다. 그런데 우리나라는 교사들부터 토론문화에 익숙하지 않기 때문에 연수과정에서 텍스트 톡을 연습시켜서 구현해보도록 실습(practicum)을 해보면, 몇 주 연수로 능숙하게 잘해내는 경우가 많지 않다. 이는 어린 시절부터 서로 질문하고 답하는 문화를 체험하면서 자라는 것이 무엇보다도 중요하다는 것을 보여준다. 부모들이 집에서부터 책을 읽으며 이야기하는 문화를 길러주는 것이 나중에 아이가 커서 토론을 잘하게 되는 디딤돌이 된다.

텍스트 톡은 책을 읽어가는 과정, 즉 '읽기 전 단계, 읽는 중 단계, 읽은 후 단계'라는 3단계에 걸쳐 각 단계에 아이와 상호작용을 어떻게 주고받아야 하는지에 대한 정석을 보여준다.

텍스트 톡: 책을 읽어주는 과정의 상호작용 모델

읽기 전 단계 (Before reading)	읽는 중 단계 (During reading)	읽은 후 단계 (독후 단계, After reading)

그렇다면 책을 본격적으로 읽기 전에 사전활동을 어떻게 해야 할까? 다음의 5가지를 기억하자.

1. 표지를 읽어주며 하는 텍스트 톡

Parker Looks Up: An Extraordinary Moment(파커가 올려다봐요: 특별한 순간)는 뉴

뉴욕타임스 베스트셀러로 아마존에서 높은 판매지수와 평점을 보여주는 그림책이다. 이 책으로 앞에서 말하는 '사전 읽기 활동'을 설명해보겠다.

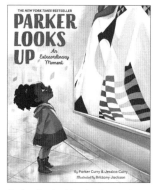

1. **일단 아이에게 표지를 보여준다.**

2. **책의 제목을 아이와 함께 읽는다.**

   "Parker Looks Up" (파커가 올려다봐요.)

   이때 부제까지 함께 읽는다.

   "An Extraordinary Moment" (특별한 순간)

Parker Looks Up: An Extraordinary Moment, Parker Curry, Jessica Curry, Brittany Jackson(ILT), Aladdin, 2019

3. **글 작가 이름과 그림 작가 이름을 함께 읽는다.**

"Parker Curry and Jessica Curry. 글을 쓴 사람은 파커 커리와 제시카 커리네. 음, 두 사람이 성이 같은 거 보니까 가족인 걸까?", "Illustrated by Brittany Jackson. 그림을 그린 사람은 브리태니 잭슨이야."

영어책 작가들의 이름을 어떻게 발음해야 할지 고민스러울 수 있다. 이민자의 후손일 경우 영어식 스펠링이 아닌 경우가 많기 때문이다. 사실 이름은 본인이 읽어달라는 대로 읽어주는 것이 좋다.

[TIP] 영어 그림책 작가 이름 읽어줄 때

작가 이름을 어떻게 읽어야 할지 잘 모를 경우, 구글에서 작가의 이름을 넣어 "How do you pronounce _____?"라고 친 다음, 음성 녹음 파일이 뜨면 그 발음을 듣고 따라서 읽기를 권한다.

하지만 이것도 영어식으로 읽어주는 소리라서 틀릴 수 있다. 미국의 폴란드 태생의 유명한 그림책 작가 유리 슐레비츠(Uri Shulevitz)는 자기 이름을 '우리'라고 발음하는데, 우리나라에 번역된 책들은 '유리'라고 표기하고 있다. 본인의 인터뷰를 보면 '우리'라고 분명히 발음하고 있기 때문에 이를 존중해서 이럴 경우 '우리'로 발음하는 것이 맞다.

4. 표지의 그림에 대해서 질문을 한다.

표지 그림을 놓고 무슨 이야기를 해야 할까? 예를 들어보자.

이 그림책은 실제로 있었던 일을 쓴 것인데, 작가가 그 실화의 주인공인 아이와 엄마이다. 작은 흑인 여자아이가 미술관 같은 곳에서 누군가의 커다란 그림을 올려다보고 있다. 바로 미셸 오바마의 초상화이다. 아이가 워싱턴의 미술관(미국국립초상화갤러리)에 걸려 있는 위인들의 초상화를 보다가, 이 그림 앞에 멈춰 서서 떠나지 않았다. 이 미술관에 걸려 있는 초상화 중에서 유일한 흑인 여성이었던 것이다.

'모두 백인인데, 나와 우리 엄마와 할머니랑 똑같은 피부색을 가진 여자가 여기에 한 명 있네!'

아이는 그림을 올려다보면서 얼이 빠져 있었다. 그 모습이 마침 그날 이곳에 취재를 나온 TV 뉴스에 찍혀서 전파를 타면서 무척 유명해졌고 그림책을 쓰게 되었다. 흑인 여자아이의 역할 모델을 제시해주는 책으로 유명하다. 이 표지 그림에 대해 아이에게 이런 질문을 할 수 있을 것이다.

"얘는 누굴까?" (Who is the girl?)

"얘는 뭘 보고 있을까?" (What is she looking at?)

"얘가 위를 봐? 아래를 봐?" (Is she looking up or down?)

"얘는 어디에 있는 것 같아?" (Where do you think the girl is?)

"얘는 누구를 보고 있는 걸까? 남자일까, 여자일까?"

(Who is the girl looking at? Man or woman?)

엄마가 책의 내용을 좀더 알고 있으면, 그림 속 여자의 피부색을 보고 아이가 추측하게 이끌 수도 있을 것이다. 이런 활동은 사전지식을 활성화한다는 의미도 있다.

2. 사전지식 활성화

본문을 읽기 전에 표지를 보며 왜 아이와 이야기를 해야 할까? 본격적으로 본문을 읽기 전에 아이의 사전지식을 활성화하기 위해서이다.

아이들이 가지고 있는 사전지식은 매우 제한적이다. 영어 그림책의 내용을 잘 이해시키려면, 앞으로 읽을 내용에 아이가 기존에 알고 있는 사전지식을 끌어와서 적용할 수 있게 해주어야 한다. 이 그림책의 경우, 아이가 사전지식으로 미술관이나 박물관에 갔던 경험에 대한 기억과 생각을 끌어올 수 있도록 어떤 장소인지, 그런 장소에서는 무엇을 볼 수 있는지에 대해 말해보는 것도 좋다. 또한 주인공 파커의 피부색을 보면서 인종에 대한 설명도 곁들일 수 있을 것이다. 그런데 아이의 사전지식 활성화에는 필연적으로 '개인화하기'라는 과정이 들어간다.

3. 개인화(Personalization) 해주기

아이들의 세계는 워낙 제한적이고, 아이들은 굉장히 자기중심적이다. 성격이 나빠서 그런 것이 아니라 시야가 제한적이라서 그럴 수밖에 없다. 심지어 아직 대상영속성이 생기지 않은 아기 때는 까꿍놀이(peek-a-boo)를 할 때, 자기 눈에 안 보이면 상대가 존재하지 않는 줄 안다. 그래서 아이들한테 학습효과를 높이려면 '개인화'를 해주어야 한다. 성인 학습자의 경우 사전지식을 꼭 개인적인 경험과 결부시킬 필요가 없지만, 아이 학습자는 이 과정이 매우 중요하다. 앞에서 소개한 그림책의 무대는 미술관(museum)이다. 그러면 이런 작업이 필요하다.

"저번에 엄마랑 같이 ○○미술관에 갔었지? 그 미술관 기억나?" 또는 그림책에 어떤 동물이 나온다면 "저번에 동물원에 가서 이 동물 봤었지? 기억나?" 이런 질문을 하며 아이가 기존에 알고 있는 것, 경험한 것과 계속 연결시켜주는 작업이 필요하다.

또는 아이가 먼저 말을 꺼낼 수도 있을 것이다.

"내가 할머니 집에 갔을 때 논에서 이 동물을 봤어." 그럴 때는 엄마가 "딴소리하지 말고 엄마가 읽어주는 것 들어봐!" 이렇게 하면 절대 안 된다. 아이는 지금 자기가 아는 사전지식을 끌어와서 개인화를 하고 있는 것이기 때문이다. 그리고 아이들은 언제나 이런 식으로 딴 데로 샌다.

정말로 뛰어난 선생님들이나 엄마들은 아이가 도중에 샛길로 나가면, 저 멀리로 새어나간 이야기를 받아 감아서 아이를 본문으로 다시 데려온다. 이런 식이다.

"맞아, 할머니 집에 갔을 때 논에서 개구리를 봤지? 표지의 이 개구리와 비교해봤을 때 어떤 것이 더 큰 것 같아?" 이것이 아이가 경험한 그 개구리를 얼른 책 표지의 개구리와 연결시켜서 관심을 데려오는 방법이다. 이렇게 하면 아이의 관심이 자연스럽게 책으로 돌아오게 할 수 있다.

4. 주요 어휘 제시

특히 영어 그림책은 엄마가 먼저 읽고, 본문에 들어가기 전에 미리 아이가 모를 것 같은 단어 몇 개를 가볍게 일러주어도 좋다.

단, 아이가 모르는 단어를 모두 알려줄 필요는 없고, 모두 알려주는 일이 가능하지도 않을 뿐더러, 설사 다 알려준다고 해도 그렇게 되면 어휘 수업으로 전락해버리기 때문에 그러지 않는 것이 좋다. 그저 이 이야기를 이해하는 데에 핵심이 되는 주요 단어 몇 개 정도를 그림 카드를 제시해 미리 일러주고 들어가면, 아이가 내용을 더 친숙하게 느끼고 이해하기 쉬울 것이다.

이 책의 경우 키워드로 제시할 만한 단어는 museum, painting, portrait,

First Lady 같은 어휘가 될 것이다. 이때 portrait(초상화) 같은 단어는 아이들에게 조금 어려울 수 있으니 설명을 조금 덧붙여도 좋다.

5. 앞으로 나올 내용 예측하기

표지를 보며 얘기를 나눈 다음, 앞으로 어떤 내용이 나올지 예측하는 질문을 던져준다. **예측(prediction)은 가장 낮은 단계의 추론으로 어린아이들에게 연습시키기 가장 좋은 사고력 훈련이다.**

"이 아이가 있는 이곳은 어디일 것 같아?", "이 아이는 누구를 보고 있는 것 같아?"(언뜻 보이는 초상화 속의 드레스를 보면, 아이가 여성을 그린 그림을 보고 있다는 것을 알 수 있다.) 이런 식으로 계속 예측 연습을 한다.

한국어로 된 그림책이든 영어로 된 그림책이든, 아이에게 책을 읽어줄 때는 표지가 매우 중요하고, 표지를 보면서 앞에서 예를 든 것처럼 질문을 항상 해주는 것이 좋다.

이상이 아이에게 영어 그림책을 읽어주기 전에 해야 할 활동이다. 이렇게 표지를 보고 이야기하는 것을 일상화해야 한다. 시간이 오래 걸리지 않으며 몇 번 해보면 금방 할 수 있게 된다. 엄마가 미리 그림책을 보고 주요 어휘를 준비하는 작업만 따로 해주면 된다.

텍스트 톡(Text Talk) 2:
읽는 중 단계(During Reading)

---

1. 읽는 도중의 3가지 질문 유형과 토론

아이들에게 영어책을 읽어주면서도 계속 질문을 하고 답해야 한다. 특히 그림책은 그림을 보면서 계속 얘기해야 한다. 글자만 읽는 것이 중요한 것이 아니다. 글과 그림을 매칭하면서 등장인물들이 무슨 행동을 하고 있는지 확인하고, 다음에는 어떤 행동을 할지 예측하는 질문을 하고 함께 토론하고 답하는 것이 좋다.

아이에게 그림책 읽어주기가 조금 더 익숙해지면 사실과 의견, 감정 등 3가지를 구별해서 질문을 해주자.

사실을 물어보는 질문

앞에서 소개한 *Parker Looks Up: An Extraordinary Moment*(파커가 올려다봐요: 특별한 순간) 그림책의 경우, 본문의 그림을 보며 "Who is she?"(그녀는 누구야?) 같은 질문을 할 수 있을 것이다. 그러면 아이가 엄마가 읽어주는 글을 듣고 있는 중이니 "미셸 오바마"라고 대답할 수도 있을 것이다. 그 외에도 "누구와 같이 미술관에 갔니?", "벽에 뭐가 걸려 있어?" 이런 식의 질문들이 사실을 물어보는 질문들이다.

의견을 물어보는 질문

아이의 의견을 물어보는 것을 어렵게 생각할 필요 없다. 그냥 "좋아?", "싫어?" 이런 것부터 시작하면 된다. "이 여자는 예쁜 것 같아?", "그녀를 어떻게 생각해?" 같은 것이 의견을 물어보는 질문이다.

이 책에는 이런 질문이 나온다.

"그림의 여자는 왜 파커한테 엄마와 할머니와 동생과 자기 자신이 생각나게 하는 거지?" 이런 질문을 하면, 아이가 왜 그럴까 생각하게 된다. 이유는 피부색이 주인공 아이 파커와 똑같아서이다. 파커는 자신과 같은 피부색을 가진 여성의 초상화가 거의 대부분 백인들의 초상화만 걸린 미술관에 걸려 있는 모습을 처음 본 것이다.

[TIP] **질문 조율**(Modulating Questions)

아이에게 '왜' 그런지 묻는 것은 열린 질문(open-ended questions)이다. 열린 질문을 던지면, 아이가 영어 실력이 짧아서 답을 못하는 경우가 있다. 그러면 경력이 오래된 교사들은 얼른 질문을 바꾸어 조율을 해준다.

예를 들어 "Which animal do you like?"(넌 어떤 동물 좋아해?)라고 물었는데, 아이가 영어로 대답을 못하면 질문을 A or B의 선택 의문문으로 바꾸어준다.

"Do you like dog or cat?" (개나 고양이 좋아하니?)

그래도 대답을 못하면 yes와 no로 대답할 수 있는 질문으로 바꾸어준다.

"Do you like dogs?" (개 좋아하니?)

이것이 영어로 아이한테 답을 끌어내는 방식이다. 아이의 영어 수준에 따라서 질문의 난이도를 계속 낮추어 조율해주는 방법이다.

감정을 물어보는 질문

아이들이 가장 파악하기 쉬운 것은 감정이다. 아이에게 책을 읽어주면서 감정과 관련된 질문을 해준다. 다시 이 책으로 가보면 감정을 물어보는 질문의 예가 나온다.

"이 페이지에서 아이가 느끼는 모든 감정을 읽어보자." 그리고 그림 배경에 friend, sister, caring, hero, courageous, inspirational, confident, dynamic, advocate, honest, volunteer, mentor와 같은 단어들이 죽 나열되어 있다. 아이가 이 단어들을 다 알 필요는 없다. 엄마가 단어들을 죽 읽어주고 "가장 마음에 드는 단어가 뭐야?"와 같이 한두 개만 고르게 한다.

그런 다음에 "오늘의 너의 단어야"(Today's word for you)라고 한 뒤 한 단어를 아이에게 준다. '너의 단어'라고 개인화를 해서 아이 손에 쥐어주는 방식을 택하는 것이 효과적이다. 예를 들어 아이가 'confident(자신감 있는)'라는 단어를 골랐다면, 이 단어를 써서 벽에 붙이고 이렇게 말한다.

"오늘 우리 (하영)의 단어는 이거야. 오늘은 confident한 (하영)이 모습을 보겠네!" [It is today's word for you. We can see confident (Hayoung) today!]

이렇게 아이와 단어를 연결해주고 단어의 느낌을 살려주면 좋다. 아이들한테 가장 중요한 것은 책에 대한 '감정적 반응'이다. 그래서 그렇게 한번 해주면 된다. 책에 나오는 모든 단어를 아이한테 외우라고 하면 영어를 싫어하게 된다. "네가 가장 마음에 드는 단어 한두 개만 골라봐." 이렇게 하고 그 단어를 써서 붙여주고 보게 하는 것이 좋다.

2. 다음 페이지에 나올 내용 예측하기

앞에서 소개한 그림책으로 계속 이야기를 풀어보겠다. 책장을 넘기며 읽어주면서, 처음에는 "여기가 어디일까?" 같은 사실을 확인하는 질문을 던진다. 또한 "저 엄마와 아이는 누구일까?", "원래 아는 사이일까?", "왜 'surprise'라고 하지?" 등 추측하고 확인하는 질문을 한다. 그리고 "이 엄마들과 아이들은 다음에는 무엇을 할까?"와 같이 예측을 하는 질문을 할 수도 있다. 이때 사실, 의견, 감정 및 예측을 하는 질문은 단계별로 구별을 지어 던지는 것이 아니라, 페이지를 보며 적절히 섞어서 질문을 해주면 된다.

여기까지의 텍스트 톡 단계를 잘 구현해서 보여주는 유튜브 영상으로 2장에서도 소개한 '스토리즈바이셸리(StoriesbyShelley)'의 영상을 추천한다(105쪽 참조). 어른이 혼자 읽어주는 동영상이기는 한데, 부모가 책에서 무엇을 손가락으로 짚으며 읽어주어야 하는지, 페이지마다 그림과 글을 모두 짚으며 어떤 반응들을 하고 어떤 질문들을 하는지 주목해서 보면 좋다.

또 한 가지, 한국 아이들은 의성어와 의태어가 모국어 습득에 중요한 기제라서 그런 요소가 그림에 나올 경우 강조해서 읽어주면 아이들이 잘 반응한다는 것을 기억하자.

텍스트 톡(Text Talk) 3:
읽은 후 단계(After Reading)

—

아이들은 어떤 종류의 지문이든 책이든, 부모가 읽어주는 것을 듣고 난 후 그에 대해 반응을 한다. 사실 읽은 후 단계에서 모든 독후활동은 다 이런 반응이라고 할 수 있다. 또한 아이들은 어떤 지문을 읽든지 자신의 사전지식을 가져와 연결한다. 그리고 아이들이 보이는 반응은 굉장히 개별적이고 개인적인 것이다. 아울러 각자의 반응은 읽는 이와 지문 사이 상호작용의 결과이기도 하다

읽은 후 단계의 독후활동은 읽은 것에 대한 반응, 책 보고서, 일지, 드로잉 또는 그림, 그래픽 오거나이저(graphic organizer), 구두 발표 등 다양하다(7장에서 상세히 다룬다). 인터넷에서 각 활동에 대한 자료를 찾아보면 굉장히 많다. 그런데 문제는 내 아이의 수준에 맞는가이다. 인터넷에서 볼 수 있는 활동들은 주로 원어민 아이들을 위해서 원어민 교사들이 만들어놓은 것들이므로 잘 생각하고 골라서 활용해야 한다.

독후활동에 대해서는 7장에서 자세히 소개하고, 여기서는 읽은 후 반응

(response to reading)을 어떻게 이끌어낼지와 가장 손쉬운 방법으로 감정 스티커 이용법 정도를 소개하겠다.

아이들은 처음에 감정적 반응을 먼저 보이고 그다음에 생각이 따라온다. 아이가 그 책을 좋아해야 이해도 잘된다. 사실 어른도 그렇다. 좋아하는 것을 더 잘 이해하기 마련이다. 가장 쉬운 감정반응 보이기 활동은 감정 스티커 붙이기이다. 거창하지 않고 가벼운 활동이다.

프랑스의 부부 일러스트레이터이자 만화가 케라스코에트(Kerascoët, 필명)가 그린 글 없는 그림책 *I Walk with Vanessa*(한국 번역책 제목: 혼자가 아니야 바네사)는 보고나서 아이와 감정 스티커를 붙이는 활동을 하기 좋다.

'몰리 루 멜론(Molly Lou Melon)' 시리즈도 추천한다. 패티 러벨(Patty Lovell)이 글을 쓰고, 데이비드 캣로우(David Catrow)가 그림을 그렸는데, 키가 아주 작고 뻐드렁니, 서툰 행동, 이상한 목소리를 가지고 있지만, 긍정적인 태도로 이를 극복하는 몰리 루 멜론의 이야기를 담고 있다.

아이가 어리다면 책을 읽고 나서 아이 이름을 쓰고(이름은 엄마가 써주어도 된다) 감정 스티커를 붙이는 활동 정도를 해본다. 다양한 표정의 감정 스티커들을 준 다음에 그 장면에 어울리는 스티커를 붙여보라고 한다. 아직 어려서 쓰기가 안 되는 아이에게 맞는 활동이다.

[특별부록: 워크시트 PDF 제공] 읽은 후 아이의 반응을 끌어내는 가장 쉬운 방법, 감정 스티커

7장에서 영어책을 읽은 후 할 수 있는 다양한 독후활동을 소개했다. 아울러 읽기와 독후활동을 통해서 영어 글쓰기 단계까지 자연스럽게 연결시킬 수 있는 팁도 많이 소개했으니 꼭 참고하기 바란다.

파닉스 리더스,
무엇으로 시작할까?

—

파닉스 리더스, 자주 하는 두 가지 질문

파닉스 리더스(phonics readers)란 파닉스 규칙을 응용해서 읽을 수 있는 얇은 읽기 책들을 말한다.

"파닉스를 배우고난 후 파닉스 리더스로 들어가면 되나요?"라고 묻는 부모님들이 있다. 그렇지 않다. **파닉스를 배운 후가 아니라 파닉스를 배우면서 둘을 병행해야 한다.** 예를 들어 널리 알려져 있는 레츠고(Let's Go) 시리즈의 교사 매뉴얼을 보면, 레츠고 파닉스(Let's Go Phonics) 시리즈를 떼고 레츠고 시리즈의 3권으로 들어가게 되어 있다. 파닉스 리더스는 이처럼 파닉스를 배우다 '중간에' 들어가야 한다.

"파닉스를 최소한 어느 정도 하고 파닉스 리더스에 들어가야 하나요?"라고 묻는 분들도 있다. 파닉스를 배우기 시작하는 초기부터 파닉스 리더스를 해서는 안 된다. **단자음과 단모음을 활용하는 규칙을 배우고 좀 활용할 수 있는 정도일 때,** 파닉스 리더스를 병행해서 하면 된다.

쉬운 파닉스 리더스: 밥 북스(Bob Books)

밥 북스 시리즈는 1976년부터 개발되어 널리 쓰이고 있는 파닉스 리더스이다. 이외에도 '읽기 전 단계'로서 알파벳 인지, 사이트 워드, 워드 패밀리 등을 배우는 시리즈도 있다.

1세트는 읽기 초보자용으로 만 4~6세 아이들이 주로 보는데, 단모음과 3글자 단어(자음+모음+자음, CVC)로 이루어진 아주 짧은 문장의 얇은 책 십여 권으로 이루어져 있다. 2세트는 고급 초보자용으로 약간 긴 이야기 속의 3글자 단어와 모음 소리를 익힐 수 있고, 3세트는 자음 혼합과 사이트 워드들이 등장하고, 4세트는 다음절의 합성어 단어들이 나오고, 5세트는 좀 어려운 이중모음을 포함한 장모음과 묵음 e 같은 단어들이 등장한다.

파닉스 리더스 밥 북스 시리즈의 구성

밥 북스 1세트
(출처: www.bobbooks.com)

1세트	읽기 초보자 (beginning readers)	단모음, 3글자 단어 (자음+모음+자음)
2세트	고급 초보자 (advanced beginners)	약간 긴 이야기 속 3글자 단어와 모음 소리
3세트	워드 패밀리	자음 혼합, 끝소리, 몇 가지 사이트 워드
4세트	합성어	새 단어 혼합, 사이트 워드, 더 긴 다음절 단어
5세트	장모음	장모음과 묵음 e

이 시리즈는 내용이 재미있다. 읽기 초보자용인 1세트의 1권은 *Mat*(매트, 글 Bobby Lynn Maslen, 그림 John R. Maslen)인데, 매트라는 아이와 샘이라는 아이가 나오고, '자음+모음+자음'으로 이루어진 CVC 단어로 _at이라는 끝소리 라임이 나온다.

내용을 보면, 먼저 m, a, t, s라는 알파벳 4개를 제시하고,

m이 나오며   Mat. / Mat sat.

Mat(Bob Books, Set 1: Beginning Readers), Bobby Lynn Maslen, John R. Maslen(ILT), Scholastic, 2006

s가 나오고   Sam. / Sam sat.

반복하면서   Mat sat. Sam sat.

확장 반복을 하면서

Mat sat on Sam. / Sam sat on Mat.

이런 식으로 내용이 전개된다. 아이들은 서로를 깔고 앉으며 재미있다고 그러지 않나? 무엇보다 짧은 문장이지만 그림과 내용이 재미있고 운율이 있어서 소리내어 읽는 맛이 있으며, 파닉스 원리를 느끼기에도 좋다. 책이 매우 얇고 글밥도 적어서 아이가 "금방 책 한 권 다 읽었네?" 뿌듯함을 느낄 수 있다. 중요한 것은 아이가 성취감을 갖는 것이다.

파닉스를 할 준비가 된 아이를 위한 레이디버드(Ladybird) 시리즈

레이디버드(Ladybird I'm Ready for Phonics) 시리즈는 비영어권 아이들을 위한 파닉스 시리즈라고 소개하는 경우가 있는데, 원어민 아이들을 위한 시리즈다. 전 단계로 *Say the Sounds*(소리를 내, 글그림 Ladybird)라는 책이 있다. 본격적으로 소리내어 읽기 전 단계에 보는 책이라서 먼저 알파벳을 제시한다. "A 소리 단어들이 있어. 너는 A 소리를 낼 수 있니?" 아이들이 읽는 책이 아니

▶ *Say the Sounds*(Ladybird I'm Ready for Phonics), Ladybird, Ladybird Books, 2016

▶▶ *Captain Comet's Space Party*(Ladybird I'm Ready for Phonics, Level 1), Ladybird, Ladybird Books, 2014

라 부모가 읽어주는 책으로, 그림을 보면서 단어의 소리를 인식하게 한다.

이 시리즈의 1단계 첫 권은 *Captain Comet's Space Party*(캡틴 코멧의 우주 파티, 글그림 Ladybird)인데 s, a, t 소리가 나온다. 예를 들어 s라면 첫소리가 s인 단어만 찾게 되어 있다. 아이들의 인지수준에 맞춘 것이다. 졸리 파닉스와 같이 영어를 모국어로 하는 아이들이 옹알이 단계에서 가장 자주 사용하는 음소(s, a, t, p, n) 순으로 가르친다. 따라서 외국인을 위한 파닉스 리더스가 아니며, 파닉스 2세대인 종합 파닉스(synthetic phonics)로 원어민 아이들을 위한 읽기 책이라고 할 수 있다.

어스본(Usborne)의 파닉스 리더스

풍성한 그림과 재미있는 이야기가 곁들여진 시리즈이다. 그중 *Fat Cat on a Mat*(매트 위의 뚱뚱한 고양이, 글 Russell Punter, 그림 Stephen Cartwright)는 이렇게 이야기가 시작된다.

Fat Cat sees a bee. (뚱뚱 고양이가 벌을 본다.)

Fat Cat flees up a tree. (뚱뚱 고양이가 나무 위로 도망친다.)

－at으로 끝나는 단어들과 －ee로 끝나는 단어들이 주를 이루고 있다. 즉, －at을 '앳'으로 읽는 법과 －ee를 장모음 [iː]로 읽는 파닉스 규칙을 아는 아이라면 능히 읽을 수 있는 지문이다. 이 시리즈는 앞에서 소개한 밥 북스 시리즈보다 조금 더 어렵다. 파닉스를 한번 훑고난 뒤 뭔가 파닉스 리더스를 읽혀야 된다고 생각할 때는 밥 북스 시리즈를 선택하고, 그 뒤에 어스본 시리즈를 보면 좋을 것 같다.

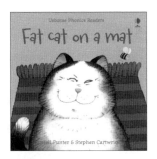

Fat Cat on a Mat(Usborne Phonics Readers), Russell Punter, Stephen Cartwright(ILT), Usborne Books, 2020

사이트 워드 리더스,
어떻게 시작할까?

사이트 워드(sight words)는 '일견(一見) 어휘'라고도 하는데, 파닉스 규칙에 따라 발음되지 않으나 가장 자주 쓰이는 단어들을 말한다. '핵심 단어(core words)' 또는 '팝콘 단어(popcorn words)'라고도 한다. 사이트 워드는 매우 자주 쓰이나 파닉스 규칙에 해당되지 않는 단어들이므로 반복해서 보여주기, 즉 노출(exposure) 외에는 익히는 방법이 별달리 없다.

사이트 워드 목록 구하기:
돌치 리스트(Dolch List), 프라이 리스트(Fry List)

사이트 워드를 뽑은 목록으로는 사이트 워드 사이트(www.sightwords.com)의 돌치 리스트(Dolch List of Basic Sight Words)와 프라이 리스트(Fry's 300 Instant Sight Words)가 가장 유명하다. 구글에서 검색하면 사이트 워드 사이트에서 구할 수 있다. 돌치 리스트는 유치원 이전, 유치원, 초등 1학년, 2학년, 3학년, 명사편 등으로 약 300단어가 수록되어 있다. 각 단계별 단어 목록을 PDF 파

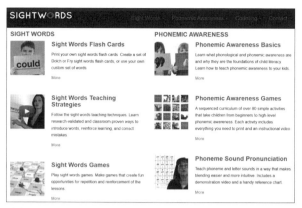

사이트 워드 목록뿐 아니라 플래시 카드, 게임을 즐길 수 있는 사이트 워드 홈페이지

일로 다운받아 사용할 수 있다. 유치원 이전 단계를 보면 a, and, away, big, blue, can… 등 40개 단어가 나온다.

프라이 리스트는 300개 단어를 난이도별로 묶어놓았다. 맨 처음을 보면 the, of, and, a, to 식으로 나온다. 돌치 리스트는 알파벳 순으로 정렬한 반면, 프라이 리스트는 자주 쓰이는 빈도순으로 정렬하기에 the가 가장 앞에 나온다. 우리가 하는 말, 책, 기사, 글 등의 코퍼스(corpus 말뭉치)에 나온 수천

Dolch Sight Words
Pre-Kindergarten (40 words)

a	look
and	make
away	me
big	my
blue	not
can	one
come	play
down	red
find	run
for	said
funny	see
go	the
help	three
here	to
I	two
in	up
is	we
it	where
jump	yellow
little	you

Fry Sight Words
First 100 Words (#1-100)

the	or	will	number
of	one	up	no
and	had	other	way
a	by	about	could
to	words	out	people
in	but	many	my
is	not	then	than
you	what	them	first
that	all	these	water
it	were	so	been
he	we	some	called
was	when	her	who
for	your	would	am
on	can	make	its
are	said	like	now
as	there	him	find
with	use	into	long
his	an	time	down
they	each	has	day
I	which	look	did
at	she	two	get
be	do	more	come
this	how	write	made
have	their	go	may
from	if	see	part

사이트 워드 홈페이지의 돌치 리스트와 프라이 리스트 캡처 화면. 홈페이지에 방문하면 PDF 파일을 무료로 다운받을 수 있다(출처: www.sightwords.com).

만 단어를 컴퓨터로 돌려서 빈도 수로 뽑아낸 것이다. 원래 코퍼스 어휘 빈
도 연구를 보면, 가장 자주 쓰이는 2,000단어가 음성언어 어휘의 80% 이상
을 차지한다고 한다. 그래서 중고등학교 정도 수준의 단어를 알면 영어에서
할 말은 다 한다는 말이 나온 것이다.

사이트 워드 리더스: 밥 북스 사이트 워드(Bob Books Sight Words)

Mat Hid(Bob Books Sight Words: Kindergarten set), Lynn Maslen Kertell, Sue Hendra(ILT), Scholastic, 2010

밥 북스 사이트 워드 시리즈는 10권으로 이루
어져 있다. 첫 권인 *Mat Hid*(매트가 숨었다, 글
Lynn Maslen Kertell, 그림 Sue Hendra)을 보면, 기본
형인 hide(숨다)라는 단어의 과거형 hid가 나
온다.

원어민 아이들도 초보 단계에서는 동사의
기본형, 과거형, 과거분사형이 각각 다른 단
어인 줄 안다. went가 go의 과거형인 줄 모르고 다른 단어인 줄 안다. 그래
서 성인용 영어책에서는 단어 수를 헤아릴 때 go, went, gone 같은 파생어
를 기본형 하나(go)로(같은 워드 패밀리에 속하는 한 단어) 보지만, 아이용 영어책은
각기 다른 단어로 본다. 아이들은 go와 went를 다른 단어로 알다가, 학교에
들어가서 과거형은 -ed를 붙인다는 것을 배우게 되고, 처음에는 과도한 일
반화로 go의 과거형이 goed인 줄 알다가 후에 went를 배우며 불규칙 활용
을 알게 된다. 즉, 문자습득 단계의 어린이들을 위한 책은 성인책과 단어를
세는 방법이 다르다. 이 책에는 사이트 워드로 to, saw, ran이 나온다.

Mat hid. / Sam **saw** mat. Sam **ran to** Mat.

가장 쉬운 단계의 사이트 워드 리더스로 짧은 문장과 간단한 선 그림으
로도 그림책 읽는 재미를 느끼게 한다.

너서리 라임(Nursery Rhymes) 즐기기

―

너서리 라임은 다른 말로 '마더구스(mother goose)'라고도 한다. 일반적으로 아이들에게 자주 읽어주거나 불러주는 짧은 노래나 시를 말한다. 옛날에는 글을 읽을 수 있는 사람들이 별로 없었기 때문에 어른들도 즐겼다. 수백 년 동안 입으로 전해져왔으며, 18세기부터 책으로 출간되기 시작하여 19세기에 엄청나게 많이 출판되었다. 스타일이나 주제나 톤이 다양하다. 말이 안 되는 말장난인 난센스 라임(nonsense rhyme)도 있고, 자장가, 손가락 놀이 노래(finger-play songs), 숫자 세기, 수수께끼 같은 것도 있다.

너서리 라임 & 마더구스

1744년에 영국에서 처음 출간된 *Tommy Thumb's Song Book*(톰 썸의 노래책)을 보면 '런던 브리지' 같은 일종의 민요도 너서리 라임으로 실려 있다.

요즘의 'London Bridge Is Falling Down(런던 다리 무너지고 있다)' 노래와는 가사가 좀 다르다. 과거에는 읽을거리도 많지 않았고, 성인도 주로 귀로

Tommy Thumb's Song Book(1815
년판)에 실린 너서리 라임 '런던 브리지'
의 일부

듣던 시기라서 이런 책을 성인도 아이도 읽었다.

마더구스라는 말은 18세기 초 영국에서 번역 출
간된 프랑스 동화작가 샤를 페로(Charles Perrault)의
책 *Fairy Tale*(동화)의 부제 '엄마 거위 이야기(Tales of
Mother Goose)'에서 유래되었다. 이후 마더구스는 이
런 류의 너서리 라임을 지칭하는 보통명사가 되었다.

운(Rhyming)의 라임 맞추기

'운'에 사용되는 라임에는 (압)운, 두운, 유운의 3가지가 있다. 두운(alliteration)
은 가까이 연결된 단어에서 첫소리를 맞추고, 압운(rhyme)은 일정 간격으
로 나오는 단어의 끝소리를 맞춘다. 두운과 압운을 이용한 너서리 라임을
보자.

Pease porridge hot,	뜨거운 완두콩 죽
Pease porridge cold,	차가운 완두콩 죽
Pease porridge in the pot,	냄비에 든 완두콩 죽
Nine days old.	끓인 지 9일 된 죽

* pease는 peas의 옛날 철자

이 너서리 라임은 pease, porridge로 연결된 단어의 첫소리를 맞추어 두운
을 살렸으며, hot, cold, pot, old(a-b-a-b)로 압운도 살렸다. 이렇게 두운,
라임(압운)이 맞추어진 경우 아이들이 음소 개념을 익히는 데 도움이 된다.

유운(assonance)은 모음의 운을 맞추는 것이다. 문장 안에서 모음의 소리를 반복하여 라임을 만드는 것이다.

The moon rose over an open field.

이 문장에서는 rose, over, open에서 모음 소리를 맞추었다.

우리 아이들은 영어 원어민 아이들과 달리 어릴 때부터 너서리 라임을 들으면서 자라는 것이 아니다. 게다가 한국어는 음절 개념이 두드러지고 음소를 구별하기 힘들다. 따라서 아이와 너서리 라임을 가지고 놀아주는 단계가 길고 많으면 좋다. 그래야 아이가 영어 음소를 (암시적으로) 익혀서 영어 소리에 익숙해진다.

음보(Foot) 감각 키우기: 걸으면서 읽는다

너서리 라임이나 영시를 읽을 때 가장 중요한 것은 음보를 맞추는 것이다. 음보(音步 foot)는 '음이 걷는다'는 뜻이다. 너서리 라임을 어떻게 생생하게 읽어야 할지, 또는 영시를 어떻게 읽어야 할지 모르겠다면, 일단 처음에는 구두점의 느낌을 살려 억양을 올리고 내리며 걸으면서 읽는 것이 도움이 된다. 내가 걷는 걸음걸이에 맞추어 읽다보면 리듬감이 살아난다.

미국의 국민시인으로 불리는 로버트 프로스트(Robert Frost 1874~1963)의 '눈 먼지(Dust of Snow)'라는 시를 보자. 어린이용 시집에 실리기도 하는 이 시는 운을 맞춘 라임이 느껴진다. crow/me/snow/tree의 a-b-a-b로 운을 맞추고, heart/mood/part/rued의 c-d-c-d로 운을 맞추고 있다. 이 시를 읽으면서 걷다보면 걸음 수에 맞추어 리듬이 생기는 것을 느낄 수 있다. 그래서 영어 리듬에 익숙하지 않을 경우 걸으면서 강세(stress)와 어조(intonation)도 살려서 읽으면 리듬감이 살아난다.

Dust of Snow

by Robert Lee Frost

The way a crow
Shook down on me.
The dust of snow
From a hemlock tree
Has given my heart
A change of mood,
And saved some part
Of a day I had rued.

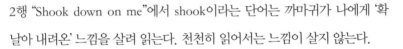

2행 "Shook down on me"에서 shook이라는 단어는 까마귀가 나에게 '확 날아 내려온' 느낌을 살려 읽는다. 천천히 읽어서는 느낌이 살지 않는다.

3~5행 "The dust of snow / From a hemlock tree / Has given my heart"는 시선이 나무 위에 쌓인 눈에서 그 아래 서 있는 나에게로 이동하는 것처럼, 음정도 높은 곳으로 올렸다가 낮은 곳으로 낮추어야 한다.

6~8행 "A change of mood / And saved some part / Of a day I had rued"는 내가 후회했던 날 하루 중 일부분을 구했다는 의미다. 여기서 rued 는 음정이 내려가게 읽어야 한다. 후회에 잠기는 느낌으로 여운을 길게 주며 읽으면 시적 효과가 더 커지지 않겠는가. 이처럼 어떤 단어가 가진 의미에 따라서도 높낮이가 달라질 수 있다. 영시를 읽을 때는 이런 느낌을 좀 살려야 뭔가 재미있어진다. 아이들이 영어 음가를 즐기게 하려면 너서리 라임이나 영어 동시로 운이 맞아떨어지는 즐거움, 리듬이 맞는 감각, 어조가 오르락내리락하는 묘미를 귀로 들으며 많이 느껴야 한다.

너서리 라임 톱 10

영국의 200년 역사를 가진 대표신문 가디언지가 2009년 선정한 '영국인들이 좋아하는 너서리 라임 톱 10'을 소개한다. 너서리 라임은 사실 제목이 따로 없고 그냥 첫 구절을 제목처럼 쓴다.

영국 가디언 선정 너서리 라임 톱 10

· Hickory Dickory Dock!
  (히코리 디코리 독!)
· Little Miss Muffet (작은 머펫 아가씨)
· Round and Round the Garden
  (정원을 빙글빙글 돌아라)
· Incy Wincey Spider (작은 거미)
· Baa, Baa, Black Sheep
  (매~ 매~ 검은 양)
· Jack and Jill Went up the Hill
  (잭과 질이 언덕에 올랐어)
· Oh, the Grand Old Duke of York
  (오, 늙은 요크 공작)

· Twinkle, Twinkle, Little Star
  (반짝반짝 작은 별)
· Humpty Dumpty Sat on a Wall
  (험프티 덤프티가 벽 위에 앉았네)
· If You're Happy and You Know It, Clap
  Your Hands
  (행복하고 그걸 안다면 손뼉을 쳐)

출처: www.theguardian.com/education/
gallery/2009/oct/02/nursery-rhymes-top-ten

Hickory Dickory Dock!(히코리 디코리 독!)

집에 괘종시계나 꾀꼬리 시계가 있으면 아이가 이 노래를 잘 이해할 것이다. 요즘은 집에 이런 시계가 없어 아이가 모를 수도 있다.

Hickory dickory dock!	히코리 디코리 독!
The mouse went up the clock.	쥐가 시계 위에 올라갔어.
The clock struck one.	시계가 1시를 쳤어.
The mouse went down.	쥐가 내려왔어.
Hickory dickory dock	히코리 디코리 독
Tick tock, Tick tock, Tick tock, Tick tock.	똑딱, 똑딱, 똑딱, 똑딱.

[유튜브 추천 영상] 구독자 1억 4,500만 명의 대표적 너서리 라임 유튜브인 '코코멜론-너서리 라임 (Cocomelon-Nursery Rhymes)'의 영상을 추천한다.

Little Miss Muffet(작은 머펫 아가씨)

이 너서리 라임은 우리 엄마들에게 좀 낯설 수도 있을 것이다. 여기서 tuffet은 낮은 대(臺), curd는 우유가 굳은 것, whey는 '웨이[weɪ]'라고 발음하는데 유지방이다. 우리는 옛날에 우유 가공식품이 없었기 때문에 이 노래가 좀 낯설게 느껴질 수 있을 것 같다.

Little Miss Muffet	작은 머펫 아가씨가
Sat on a tuffet,	낮은 대에 앉아서,
Eating her curds and whey;	커드와 유청을 먹네;
Along came a big spider,	큰 거미 한 마리가 와서,
Who sat down beside her	옆에 앉았어.

And frightened Miss Muffet away. 그리고 머펫 아가씨를 겁주고 도망갔네.

[유튜브 추천 영상] Cocomelon-Nursery Rhymes의 영상을 추천한다.

Round and Round the Garden(정원을 빙글빙글 돌아라)

손가락 놀이 노래로, 손가락으로 아기 배에 원을 그리며 "round and round" 부르다가, "one step two step"에서는 손가락으로 걷는 흉내를 내고, "tickle" 부분에서 간질여준다.

Round and round the garden	둥글게 둥글게 정원을 돌아
Like a teddy bear;	테디 곰처럼;
One step, two step,	한 발자국, 두 발자국,
Tickle you under there!	거기 아래를 간질여!

[유튜브 추천 영상] 전문가들이 찍은 다른 영상들도 있지만, 유튜브 '스코티시 북 트러스트(Scottish book trust)'의 영상이 실제 엄마가 아기를 안고 어떻게 손가락 놀이를 해주는지 잘 보여주고 있어서 추천한다.

Incy Wincey Spider(작은 거미)

영국에서는 'Incy Wincey Spider'라고 하지만, 미국에서는 'Itsy Bitsy Spider'라고 한다. 이 너서리 라임 역시 손가락 놀이로 유명하다.

Incy wincy spider	작고 작은 거미가
Climbed up the waterspout	웃자란 가지를 올라갔어.
Down came the rain	비가 내려서

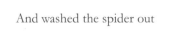

And washed the spider out	거미를 씻어 내렸네.
Out came the sun	햇님이 방긋 나와
And dried up all the rain	빗물을 모두 말리니
So incy wincy spider	작고 작은 거미가
Climbed up the spout again	다시 웃자란 가지로 올라갔어.

[유튜브 추천 영상] 패티 슈클라(Patty Shukla)의 영상을 추천한다. 진행자가 노래하며 율동을 같이해 아이들과 함께 보기에 좋다.

Baa, Baa, Black Sheep(매~ 매~ 검은 양)

18세기부터 불린 너서리 라임으로, 'baa baa'는 양이 우는 소리 '매~매~'의 의성어다. 우리 아이들은 양을 길러 양털을 깎아 자루에 채운다는 것을 잘 모를 수 있으니 알려주고 부르는 게 좋다(양털로 폭신한 옷을 만든다는 것도 같이 알려주자).

Baa, baa, black sheep	매~ 매~ 검은 양아
Have you any wool?	넌 양털이 있니?
Yes sir, Yes sir	네, 네, 그럼요.
Three bags full.	세 자루 가득 나와요.

One for the master,	한 자루는 주인님 거,
And one for the dame,	한 자루는 아가씨 거,
And one for the little boy	또 한 자루는
Who lives down the lane.	길 아래 사는 작은 소년 거.

[유튜브 추천 영상] 구독자 2,670만의 바운스 패트롤-키즈 송(Bounce Patrol-Kids Songs)'의 영상을 추천한다. 사람들이 나와 율동을 하며 노래를 불러서 친근감을 주고 1, 2, 3 기본적인 수개념도 알려준다.

Jack and Jill Went up the Hill(잭과 질이 언덕에 올랐어)

영국의 오래된 너서리 라임으로 잭(Jack)과 질(Jill)은 우리의 갑돌이와 갑순이처럼 익명의 누군가를 지칭하는 표현으로 유명하다. 프랑스혁명 때 처형당한 루이 16세와 마리 앙투 아네트를 빗댄 노래라는 해석도 있다.

Jack and Jill went up the hill   잭과 질이 언덕을 올랐어

To fetch a pail of water   물 한 양동이를 길러

Jack fell down and broke his crown   잭이 넘어져서 왕관을 깨뜨렸고

And Jill came tumbling after   질이 뒤따라서 데굴데굴 굴러 내려왔지.

도로시 M. 휠러의 1916년
'잭 & 질' 일러스트

[유튜브 추천 영상] '퍼스트 인 클래스-멈멈TV(First in Class-Mum Mum TV)'의 영상을 추천한다. 이전 의 맥락까지 한 편의 이야기처럼 구성해 아이들이 집중하며 보기에 좋다.

Oh, the Grand Old Duke of York(오, 늙은 요크 공작)

이 너서리 라임은 'The Noble Duke of York' 라고도 한다. 요크 공작 칭호를 달았던 사람 이 여러 명이라 설이 많으나, 가장 유력한 사 람으로는 조지 3세의 아들인 요크와 알바니 의 공작 프레데릭 왕자를 꼽는다.

Oh, the grand old Duke of York,   오, 늙은 요크 공작은 멋지지,

He had ten thousand men.   만 명의 병사를 거느리고 있어.

He marched them up to the top of the hill, 공작은 병사들을 언덕 위로 행군 시키더니,

And he marched them down again,	언덕을 내려오라고 행군을 시켰지,
And when they were up, they were up,	병사들이 언덕에 올라가면 올라간 거고,
And when they were down, they were down.	병사들이 언덕을 내려오면 내려온 거지.
And when they were only halfway up,	또 병사들이 절반만 올라가면 절반만 올라간 거라서,
They were neither up nor down.	올라간 것도 내려온 것도 아닌 게 되지.

[유튜브 추천 영상] 영국 BBC에서 만든 어린이 공영방송 씨비비즈(CBeebies)의 영상을 추천한다. 사람이 나와 동작을 하며 불러서 친근하며 아이들이 up과 down의 의미를 몸짓을 보며 익힐 수 있게 도움을 준다.

Twinkle, Twinkle, Little Star(반짝반짝 작은 별)

유명한 자장가로 가사는 19세기 제인 테일러가 쓴 시에서 비롯되었고 노래가 되어 널리 불리고 있다. 우리나라에서 가장 유명한 영어 너서리 라임 중 하나다.

Twinkle, twinkle, little star	반짝 반짝 작은 별아
How I wonder what you are	네가 무얼까 난 너무 궁금해.
Up above the world so high	세상 저 높은 곳에 있는
Like a diamond in the sky	하늘의 다이아몬드 같아
Twinkle, twinkle, little star	반짝반짝 작은 별아
How I wonder what you are	네가 무얼까 난 너무 궁금해

[유튜브 추천 영상] 구독자 265만의 판타스틱 TV(Funtastic TV)의 영상을 추천한다. 아이가 출연해 불러서 아이들에게 가장 와닿을 것 같다. 2~6절까지 죽 이어진다. 영어 능력이 좀 되는 아이들은 끝까지 들으면서 빈칸 받아쓰기를 해도 좋을 것 같다.

Humpty Dumpty Sat on a Wall(험프티 덤프티가 벽 위에 앉았네)

수수께끼에서 유래된 오래된 너서리 라임이다. 험프티 덤 프티를 의인화된 계란으로 그리기 시작한 것은 루이스 캐 럴이 쓴『거울 나라의 앨리스』(1871)에서부터다. 19세기 말 미국에서 뮤지컬로 만들어지면서 널리 사랑을 받았다.

After the Fall, Dan Santat, Andersen Press, 2018

　근래에는 칼데콧상을 받은 작가 댄 샌탯(Dan Santat)이 이 너서리 라임을 모티브로 *After the Fall*(떨어진 후)이라는 그림책을 썼다. 우리나라에서 번역된 책 제목은 '떨어질

까봐 무서워'이다. 영화 '슈렉'에도 험프티 덤프티가 주요 등장인물 중 하나 로 나온다.

Humpty Dumpty sat on a wall	험프티 덤프티가 벽 위에 앉았네
Humpty Dumpty had a great fall	험프티 덤프티가 와장창 떨어졌네
All the king's horses and all the king's men	왕의 모든 말과 모든 신하 들이
Couldn't put Humpty together again	험프티를 다시 붙여줄 수 없었네

[유튜브 추천 영상]　구독자 123만의 '기탄잘리 키즈-라임 앤드 스토리즈(Geethanjali Kids-Rhymes and Stories)'의 영상을 추천한다. 조심하지 않다가 떨어지는 험프티 덤프티의 모습에 아이들이 쉽게 감정을 이 입할 수 있다.

If You're Happy and You Know It(행복하고 그걸 안다면)

인기 있는 노래로 1960년대부터 유행했다. 가사에서 '손뼉을 쳐' 부분을 "Hooray라고 외쳐!", "다리를 찰싹 때려!", "빙글 돌아!" 등으로 바꾸어 부르 기도 한다.

If you're happy and you know it, clap your hands.

행복하고 그걸 안다면, 손뼉을 쳐.

If you're happy and you know it, clap your hands.

행복하고 그걸 안다면, 손뼉을 쳐.

If you're happy and you know it, then your face will surely show it.

행복하고 그걸 안다면, 네 얼굴에 분명 나타날 거야.

If you're happy and you know it, clap your hands.

행복하고 그걸 안다면, 손뼉을 쳐.

[유튜브 추천 영상] 구독자 51만의 키즈뮤직숍1(kidsmusicshop1)의 영상을 추천한다. 아이들이 실제로 노래를 부르며 율동을 하는 영상이다. 'Clap your hands'(손뼉을 쳐) 이외에 'Stamp your feet'(발을 굴러), 'Nod your head'(고개를 끄덕여), 'Say ho-ho'(호호 웃어) 등 응용하는 동작도 같이 볼 수 있다.

너서리 라임은 아이들이 읽는 그림책이나 동화책에 배경으로 깔리는 지식이기도 하다. 너서리 라임을 하는 목적은 영어 음가를 즐기기 위해서이기도 하지만, 영미권 그림책과 동화책의 문화적 맥락을 이해하는 데도 도움이 된다.

한눈에 보는
영어 콘셉트 북(Concept Books)

—

콘셉트 북은 아이들에게 단어 지식을 키워주는 책이다. 파닉스 리더스를 읽는 연령에 읽히면 좋다. 아이들에게 새로운 지식을 알려줄 때에는 기존에 알고 있는 것을 디딤돌로 삼아서 새로운 것을 주는 것이 매우 중요하다.

우리 아이들은 영어를 배울 때 영어 소릿값을 거의 모른다. 그래서 한국어로 알고 있는 단어 지식을 가지고 영어의 세계로 데려오는 것이 매우 중요하다. 이미 알고 있는 것을 디딤돌로 삼을 수 있는 것이 바로 콘셉트 북이다.

콘셉트 북의 종류는 ABC 북, 컬러 북, 숫자 책, 기본적인 감정 책, 반대말 책, 모양 책, 크기 책, 시간 책 등이 있다. 가족 책도 많이 나온다. 보드북(board book) 형태인 것도 많다.

콘셉트 북(Concept Books)
ABCs (ABC)
Colors (컬러)
Counting Numbers (숫자)
Emotions (감정)
Opposites (반대말)
Shapes (모양)
Size (크기)
Time (시간)
Family (가족)

영어책 고를 때, 총 단어 수와 헤드워드(Headwords) 수 체크

'Are you my mother?'(당신이 우리 엄마예요?) 류의 책들도 콘셉트 북에 속하고 굉장히 많다. 예를 들면 이런 책에서는 아기 동물이 다른 동물들에게 "Are you my mother?"라고 물어보는 장면이 반복된다.

이런 책의 흥미로운 점은 반복되는 단어 때문에, 외국어여서 단어를 모르고 읽어도 그 뜻을 짐작할 수 있다는 점이다. 유학 중 테솔 수업에서 교수님이 필리핀 타갈로그어로 된 그림책을 나누어주고 단어들을 맞추어보라고 한 적이 있다. 타갈로그어를 몰라도 "당신이 우리 엄마예요?"라는 문장이 계속 반복되니, 어떤 단어가 타갈로그어로 '엄마', '너', '오리'인지 알 수 있었다. 아이들도 같은 방식으로 영어 단어를 익힌다고 생각하면 된다.

요즘 아이 영어 읽기책에는 총 단어 수뿐만 아니라 헤드워드의 수를 적어놓는다. 아이 영어책에서 헤드워드를 셀 때에는 같은 단어를 한 개로 센다. 즉, mother가 여러 번 나와도 한 개로 본다. 총 단어 수 대비 헤드워드 수가 적은 것이 쉬운 책이다. 같은 단어가 굉장히 많이 반복된다는 뜻이기 때문이다. 어린이 영어 읽기책을 선택할 때는 총 단어 수와 헤드워드 수를 체크하는 것이 좋다.

ABC(ABCs)

ABC 책은 매우 많은데, 가장 유명한 것은 *Chicka Chicka Boom Boom*(치카치카 붐붐, 글 Bill Martin Jr., John Archambault, 그림 Lois Ehlert)이다. 이 책은 대문자와 소문자도 가르쳐준다. 소문자 아기들이 나무 위에 올라가고 사고가 나니, 어른인 대문자들이 구하러 오는 내용으로 무척 재미있다. 재미있는 ABC 책으로 *Animalphabet*(동물 알파벳, 글그림 Julia Donaldson)은 동물 이름을 귀로 들으면서 알파벳을 익히는 책이다. *LMNO peas*(LMNO 완두콩들, 글그림

Keith Baker)도 재미있다. 아이들이 알파벳을 순서대로 읽을 때에 LMNOP를 연달아 읽는 것을 아주 힘들어해서 이를 'LMNOP 문제'라고까지 한다. 이 표현에서 P를 소리가 같은 pea(완두콩)로 재치 있게 바꾸어 스토리를 만들었다. 같은 저자의 숫자 책도 있다. *Alpha Oops!*(알파 웁스!, 글 Alethea Kontis, 그림 Bob Kolar)도 우리나라에 원서로 꽤 많이 들어오고 있다. *Alphabet City*(알파벳 도시, 글그림 Stephen T. Johnson)라는 책도 도시에 사는 아이들이 주변에서 알파벳 문자를 찾아보는 시선을 선사한다는 점에서 아주 좋다. 칼데콧상 수상작이기도 하다.

Chicka Chicka Boom Boom, Bill Martin Jr., John Archambault, Lois Ehlert(ILT), Libros Para Ninos, 2018

Animalphabet, Julia Donaldson, Macmillan Children's Books, 2020

LMNO Peas, Keith Baker, Little Simon, 2014

Alphabet City, Stephen T. Johnson, Puffin Books, 1999

ABC 책은 시대마다 경향이 있는데, 2000년대 초반에는 각 나라의 문화권에 맞게 인도라면 인도 옷을 입고 카레(curry)가 등장하는 이른바 (민족집단을 알리는) Ethnic ABC 책이 유행했는데, 요즘은 다양성(diversity)과 포용(inclusiveness)을 강조하는 ABC 책이 세계적인 경향이다.

컬러(Colors)

데이비드 맥키(David Mckee)의 *Elmer's Colors*(한국 번역책 제목: 알록달록 코끼리 엘머)가 매우 좋다. 알록달록 코끼리 엘머가 "흰색은 눈사람", "눈사람은 몸을 따뜻하게 하려고

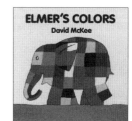

Elmer's Colors, David McKee, Harperfestival, 1994

보라색 스카프를 했어"와 같은 식으로 색깔을 가르쳐준다.

숫자(Counting Numbers)

1-2-3 Peas(123 완두콩들, 글그림 Keith Baker) 책은 그림이 아기자기하고 다음과 같은 구절에서 보듯 마치 노래처럼 읽으며 즐길 수 있다.

One pea searching-look, look, look, (한 완두콩이 찾고 있다. 봐, 봐, 봐,)

Two peas fishing-hook, hook, hook. (두 완두콩이 낚시 중, 걸려, 걸려, 걸려.)

  또 Counting Kisses(뽀뽀 세기, 글그림 Karen Katz)라는 책이 정말 좋다. 아기가 숫자를 세는 책인데, 아기한테 온 가족들이 돌아가며 뽀뽀를 하는 횟수가 나오며 수 개념을 가르쳐준다. 다정하고 따뜻하고 귀여운 책이다.

1-2-3 Peas, Keith Baker, Little Simon, 2014

Counting Kisses, Karen Katz, Little Simon, 2003

Two gentle kisses on tired closing eyes ♥♥.

(엄마 아빠가 아기의) 피곤한 감은 눈에 부드러운 뽀뽀 2번, 쪽쪽.

Seven loud kisses on a pretty belly button ♥♥♥♥♥♥♥.

(할머니가) 예쁜 배꼽에 큰소리로 뽀뽀 7번, 쪽쪽쪽쪽쪽쪽쪽.

감정(Emotions)

어린이를 위한 감정책은 복잡한 책도 있지만, 문자습득 단계의 어린아이들에게는 Tiger Days: A book of feelings(호랑이의 날: 감정책, 글 M.H. Clark, 그림 Anna Hurley) 같은 책이 적절하다. 동물의 특성과 감정을 연결지은 책이다. 아직 어려서 감정의 이름을 막 알기 시작한 아이들에게 좋다. 황소의 날(bull days)에는 황소가 화가 나 있다. 페이지가 거의 붉은 색이다. 토끼의 날에 토끼는

깡충깡충 뛰는데, "It feels like I might never stop"(절대 멈출 수 없을 것 같은 느낌이야), 굉장히 즐거운 기분을 나타낸다. 이렇게 동물과 감정을 결부시켜서 아이한테 감정을 알려준다.

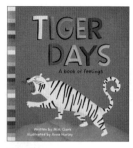

Tiger Days: A book of feelings, M.H. Clark, Anna Hurley(ILT), Compendium Inc, 2019

아이에게 감정과 관련된 그림책들을 많이 읽어주는 것이 좋다. 아기들은 배가 아픈 것과 배가 고픈 것을 구별하지 못하고, 자기의 감정도 화가 난 것인지, 좌절감을 느끼는 것인지 잘 구별하지 못한다. 슬픔이 무엇인지도 잘 모르는 상태이다. 감정의 이름들을 알려주어 감정이 잘 분화되어 발달하도록 키워야 성숙한 성인으로 자라게 된다. 어떤 감정이 생겨났을 때, 부모가 그것에 어떻게 대처하는지를 보여주는 것이 매우 중요하다. 감정은 인간으로 살아가는 데에 가장 기본적인 행복감과 큰 관련이 있으므로, 어쩌면 가장 중요하지 않을까 싶다. *When Sophie Gets Angry-Really, Really Angry*…(소피가 화났을 때-정말, 정말 화났어요, 글그림 Molly Bang)는 위 책보다 단계가 높은 대표적인 감정 그림책이다.

반대말(Opposites)

크다/작다 같은 반대말도 중요한 개념이다. 무겁다/가볍다, 밤/낮, 높다/낮다, 빠르다/느리다 등. *Opposites*(반대말, 글그림 Sandra Boynton)라는 책을 추천한다. 즐거운 운율과 발랄한 그림과 함께 반대 개념을 즐겁게 익힐 수 있는 책이다.

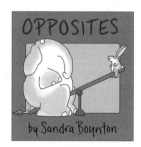

Opposites, Sandra Boynton, Boynton Bookworks, 1982

모양(Shapes)

맥 바넷(Mac Barnett)이 글을 쓰고 존 클라센(Jon Klassen)이 그림을 그린 도형 3부작이 가장 유명하다. 삼각형, 사각형, 원 등의 책이 있다.

Triangle / Square / Circle(The Shapes Trilogy), Mac Barnett, Jon Klassen(ILT), Candlewick, 2017, 2018, 2019

크기(Size)

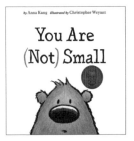

You Are (Not) Small, Anna Kang, Christopher Weyant(ILT), Two Lions, 2014

You Are (Not) Small(너는 작지 않아!, 글 Anna Kang, 그림 Christopher Weyant)이라는 책을 추천한다. 2015년 가이젤상 수상작이다. 작은 동물들이 곰한테 와서 "나는 너무 작아서 고민이야"라고 하니, 곰이 자기도 더 큰 동물 앞에 가면 크지 않다면서 너는 작은 것이 아니고 "지금 완벽해"라고 한다. 크다/작다의 개념을 알려주되, 크고 작은 몸의 크기가 중요한 것이 아니라는 메시지까지 준다.

In the Half Room(하프룸에서, 글그림 Carson Ellis) 같은 그림책도 절반의 개념으로 크기를 익히는 데에 도움이 되고, 아이와 활동을 하면서 읽기와 연결시키기도 좋다.

시간(Time)

시간의 개념을 알려주는 책으로는 *Bats Around the Clock*(시
계를 도는 박쥐들, 글 Kathi Appelt, 그림 Melissa Sweet)을 추천한다.
아이들은 시간 개념이 없어서 어릴 때에는 모든 과거를 통
쳐 '어제' 혹은 '아까'와 같이 일컫는다. 이렇게 시간 개념이
다 발달하지 않은 아이들한테 시계를 읽는 법을 가르치는
것은 무리다. 시간이 흐르고 변한다는 큰 개념부터 가르쳐
주는 것이 좋다. 이 책은 시계가 돌고 시간이 흐른다는 개념
을 박쥐들이 시계를 빙빙 도는 모습으로 잘 표현했다.

Bats Around the Clock,
Kathi Appelt, Melissa
Sweet(ILT), HarperCollins,
2000

    Telling Time with Big Mama Cat(빅마마 고양이와 함께 시간 말하기, 글 Dan
Happer, 그림 Barry & Cara Moser) 책도 추천한다. 그림에 시계가 나오지만 시계
읽는 법을 가르쳐주는 책은 아니다. 고양이 입장에서 주인공 이사벨이 학교
를 가는 시간은 언제쯤이고, 집에 돌아오는 시간은 언제쯤이라는 식으로 아
이들에게 대충 시간의 개념을 알려주는 책이다.

가족(Family)

The Family Book(가족 책, 글그림 Todd Parr)이라는 보드북이 문
자습득 단계의 아이들에게 가족의 개념을 심어주고 강화하
기에 좋다. 같은 출판사에서 시리즈로 *The Mommy Book*(엄
마 책), *The Daddy Book*(아빠 책), *The Grandma Book*(할머니 책),
The Grandpa Book(할아버지 책) 등 가족 성원별로 보드북이
있으니 가족 상황에 따라 책을 골라 보아도 좋다.

The Family Book, Todd
Parr, Little, Brown Books
for Young Readers, 2010

가이디드
리딩 1
★
★ ★
★

04
Part

가이디드 리딩(Guided Reading)과 부모의 코칭

―

앞에서 소개한 읽기 발달 3단계에서 처음은 문자습득 단계이고, 궁극적 목표는 혼자 소리내지 않고 읽는 묵독 단계이다. 그런데 아이가 문자를 습득하고 바로 묵독 단계로 가는 것이 아니다. 이 둘 사이에 중간 단계와 교수법이 있는데, 우리나라에서는 이 단계가 많이 빠져 있다. 그 중간 단계가 바로 소리내어 읽기(read aloud)이고, 교수법은 가이디드 리딩(guided reading 도움 읽기)이다.

읽기 발달 3단계

영어 읽는 뇌, 스페인어 읽는 뇌

사람들이 책을 읽을 때 뇌를 MRI(핵자기공명장치)로 촬영해보면, 중국어를 하는 사람과 영어를 하는 사람, 한국어를 하는 사람의 뇌가 활성화되는 부분이 다르다.

다음은 영어와 스페인어 2개 언어를 하는 사람이 영어를 읽을 때와 스페인어를 읽을 때의 뇌를 MRI로 찍은 사진이다. 스페인어는 로망스어 계열에 속해서 영어와 차이가 있는데, 겹치는 부분도 크지만 기능적 연결성에서 차이를 보인다.

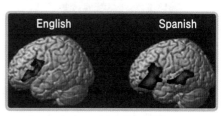

이중언어 성인의 영어 및 스페인어 읽을 때 뇌의 활성화 부분
(출처: "An fMRI study of English and Spanish word reading in bilingual adults, Edith Brignoni-Perez", Nasheed I. Jamal, Guinevere F. Eden, 2019)

특히 영어는 표음문자이기에 소리내어 읽기가 더욱 중요하다. 왜냐하면 앞에서도 이야기했듯이 우리 뇌 속에서 소리, 문자, 의미는 서로 다른 구역에 따로 저장되는데, 표음문자가 모국어인 사람들은 뇌에서 소리가 저장된 구역에 접속해야만 의미가 딸려 나오기 때문이다.

아이들이 책을 읽는 것을 보면, 소리내어 읽다가 어느 순간이 되면 소리는 안 내고 입을 달싹거리며 움직이는 단계가 나온다. 이것이 '내적 발성 혹은 내적 대화(sub-vocalization)'라는 중간 단계이다. 아직도 머릿속에 소릿값이 살아 있는 것이다. 이 내적 발성 단계는 그러다가 사라진다. 그런데 묵독 단계라고 해서 내적 발성을 전혀 안하는 것은 아니다. 헷갈리는 단어를 보면 입으로 소리를 내어본다(이것을 'sound out 한다'고 한다). 그래야 의미가 따라오기 때문이다.

소리내어 읽으면 눈으로는 디코딩(기호해독), 인코딩(기호화)을 하면서 입으로 소리를 내는 동작 명령을 계속 내리게 된다. 우리 뇌가 두 개의 작업을

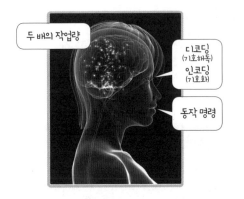

두 배의 작업량

디코딩
(기호해독)
인코딩
(기호화)

동작 명령

동시에 처리하느라 하중이 걸린다. 따라서 아무리 잘 읽는 대졸 이상의 사람들도 지문을 주고 소리내어 읽으라고 하면 1분에 152~153단어 이상을 넘어가지 못한다. 왜냐하면 음성이 차지하는 물리적 시간이 있기 때문이다.

유창한 영어 읽기를 위하여

그런데 소리를 버리고 묵독을 하면, 미국의 대학 입학생들은 1분당 500~600단어를 읽고, 대졸자들은 1분에 900단어 정도를 읽는다. 정말 빨리 읽는 사람들은 1분에 2,000~3,000단어도 읽을 수 있다. 1분에 어마무시한 정보를 읽어내는 것이다. 그래서 궁극적으로는 소리내어 읽기를 버리고 묵독으로 가야 한다. 소리내어 읽기 단계를 충분히 거친 다음에야 묵독으로 가서 영어를 줄줄 읽는 유창성에 도달할 수 있다.

또 하나, 누차 강조했듯이 빨리 읽는 사람들이 잘 읽는 사람들이다. 모국어 읽기에서 읽기 속도(reading speed)와 독해력(comprehension)은 정비례한다. 하지만 한국 사람들은 영어 읽기를 할 때 대체로 읽기 속도와 독해력이 비례하지 못하는 문제점을 보인다. 이는 **영어 어휘 학습부터 단추를 잘못 끼워서 그렇다.** 우리나라 사람들은 영어 어휘지식이 아주 얕은 상태에서 단어 숫자만 많이 알게 늘려 어휘의 크기만 키우는 방식으로 공부한다. 이렇게 어휘를 공부하기에 지문 이해도가 따라가지 못하는 현상이 발생하는 것이다.

그레이디드 리더스(Graded Readers) 잘 고르는 법:
헤드워드(Headwords)와 지문의 난이도

앞에서 살펴봤듯이, 소리내어 읽기의 교수법은 가이디드 리딩(guided reading 도움 읽기)이고 이 단계에서는 그레이디드 리더스와 챕터북을 사용한다.

그레이디드 리더스(Graded Readers)의 특징

그레이디드 리더스는 다양한 수준의 난이도로 구성되어 있으며, 읽기를 배우는 학습자들이 다독으로 갈 수 있도록 도와준다. 즉, 혼자 읽기가 아직 잘 안 되는 단계에서 사용한다. 특징은 어휘와 지문 난이도가 통제된다는 점이다. 코퍼스 소프트웨어를 돌려서 미국에서 자주 쓰는 어휘, 초등 1~2학년 어휘 등에서 뽑아서 문장과 책을 만든다.

사실 우리가 알고 있는 대부분의 그레이디드 리더스, 이를테면 아이캔 리더(I Can Read), ORT, 런투리드(Learn to Read) 같은 시리즈 등은 모두 모국어 어린이 학습자용이다. 외국어 학습자용으로는 가장 유명한 옥스포드 북웜 (Oxford Bookworms) 시리즈가 있는데, 이것은 최소 중학생 이상 성인용이다.

예를 들어 우리나라 수도권 4년제 대학 신입생의 영어 읽기 수준은 미국 초등 2~3학년 수준이라고 할 수 있다. 그러나 이미 인지발달은 완성된 성인이다. 이런 대학생들이 영어 원서를 읽으려고 할 때, 미국 초등 2~3학년들이 읽는 책은 영어 수준은 맞지만 인지발달 수준이 맞지 않는 문제점이 발생한다. 어린이책도 재미있을 수 있지만, 어린이책만 읽을 수는 없는 노릇 아닌가. 이러한 갭을 해결해주는 것이 바로 외국인 성인을 위한 그레이디드 리더스이다. 옥스포드 북웜 시리즈의 경우, 영어는 쉬우나 내용은 성인의 인지수준에 맞추어놓아서 성인도 재미있게 읽을 만하다. 그레이디드 리더스의 효용은 바로 이런 데에 있다.

헤드워드 수와 난이도 체크하기

'옥스포드 그레이디드 리더스' 시리즈에서 *The Boy in the Moon*(달의 소년, 글 L. A. Hill, 그림 B. S. Biro)이라는 책을 아마존에서 검색해보면 다음과 같은 화면이 나온다. 이 책에는 500개의 헤드워드(headwords), 즉 표제어가 사용되었다고 표시되어 있다.

물론 그레이디드 리더스 책의 등급을 나눌 때 지문의 난이도를 따지지만, 가장 중요한 것은 표제어 수이다. 시리즈 전체에 대한 설명을 보면, 500단어, 700단어, 1,000단어, 1,500단어 등 표제어의 수로 등급을 나누고 있다.

아마존 화면

그레이디드 리더스는 등급
별로 자주 쓰는 어휘가 다르
다. 예를 들어 옥스포드 시리
즈는 1~6단계로 되어 있는데,
1단계는 초등 1학년이 가장 자

1단계 200 Headwords

6단계 1,200 Headwords

주 쓰는 어휘(헤드워드) 200단어, 6단계는 1,200단어가 나온다.

어떤 책의 총 단어 수와 헤드워드 수는 다르다. 헤드워드는 같은 워드 패밀리에 속하는 단어들 중에서 기본형을 말한다. run, runs, ran, running 에서 기본형 run이 헤드워드가 된다. 그런데 아이용 책에서는 동사의 변화형, 특히 불규칙 변화 같은 경우는 다른 헤드워드로 취급한다. 헤드워드가 적으면 쉬운 지문, 헤드워드가 많으면 어려운 지문이다. 총 단어 수 대비 헤드워드 수가 적다는 것은 같은 단어가 여러 번 반복된다는 뜻이기 때문이다.

우리 초등 영어 교과서는 교육부가 750단어 정도의 필수어휘에 외래어 등을 더하여 800단어를 필수어휘로 지정한다. 집필 시 이 800단어 정도로 교과서 지문의 약 75%를 구성해야 하고 25% 정도는 재량권을 준다. 실제로 초등학생용 교재의 영어 지문을 써봤는데, 정해진 어휘 안에서만 스토리를 쓰는 일은 정말로 어렵다. 그래서 25% 정도 재량을 허용하는 것이다.

영어 지문의 난이도를 산출하는 공식이 여러 가지 있다. 음절 수와 단어 수를 곱하고 나누는 복잡한 공식들이 있는데, 요즘은 영어 지문을 복사해 넣으면 '이 지문은 미국 초등학교 3학년 수준이야' 식으로 난이도를 알려주는 사이트들이 있으니 그것을 사용하면 된다. 그런데 사실 유아용 영어책은 워낙 처음부터 쉽게 쓰기 때문에 지문 난이도 공식이 의미가 없다. 그냥 아이용 영어책의 난이도는 헤드워드 수가 적으면 지문의 난이도가 낮고, 헤드워드 수가 많으면 난이도가 높다는 정도만 기억해도 된다.

추천 그레이디드 리더스
(Graded Readers)

—

그레이디드 리더스는 원어민 아이들을 위한 시리즈가 많으므로, 우리나라 아이들이 사용할 경우 갭이 있음을 알고 써야 한다. 우리 아이들은 머릿속에 영어 음성언어가 별로 없기에, 그레이디드 리더스에 등장하는 어휘들을 미리 들려주어 친숙하게 알게 된 다음에 읽어주기 시작하는 것이 좋다. 이때 어휘들은 문자가 아니라 소리로 제시해야 한다.

옥스포드 리딩 트리(Oxford Reading Tree)

일명 ORT라고 한다. 꽤 유명한 시리즈로서 엄마들이 한번쯤 들어본 시리즈일 것이다. 허나, 영어가 모국어인 아이들용으로 쓴 책이다.

이 시리즈의 1단계 첫 권인 *The Haircut*(머리 자르기, 글 Roderick Hunt, 그림 Alex Brychta)을 보면, 글자는 전혀 없이 그림만 나온다. 이른바 '말 없는 이야기(wordless story)' 그림책이다.

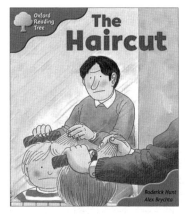

Before Reading Talk Together	During Reading
About the Words in This Book Cover: Page 2-3:	

The Haircut(Oxford Reading Tree: Stage 1: Kipper Storybooks), Roderick Hunt, Alex Brychta(ILT), Oxford University Press, 2003

독자에게 책의 구성을 보여주기 위해, *The Haircut* 의 페이지를 참고하여 만든 것이다.

본문 시작 전 왼쪽 페이지에 부모를 위한 3가지 가이드 코너가 나온다.

'읽기 전에 함께 이야기하기(Before Reading Talk Together)' 코너에서는 책 제목을 읽은 후 아이와 머리 자르기에 대해 이야기하라고 한다. 또 머리 감기, 빗기, 자르기를 좋아하는지 물어보라고 한다. 질문의 예시도 나온다. "이 이야기는 어디서 벌어지는 것 같니?"

'이 책의 단어들(About the Words in This Book)' 코너에는 책을 읽기 전에 부모가 미리 들려줄 주요 단어가 제시되어 있다. 여기서는 haircut, open, snips, hair salon 등이다.

'읽는 중에(During Reading)' 코너에서는 아이와 책을 같이 보는 도중에 할 활동들을 알려준다. 이 페이지의 그림에서 무슨 일이 일어나는지 물어보고, 다음에는 어떤 일이 일어날지 이야기해 보라고 한다. 반드시 예측(prediction)하는 작업을 꼭 하게 한다. 그리고 아이가 생각나는 것은 무엇이든 이야기를 해보라고 한다.

아빠와 같이 미용실에 가는 페이지에서는 그림 안에 문자가 들어 있다.

하지만 아이가 읽으라는 것은 아니다. 아이가 이곳이 어디인지, 아빠와 같이 머리를 자르고 오는 내용이란 것을 알면 된다.

책의 뒤에는 '독후활동(After Reading)' 코너가 있는데, 아이에게 무슨 일이 일어났는지, 해당 페이지에서 주인공 키퍼가 행복해 보이는지, 삐친 것처럼 보이는지, 좋아하는지, 자랑스러워 하는지를 이야기하라고 한다. 아이들이 글에 대해 보이는 첫 번째 반응은 감정 반응이다. 그래서 가장 먼저 아이들에게 감정 반응을 이야기하라는 것이나. 이어서 엄마가 머리를 자르고 온 아빠와 키퍼를 봤을 때 "무슨 말을 했을까?" 유추하는 내용이 나오고, "머리를 자를 때 어떤 소리가 들릴까?"라는 의성어와 관련된 질문도 주어진다.

Big Feet(Oxford Reading Tree: Stage 1+: First Sentences), Roderick Hunt, Alex Brychta(ILT), Oxford University Press, 2008

이 시리즈에서 등급이 더 높은(1+) *Big Feet*(큰 발, 글 Roderick Hunt, 그림 Alex Brychta)이라는 책을 보면, 이제 지문이 등장한다. 역시 본문에 들어가기 전에 '읽는 전에 아이와 함께 이야기하기', '이 책의 주요 단어들', '읽기 중에' 코너가 나온다. 이때 주요 단어들을 소리내어 읽을 수 있는지, 음소를 혼합할 수 있는지 확인하고, 조금 어려운 어휘들은 미리 엄마들이 알려주어야 한다.

책장을 열면, 겨울날 아이가 눈 위의 발자국을 보고 말한다.

Come and look at this. / Is it a big monster?

(이리 와서 이것 좀 봐. / 큰 괴물일까?)

나중에 알고보니 눈신발을 신은 아빠라는 내용인데, 단어도 쉽고 문장과 단어가 반복되어 읽기 초보자에게 맞는 등급 책이다.

옥스포드 북웜 라이브러리(Oxford Bookworms Library)

'옥스포드 북웜 라이브러리' 시리즈는 '옥스포드 리딩 트리' 시리즈보다 수준
이 조금 더 높다. 초급, 1~6단계, 고급까지 모두 8단계로 이루어져 있으며
187권까지 나와 있다. 헤드워드 수가 250단어부터 시작해서 고급 단계는
2,500단어가 넘는다.

옥스포드리딩북클럽 홈페이지(www.oxfordreadingclub.
com)

레벨	헤드워드 수	CEFR 레벨 (유럽 공통 기준)
초급	250	A1
1단계	400	A1/A2
2단계	700	A2/B1
3단계	1,000	B1
4단계	1,400	B1/B2
5단계	1,800	B2
6단계	2,500	B2/C1
고급	미적용	C2

2000년대 후반 우리나라에 다독 열풍이 불었던 적이 있다. 이때 몇몇 대학
의 교양영어 수업에서 이 시리즈로 다독을 시켰고, 스콜라스틱 지수를 가지
고 다독을 했던 곳도 있다.

　이 시리즈는 매우 다양한 주제를 다루고 있으며 내용이 충실하다. 특히
초급자용 세트는 문장이 매우 간단한 편이라 초등학생도 소리내어 읽기에
좋다. 초급자용에는 만화 구성에 말풍선에 대화가 들어간 책이 주를 이루
며, *Robin Hood*(로빈후드, 글그림 John Escott) 같은 만화로 된 책도 있다. 그림도
세세하고 극적으로 만들어졌다. "Find him and bring him to me. He must
die." 이처럼 문장도 쉽다. 이런 책은 아이와 역할을 바꾸어가며 소리내어
읽어보면 좋을 것 같다.

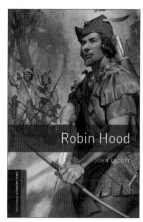

이 시리즈는 등급이 올라가면 유명한 명작의 요약 작품이 나오는데, 저자들이 전문작가들이라 요약본이지만 무척 잘 써서 원작의 감동이 많이 살아 있다. 영어를 매우 잘하는 초등 고학년, 또는 중학생 이상이 볼 만하다. 내용 자체가 수준이 좀 높고 감옥에서 죄수가 탈옥하는 만화, 은행강도도 나오는 등 어른들도 재미있게 읽을 수 있다. 고급 등급의 경우 텍스트 분량이 만만치 않다.

Robin Hood(Oxford Bookworms Library: Starter), John Escott, Oxford University Press, 2008

세계적인 언어 능력 평가 기준: CEF(R)

CEF(Common European Framework)는 보통 '유럽 공통 기준'이라고 번역하는데, 정식 명칭은 CEFR(The Common European Framework of Reference for Languages), 즉 유럽 언어 공통 기준으로 유럽연합(EU)에서 정한 언어 수준 기준이다.

EU 회원국 시민들은 볼로냐 의정서에 의거해서 m+1, 즉 모국어(mother tongue)에 더해 다른 회원국의 언어 하나를 구사하게 되어 있다. 대부분의 EU 회원국들이 영어를 '플러스 1'로 정해서 많이 가르치고 있다(영국이 EU에서 탈퇴해서 달라질 수도 있다).

CEF를 만든 이유는 EU 회원국 사이의 공정한 지위를 위해서이다. 예를 들어 독일인이 영국에서 일하고 싶으면 "내가 영어를 얼마만큼 하면 받아줄래?" 하는 기준이 있어야 하고, 또는 영국인이 독일에서 일하고 싶으면 "내가 독일어를 얼마만큼 하면 일자리를 줄래?"라는 기준이 있어야 하는데, 이 기준들이 언어를 가로질러 평등해야 하므로 공통 기준을 정한 것이다.

아이의 영어교재를 사면 뒤표지에 CEF A1, CEF B1 등이 표기되어 있는 것을 볼 수 있다. CEF는 세계에서 가장 널리 사용되는 공통 기준이다. EU 회원국 27개, 영국 및 영연방 국가 등 80여 개 나라에서 사용한다. 물론 미국 교재에서도 쓴다. 이것만큼 많이 쓰이는 기준이 없기 때문이다.

CEF A1, A2는 기본 사용자(basic users) 등급으로 아직 영어로 혼자 돌아다닐 만한 수준은 안 된다는 의미다. B1이 가장 중요한 등급이다. 영어를 B1 등급만큼은 해야 영국에서 일자리를 얻을 수 있다. 영국에서 육체노동을 할 수 있는 정도라는 의미다. 그래서 '문지방(threshold) 등급'이라고 한다. C1 등급이 되어야 그 나라 대학에 입학할 수 있다.

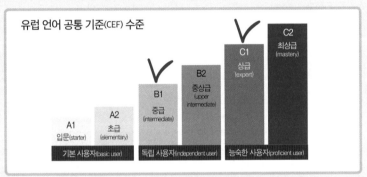

출처: www.nathalielanguages.com/what-english-levels-exist/

한편 캠브리지대학에서 만든 YLE(Young Learners Exam)는 가장 공신력 있는 어린이 영어시험으로 우리나라에서도 계성초등학교 등 몇몇 초등학교에서 쓰고 있다. 초급(starters), 중급(movers), 고급(flyers)의 3등급이 있는데, YLE에서 중급 등급이 되어야 CEF의 A1 등급이고, 고급 등급이 CEF의 A2 등급에 해당한다.

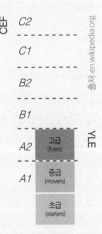

출처: en.wikipedia.org

영국의 GSE 점수

GSE(Global Scale of English) 점수는 사전으로 유명한 영국의 콜린스출판사에서 만든 영어 지수다. 유럽 언어 공통 기준인 CEF를 근거로 수치화해서 영어 등급을 좀더 세세히 나누고 있다. GSE 10점 식으로 표시하고, 그 밑에 IELT 점수가 나온다. IELT 점수를 보면, 왜 CEF의 C1 등급이 미국이나 영국의 대학 입학 점수라고 하는지 알 수 있을 것이다.

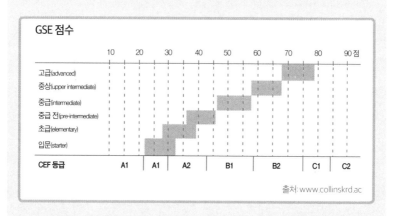

유럽 언어 공통 기준인 CEF 등급이나 GSE 점수는 영어교재뿐만 아니라 EU의 제대로 된 어학원들도 사용하고 있다. 예를 들어 EU의 인증을 받은 어학원들은 수십 년 이상 영어를 가르친 경험을 바탕으로 학원생의 외국어 수준을 통계치로 알려준다. 이를테면 외국인 학생들이 6개월 코스를 따라가면 80% 이상이 유럽 언어 공통 기준인 CEF에서 B1 등급이 된다는 식의 통계치를 제시한다. 얼마나 과학적이고 합리적인가. 반면 우리나라 어학원들은 미국이나 유럽의 어학원과 달리 이런 수치를 제공하는 것을 본 적이 없다. 이런 식으로 영어 프로그램을 개발하고 구성할 필요가 있다.

추천 챕터북(Chapter Books) 시리즈 8

―

챕터북은 보통 7~10세 정도의 아이들을 위해 만들어지며, 주의력이 짧은 아이들을 위해서 짧은 챕터(장)로 끊어지게 구성되어 있어 '챕터북'이라고 한다. 아이들은 배경지식이나 사전지식이 적기 때문에, 이로 인한 어려움을 겪지 않도록 같은 주인공이 일정한 패턴의 사건을 거치도록 구성되어 있다. 외국에서도 '챕터북'이라는 말을 헷갈려 하는 사람들이 있는데, 한 권짜리 책은 챕터북이 아니다. 챕터북의 원래 의미는 챕터처럼 짧은 글로 이루어진 '시리즈 책들'을 말한다. 미국에서 가장 큰 서점 체인인 반스&노블에서 선정한 '베스트 챕터북 8'을 살펴보자.

매직트리 하우스(Magic Tree House)
우리나라에서는 '마법의 시간여행'이라는 제목으로 번역 출간되고 있다. 1~28권의 첫 번째 세트는 아더왕 전설에 나오는 모건이라는 여자 마법사가 주인공 잭 스미스와 여동생 애니를 다른 시대로 보내는 이야기이고, 29

Magic Tree House, Mary Pope Osborne, Salvatore Murdocca(ILT), A.G. Ford(2017~, ILT), Random House, 2011~2023

권부터 이어지는 두 번째 세트는 멀린이라는 마법사가 등장한다. 잭 남매가 마법의 나무집(매직트리 하우스)에 들어가서 다른 시대로 이동하면서 여러 가지 모험을 하는 구성을 취하고 있다. 미국 아동문학 작가 메리 포프 오스본(Mary Pope Osborne)이 쓰고 살바토르 무르도카(Salvatore Murdocca)가 그림을 그렸으며, 2017년부터 A.G 포드(A.G. Ford)가 그림을 그리고 있다. 전 세계적으로 지금까지 약 1억 5천만 부가 판매된 빅히트작이다.

아이들은 1권을 읽고나면 등장인물인 잭과 애니의 이름도 얼굴도 성격도 알게 된다. 매직트리 하우스로 들어가면 다른 시대로 이동한다는 것도 알고, 결국 끝에는 현실로 돌아온다는 것도 알게 된다. 2권, 3권, 4권, 5권으로 가도 똑같은 구조가 계속 반복된다. 챕터북은 아이들이 배경지식을 엄청 많이 가지고 있지 않고도, 읽은 책의 권수를 계속 늘릴 수 있는 것이 장점이다. 한 권짜리 책은 챕터북이 아니라고 한 것이 바로 이런 이유 때문이다. 여러 권이 시리즈로 계속 나오는 책들을 챕터북이라고 하고, 이런 장점이 있기에 읽기 초보 아이들에게 좋다.

배드 가이즈(The Bad Guys)

호주 작가 애런 블레이비(Aaron Blabey)가 쓰고 그린 챕터북 시리즈로, 우리나라에서 '배드 가이즈'라는 제목으로 번역 출간되었다. 의인화된 동물로 구성된 갱단의 나쁜 녀석들이 이미지를 좋게 만들려고 뭔가 착한 일을 하려는데 번번이 실패하는 내용을 골자로 한다. 미스터 울프(늑대), 미스터 샤크(상어), 미스터 스네이크(뱀) 등이 주요 등장인물들로 갱단의 멤버들이다.

주니 B. 존스(Junie B. Jones)

챕터북을 처음 읽기 시작할 때 많이 읽는 책으로, 주인공 주니 B. 존스는 6세의 말썽쟁이지만 귀여운 여자아이다. 미국의 아동문학 작가 바바라 파크(Barbara Park)가 쓰고 데니스 브런커스(Denise Brunkus)가 그림을 그렸다. 한국어 번역판은 없다.

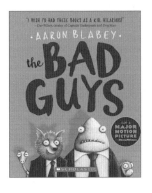

▶ *The Bad Guys*(The Bad Guys #1), Aaron Blabey, Scholastic Press, 2016

▶▶ *Junie B. Jones's First Boxed Set Ever!*(Books 1-4), Barbara Park, Denise Brunkus(ILT), Landom House Books for Young Readers, 2001

아울 다이어리즈(Owl Diaries)

영국의 레베카 엘리엇(Rebecca Elliott)이 글을 쓰고 그림을 그린 챕터북 시리즈로 원어민 유치원생부터 초등 2학년 정도가 주독자층이다. 현재 16권까지 나와 있다. 에바(Eva)라는 이름의 작은 올빼미가 쓴 일기체의 단순하고 솔직한 문장으로 되어 있고 그림이 너무 귀엽다. 이야기가 아이들의 일상과 맞닿아 있어 친근하다.

주디 무디(Judy Moody)

미국의 아동문학 작가 메건 맥도날드(Megan McDonald)가 쓰고, 피터 레이놀즈(Peter H. Reynolds)가 그림을 그린 챕터북 시리즈로 현재 15권까지 출간되었다. 한국에서는 '톡톡 개성파 주디 무디'라는 제목으로 5권까지 번역되어 있다.

▶ *Judy Moody was in a Mood* (BOOK #1), Megan McDonald, Peter H. Reynolds(ILT), Candlewick, 2010

▶▶ *Owl Diaries*(Books 1-5), Rebecca Elliott, Scholastic Inc., 2016

아멜리아 베델리아(Amelia Bedelia)

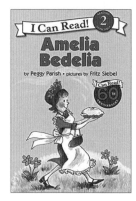

아멜리아 베델리아는 1963년부터 출간된 고전 챕터북 시리즈이다. 미국의 작가 페기 패리시(Peggy Parish)가 쓴 책으로 사후에 조카가 이어서 쓰고 있다. 주인공 아멜리아가 어린이인 버전도 있고 성인인 버전도 있다.

Amelia Bedelia(I Can Read Book), Peggy Parish, Fritz Siebel(ILT), HarperCollins, 2012

크리터 클럽(The Critter Club)

칼리 바클리(Callie Barkley)가 쓰고, 마샤 리티(Marsha Riti)가 그림을 그린 챕터북 시리즈로, 8세 여자아이 4명이 동물을 사랑하여 돕는 크리터(Critter 생물) 클럽을 만들어 어울리며 여러 가지 사건을 겪는 이야기가 매 권 펼쳐진다.

네버 걸스(The Never Girls)

뉴욕타임스 베스트셀러 작가인 키키 쓰로프(Kiki Thrope)가 글을 쓰고 자나 크리시(Jana Chrisy)가 그림을 그린 6~10세를 위한 챕터북 시리즈로, 4명의 친구들이 팅커벨과 그 친구들이 사는 네버랜드에 가서 벌이는 모험담을 담고 있다.

가이디드 리딩법 1:
짝 읽기(Paired Reading)

집에서 할 수 있는 가이디드 리딩 방법 중 하나가 '짝 읽기'다. 쉽게 말하면, 부모와 아이가 나란히 짝지어 앉아 소리내어 읽는 방법이다. 이 방법은 티모시 라진스키(Timothy Rasinski)의 *The Fluent Reader*(유창한 독서가)를 참조했다.

'짝 읽기' 순서

1. 일주일에 5회, 한번에 10~20분씩, 6주 연속으로 해야 효과가 있다.

   아이가 매일 1시간씩 일주일에 2회 하는 것보다, 매일 15분씩 일주일에 5회 하는 것이 훨씬 효과가 좋다.

2. 아이가 읽을거리를 직접 고르게 하는 것이 좋다. 그냥 즐겁게 읽을거리도 좋고, 학교에서 숙제로 내주어 읽어야 하는 것도 괜찮다.

3. 부모와 아이가 나란히 앉을 편안한 장소를 찾는다. 읽을거리를 둘이 같이 볼 수 있도록 놓는다.

4. 지문이 이전 시간에 읽는 것과 이어지는 내용이면, 읽기 시작하기 전에 이전에

읽은 내용을 간단히 리뷰를 한다.

5. **아이와 함께 읽기 시작한다.** 이때 읽는 속도를 아이 수준에 맞추어 조절해야 한다. 분명하고 감정이 실린 목소리로 아이가 평소에 읽는 속도보다 약간 빠르게 읽는 것이 좋다.

6. **둘이 함께 읽을 때, 아이가 손가락으로 읽는 지문을 짚으면서 따라오게 한다.** 이것을 '핑거링(fingering)'이라고 한다.

아이가 영어 그림책을 핑거링 하는 모습

핑거링은 아이의 문자학습에 매우 중요하다. 종이책이 중요한 이유 중 하나가 이것이다. 아이는 자기가 읽는 부분을 손가락으로 짚으면서 따라간다. 이는 눈으로 읽으면서 머릿속에 있는 소리와 책에 있는 시각상징인 문자를 계속해서 매칭하는 것을 배우는 과정이다.

옛날에 스토리 큐브(story cube)라는 장치가 나와서 천장에 글자를 쏴서 옛날이야기를 들려주기도 했는데, 이것은 문자학습 발달에 별로 도움이 안 된다. 아이들은 핑거링을 통해, 손가락으로 문자를 짚으며 머릿속의 의미와 소리를 매핑(mapping)하기 때문이다. 그래서 읽기를 익히는 단계에는 종이책이 매우 중요하다.

7. **아이가 읽다가 실수를 하거나, 어느 단어에서 멈칫할 때는 기다려주어야 한다.** 아이가 스스로 교정하는지를 본다. 아이가 스스로 교정을 못하면, 그때 엄마가 그 단어를 읽어주며 아이가 따라 읽게 한다. 그러고 나서 아이가

계속 읽는다. 다 읽고나서는 그날 읽을 때 실수했던 단어들만 다시 같이 읽어보며 이야기를 한다.

8. **아이가 혼자 읽고 싶을 때 신호를 하는 방법을 정한다.** 보통은 아이가 혼자 읽고 싶을 때는 톡톡 책을 두드리라고 한다. 아이가 신호를 보내면, 엄마가 읽기를 멈추거나, 아이가 읽는 부분을 속삭임으로 섀도잉(shadowing)만 해준다. 처음에 읽을 때는 엄마가 끌고 가지만, 여러 번 반복해서 읽어서 아이가 잘 읽게 되면 엄마가 밀면서 가는 것이다. 엄마가 끌고 밀고를 잘 해야 한다. 아이가 혼자 읽다가 어려워하면 도와주고 다시 소리내어 같이 읽으면 된다.

[특별부록: 핑거링 영상] 짝 읽기 시범 동영상은 출판사 유튜브에서 볼 수 있다.

짝 읽기 기록 시트

짝 읽기를 할 때는 기록을 하는 것이 좋다. 짝 읽기 기록 시트에서 먼저 이름을 쓰고, Date 항목에는 몇 주차인지를 기록하고, Time Taken에는 걸린 시간을 분/초 단위로 쓴다. 15분 30초 동안 읽었다면 '15/30'으로 기록하면 된다. Partner에는 짝 읽기를 같이 한 사람을 mom, dad 등으로 쓰고, 그다음 책 제목과 읽은 페이지를 기록한다. Comments

Paired Reading Record Sheet					
Name: _____			Date: _____ week		
Day	Time Taken	Partner	Book Title	Page	Comments
Monday	/				
Tuesday	/				
Wednesday	/				
Thursday	/				
Friday	/				
Saturday	/				
Sunday	/				

[특별부록: 워크시트 PDF 제공] *The Fluent Reader*(Timothy V. Rasinski, Scholastic, Inc., 2003, p.77)를 참고했다.

항목에는 아이가 어려워했던 단어를 적어두어도 되고, 특히 무엇을 잘했는지 칭찬에 포커스를 두어 써도 좋다.

기록 시트를 계속 모아 그래프까지 그리면, 아이의 읽기가 어떻게 향상되는지 성장곡선이 보인다. 아이들한테 네가 계속해서 매일 영어 읽기 능력이 늘고 있다는 것을 가시화해서 보여주는 것은 매우 중요하다. 어린이 영어학습에서 가장 중요한 부분은 '하면 할 수 있는 것'이라는 느낌을 어릴 때부터 주는 것이다. 어린이 영어교육의 90%는 '성공 체험(success experience)'이라고 감히 말하고 싶다. 영어를 통해서 작은 성공의 체험을 쌓아야지만 나중에 영포자가 되지 않는다. 사실 아이가 '나는 영어 잘하는 아이', '나는 영어를 좋아하는 아이'라는 느낌만 가져도 성공이다. 어릴 때일수록 영어를 좋아하는 아이로 만들어주는 것이 중요하다.

짝 읽기에 좋은 책 추천

A Greyhound, a Groundhog(그레이하운드, 그라운드호그)

미국 작가 에밀리 젠킨스(Emily Jenkins)가 글을 쓰고 크리스 아펠한스(Chris Appelhans)가 그린 책으로, 그레이하운드는 사냥개이고, 그라운드호그는 다람쥐와 비슷해 보이는 설치류 동물이다. 책장을 펼치면 강아지가 동그랗게 몸을 말고 누워 있다. 그러다가 번쩍 윗몸을 일으킨다.

A hound. A round hound.

A greyhound.

단순하면서 라임이 맞는 책이다. 같은 단어가 계속 반복되고 있고 greyhound와 round 등을 가지고 말장난이 계속된다. 일단 아이가 어릴 때는 한국어와 다른 영어의 음악성을 맛보여주는 책이 좋다. 아이들이 상상을 하면서 재미있게 볼 수 있는 책이다.

Oi Frog!(이봐, 개구리)

영국의 동화작가 케스 그레이(Kes Gray)가 쓰고 짐
필드(Jim Field)가 그린 책으로 2019년에 닐슨 북스
캔 어워드에서 은상을 받았다. 재치 있고 유쾌하면
서도 정서적 효과를 주는 책으로 인기 있다.

고양이가 개구리에게 말한다.

"Oi frog! Sit on a log!" (야, 개구리야! 통나무에 앉아.)

"I don't care." (뭔 상관이야.)

Oi Frog!, Kes Gray, Jim Field(ILT),
Hachette UK, 2014

이런 구절을 읽을 때에는 말의 느낌을 잘 살려 읽어야 한다. 그렇게 동
물들이 어디에 앉을지 좌충우돌하는 이야기이다. 동물과 앉는 대상의 운
(rhyme)이 맞아떨어지는 즐거움
을 선사한다. 다 읽고나면 동물
과 그 동물이 앉는 대상 사이에
줄긋기(Match) 연습문제를 풀어
보아도 좋다.

이 책은 엄청 재미있는데 동
물도 많이 나오고 글밥도 많아서
난이도가 높은 편이다. 기본적인
파닉스를 뗀 아이가 확인하는 단
계에서 보면 좋다. 부모가 아이
에 맞게 책의 난이도를 선택해
주어야 한다.

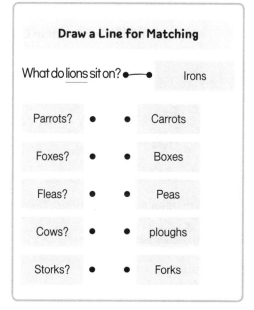

Draw a Line for Matching

What do lions sit on? ●━━● Irons

Parrots? ● ● Carrots

Foxes? ● ● Boxes

Fleas? ● ● Peas

Cows? ● ● ploughs

Storks? ● ● Forks

[특별부록: 워크시트 PDF 제공]

가이디드 리딩법 2: 조각퍼즐 이용한 읽기

___

정보차(Information Gap) 과제를 이용한 짝 읽기

One Fish Two Fish Red Fish Blue
Fish(Beginner Books, Library Binding-12),
Dr. Seuss, Random House Books
for Young Readers, 1966

부모와 아이가 같이 읽을 때 조각퍼즐을 이용하는 것도 좋은 방법이다. 미국의 동화책 작가이자 만화가 닥터 수스(Dr. Seuss)의 *One Fish Two Fish Red Fish Blue Fish*(물고기 한 마리, 물고기 두 마리, 빨간 물고기, 파란 물고기) 같은 책으로 시작해보는 것도 좋다. 다음과 같이 정보간극이 있는 두 개의 활동지를 만들 수 있다.

1. 같은 지문을 A 버전, B 버전 두 개를 만들되, 같은 문장에서 각기 다른 단어를 뺀다.

2. 아이는 자기가 받은 지문을 엄마한테 읽어주고, 엄마는 자기가 받은 지문을 아이에게 읽어준다. 보여주는 것이 아니라 소리내어 읽어주는 것이다. 같은 책을 그냥 여러 번 소리내어 읽는 것도 좋지만, 이처럼 매번 다른 방식으로 읽는 것도 좋은 방법이다.

Information Gap Worksheet

Reader A	Reader B
One fish, _____ fish, red fish, _____ fish. Black fish, _____ fish, old fish, _____ fish.	_____ fish, two fish, _____ fish, blue fish. _____ fish, blue fish, _____ fish, new fish.

[특별부록: 워크시트 PDF 제공]

3. 아이가 첫 줄 "one fish"라고 소리내어 읽으면, 엄마가 두 번째 줄 "two fish"를 소리내어 읽는다. 서로가 읽는 영어 문장을 잘 듣고 있다가 빈칸에 들어갈 말을 기억하면 된다(아이가 영어 쓰기가 가능하면 빈칸에 써놓아도 좋다).

4. 아이와 엄마가 역할을 바꾸어 몇 번 해도 된다. 그러면 아이가 지문을 거의 외우게 된다. 이런 문장은 소리내어 읽으면 리듬감이 무척 잘 맞는다. 빈칸 채우기를 한 것 같지만, 실제로는 소리내어 읽기를 몇 번 더 한 것이 되며, 리스닝과 스피킹 연습도 된다. 소리내어 읽기도 이렇게 다채로운 방식을 적용하면 더 재미있고 효과적으로 할 수 있다.

　둘이 짝을 지어 한 명이 읽어주면 다른 한 명은 쓰거나 머릿속에 외우고 있어야 한다. 이것을 정식 명칭으로는 '정보차 과제'라고 한다. 서로에게 빈 정보들을 교환해야 되는 것이기 때문이다. 소리내어 읽기, 리스닝과 스피킹 연습을 동시에 할 수 있다.(닥터 수스의 책 중 몇 권은 인종혐오 등의 이유로 학교 및 도서관에서 빠지고 있으니 주의가 필요하다.)

조각퍼즐(Jigsaw Puzzle) 이용한 읽기

읽은 책의 문장들로 조각 맞추기와 읽기 활동을 할 수도 있다.

1. 먼저 조각퍼즐 템플릿을 다운받는다.

2. 집에 있는 영어 그림책의 문장들을 조각퍼즐에 옮겨 적은 후 조각들을
   오린 다음 흩어놓는다.

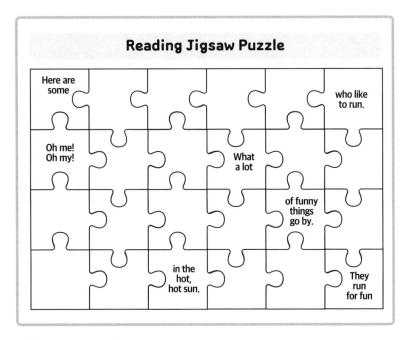

[특별부록: 워크시트 PDF 제공]

3. 아이에게 하나씩 읽으면서 조각퍼즐을 맞추라고 한다.

   조각퍼즐 맞추기와 읽기는 독후활동으로 책을 읽은 다음에 얼마만큼 이
   해했는지 확인하는 활동 중의 기초다. 읽은 내용의 지문을 순서대로 맞
   추어야 되니까 말이다.

가이디드 리딩법 3:
영어 동시 읽기

영어 동시도 짧게 소리내어 읽기에 무척 좋다. 영국의 *Vanity Fair*(허영의 시장)라는 유명한 소설을 쓴 소설가 윌리엄 메이크피스 새커리(William Makepeace Thackeray)의 동시 'At the Zoo(동물원에서)'를 보자. 어린이용으로 썼기 때문에 내용이 재미있다(19세기 시라서 지금 안 쓰는 단어도 있긴 하다).

At the Zoo(동물원에서)

First I saw the white bear, then I saw the black;

Then I saw the camel with a hump upon his back;

Then I saw the grey wolf, with mutton in his maw;

Then I saw the wombat waddle in the straw;

Then I saw the elephant a-waving of his trunk;

Then I saw the monkeys-mercy, how unpleasantly they smelt!
처음에 나는 흰 곰을 보았고, 그 다음엔 검은 곰을 보았다.

그때 나는 등에 혹이 달린 낙타를 보았다.

그때 나는 회색 늑대가 목구멍에 양고기를 물고 있는 걸 보았다.

그때 나는 웜뱃이 지푸라기 속에서 아장거리는 걸 보았다.

그때 나는 코끼리가 코를 휘두르는 걸 보았다.

그러고 나서 나는 원숭이들을 봤는데, 아이고, 얼마나 불쾌한 냄새가 났던지!

1. 먼저 아이에게 동시를 들려준다. 유튜브에서 영어 동시 제목과 작가 이름으로 검색하면 웬만한 시들은 원어민이 잘 읽은 영상을 구할 수 있다. 유튜브 '진네이키드포이트리(jeanakedpoerty)'의 영상을 추천한다.
2. 아이와 동시를 여러 번 소리내어 읽는다.
3. 아이가 꽤 어리다면 다음처럼 '맞춰 봐!'라는 유추 놀이를 할 수도 있다. 동물이나 사물의 일부만 보여주고 어떤 동물이나 사물인지 맞추는 놀이다(구글에서 검색하면 웬만한 동물 그림들은 구할 수 있다). 이 동시에 나오는 bear, camel, wolf, wombat, elephant, monkey 같은 단어와 좀 친숙해지려는 것이다. 또한 유추는 읽기와 사고력에서 매우 필요한 능력이다.

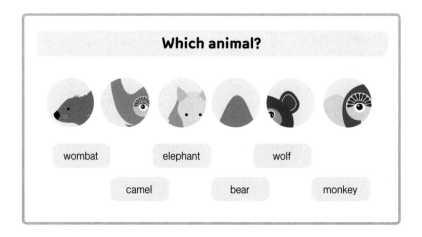

4. 동물 사진이나 그림들을 가지고 아이와 함께 다음과 같은 방법으로 영어 동시를 암송해볼 수도 있다.

　① 영어 동시의 한 단어마다 검은 사각형을 둔다.

　② 아이가 영어 동시를 들으면서 동물 이름이 나오는 곳에 해당하는 동물 그림을 갖다놓는다.

　　First I saw the white **bear**, then I saw the black.

　③ 영어 동시에서 ■ 자리에 들어갈 말을 소리내어 암송한다.

이런 놀이를 하다보면 아이가 자연히 영어 동시가 외워지게 된다. 아이가 뭔가를 잘못 외우면, 위의 그림처럼 단어가 몇 개 있다는 것을 집어주면 더 수월하게 외울 수 있다. 영어로 듣기와 읽기, 말하기, 암기력까지 함께 키울 수 있는 방법이다.

[준비하기]　아이와 처음 시작하기 좋은 영어 동시를 구하려면 구글에서 "English poems for kid", 또는 "English poems for grade 1"으로 검색하면 된다.

가이디드 리딩법 4:
반복 읽기(Repeat Reading)

나선형 학습의 원리

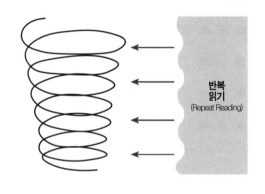

반복 읽기
(Repeat Reading)

소리내어 읽기는 여러 번 반복하는 것이 좋다. 아이들은 원래 특성상 자기가 좋아하는 책은 계속 여러 번 읽으므로 반복 읽기를 실천하는 것이 어렵지는 않다. 그런데 항상 같은 방식으로만 반복해서 읽지 말고, 읽는 방식이나 활동을 다채롭게 바꿔보는 것이 좋다. 왜냐하면 이 책의 앞에서 소개했듯이, 인간의 학습은 나선형으로 이루어지기 때문이다.

만약 어떤 영어 그림책을 10번 반복해서 소리내어 읽는다고 하자. 이때 엄마와 아이가 한 줄씩 번갈아가며 읽거나, 아이가 혼자서 소리내어 읽거나, 아이가 소리내어 읽으며 지문의 행동을 따라해보거나, 앞에서 소개한 것처럼 영어 문장들을 조각퍼즐에 옮겨 쓴 후 맞추기 놀이를 하며 읽거나 등, 아이가 읽을 때마다 계속 방식을 바꾸어주면서 그 지문에 노출되도록 해주면 훨씬 효과적으로 학습을 할 수 있다.

소리내어 읽는 걸 녹음해보자

아이가 영어 지문을 좀 읽을 수 있게 되면 "우리 한번 녹음을 해볼까?" 하고, 지문을 주고 소리내어 읽으라고 한 다음에 녹음을 한다. 그다음에 아이가 읽은 녹음 파일을 들으면서 무엇을 잘못 읽었는지, 어디에서 숨을 쉬는 것이 좋을지 다음과 같이 표시를 한다. 아이에게 영어 읽기를 시킬 때 많은 도움을 받을 수 있다.

그런데 아이가 소리내어 읽는 것을 녹음한 후 오류를 점검할 때 반드시 주의해야 할 점이 있다. 오류 점검을 절대 아이 앞에서 하지 말아야 한다. 아이한테 "모음 앞의 the를 [ði]로 안 읽고 [ðə]라고 읽더라"라고 알려줄 필요가 없다. 아이가 아직 영어 읽기가 자동화가 안 되어 그런 것이기 때문

festive
First of all, people attending the festival have to bring a ham to the main　15
pizza　slippy
plaza and hang the ham on a pole slippery with oil. When someone　28
succeed　~hang/
succeeds in climbing the oily pole and getting the ham, the tomato festival　41
firework
starts with fireworks. Trucks loaded with tomatoes pull in while the　52
/koud/
crowd shouts, "Tomatoes! Tomatoes!" Then the fun begins by throwing　62
Pu/ let to read
tomatoes at each other. It's a big Tomato War. After approximately two　74
hours, the tomato war ends.　79

아이가 소리내어 읽는 것을 녹음한 다음, 무엇을 잘못 읽었는지, 어디에서 숨을 쉬는 것이 좋을지 표시를 한다.

에, 여기서 지적한다고 해서 당장 교정이 되지는 않는다. 게다가 엄마가 자꾸 지적질을 하면 아이가 부담감이 커져서 영어가 싫어진다. 엄마만 알고 있으면 되고 '좀더 많이 읽어야겠구나' 정도로 생각하면 된다. 대신 엄마가 읽을 때 [ði]로 읽어주는 것이 좋다.

05
Part

영어 읽기의 유창성을 높이려면: 청킹(Chunking)과 억양

1장에서 우리는 '읽기는 청킹 과정'이라는 것에 대해 살펴보았다. 우리가 뭔가를 읽을 때는 청크(chunk 의미덩어리)로 읽는다. 그렇다면 왜 누구는 잘 못 읽고, 누구는 잘 읽는 걸까? 어떻게 해야 영어 읽기의 유창성을 잘 기를 수 있을까? 다시 한번 뇌과학과 읽기의 비밀에 대해 살펴보고, 유창한 읽기를 위한 연습법들을 알아보자.

인간의 단기기억에 관한 마법의 숫자 7±2

인지심리학의 창시자로 불리며 MIT와 하버드대학, 프린스턴대학 교수를 지낸 조지 밀러(George A. Miller)는 1956년 '마법의 숫자 7±2: 인간 정보처리 능력의 몇 가지 한계'라는 인간의 기억과 학습법에 관한 획기적인 논문을 발표했다.

인간의 뇌에는 장기기억과 단기기억이 있는데, 조지 밀러에 따르면 인간이 가진 단기기억의 정보처리 능력은 7±2개, 즉 5~9개 정도라고 한다.

그래서 단기기억력을 높이려면 5~9개 정도의 의미덩어리(meaningful chunk)를 만들어 기억하면 좋다고 한다. 2001년 넬슨 코원은 이 마법의 숫자가 7이 아니라 4라면서 인간의 단기기억 용량은 4 ± 2라는 연구를 발표하기도 했다. 하지만 우리에게 중요한 것은 마법의 숫자가 7인지 4인지가 아니라, 우리가 의미덩어리로 인식할 때 단기기억이 잘된다는 사실이다.

인지심리학의 이러한 연구 효과는 우리 일상생활에서도 쉽게 접할 수 있다. 핸드폰 번호를 01011111111처럼 쓰면 눈에도 잘 안 들어오고 기억도 잘 안 되지만, 청크를 만들어주면, 즉 의미덩어리로 덩이짓기를 해서 010-1111-1111이라고 하면 눈에도 훨씬 잘 들어오고 기억하기도 쉽다.

한번에 읽는 청크(의미덩어리) 크기를 키우려면

영어 읽기도 마찬가지이다. 우리는 지문을 읽을 때 한 자 한 자 읽는 것이 아니라 의미덩어리 단위로 읽는다. 그런데 의미덩어리의 크기는 사람마다 다르다.

읽기를 잘할수록 우리 뇌가 여러 단어를 한꺼번에 찍는다. 영어 읽기가 서툰 경우는 의미덩어리가 한 단어에 불과할 수도 있지만, 어떤 사람은 한번에 9개 단어를 읽어들일 수도 있다. 그리고 읽기 능력이 높아질수록 한번에 읽어들이는 의미덩어리의 크기가 커지게 된다.

앞에서 말했듯이, 우리가 소리내어 읽기를 할 때는 시신경으로 문자 인풋을 받아들여 처리하면서 동시에 입에 동작 명령을 내린다. 우리 뇌에서는 이런 일이 1초의 1000분의 1인 밀리세컨드(ms) 단위로 벌어진다. 이때 우리의 시선과 음성 사이에 간극이 생기는데 이를 '시선-음성 간격(eye-voice span)'이라고 한다.

영어 읽기를 할 때 우리의 시선은 1~3개 단어를 앞서간다. 이 간극으로 인해 영어를 잘 못 읽는 아이들은 눈이 앞서가지 못해서 모음 앞의 the를 [ði]라고 발음하지 못한다. 하지만 영어 읽기가 자동화된 아이들은 시선이 1~3단어 정도 앞서가고 있기 때문에 모음 앞의 the를 [ði]라고 제대로 소리 내어 읽는다. 실제로 영어 소리내어 읽기를 시켜보면 모음 앞의 the를 제대로 읽는 사람이 의외로 많지 않다. 시선이 앞서가지 못하고 있는 것이다. 즉, '영어 읽기 자동화가 덜 되었다'는 것이다.

영어 읽기 유창성을 키우려면	
청킹 (chunking) 끊어읽기 연습	억양 (intonation)

아예 소리가 없어지고 눈으로 줄줄 읽는 상태, 즉 묵독으로 넘어가서 영어를 유창하게 읽으려면 아이가 덩이짓기(phrasing), 즉 청킹(chunking)과 억양에 숙달되어야 한다. 결국 이것을 심어주기 위해 소리내어 읽기와 가이디드 리딩을 하는 것이다.

그렇다면 영어 읽기의 유창성을 키워주는 청크의 크기를 키우고, 청킹 능력을 높이려면 어떻게 해야 할까?

아이들에게 '끊어읽기'를 계속 연습시키는 것이 큰 도움이 된다. 소리내어 읽을 때 끊어읽기를 가르치면, 머릿속에 의미덩어리를 찍는 단위들이 생긴다. 이 찍는 단위가 생겨야 뇌가 척척 (자동적으로) 끊어읽기를 할 수 있다.

영어책을 소리내어 읽을 때 끊어읽기는 매우 중요하다. 그래야만 머릿속에 찍는 판들이 계속 커지고 영어 읽기가 자동화된다. 어떻게 하면 아이가 묵독으로 수월하게 가느냐, 어떻게 하면 읽기가 자동화되느냐에 대한 해결책이 바로 끊어읽기다.

파닉스 갓 뗀 아이도 즐겁게, 청킹과 억양 연습 시작!

영어 유창성을 위한 청킹 연습은 뒤에서 살펴보기로 하고, 여기서는 이제 파닉스를 갓 떼고 읽기를 시작하는 아이도 엄마와 함께 부담 없이 할 수 있는 '가장 쉬운' 청킹과 억양 연습법을 알아보겠다.

1단계: 가장 처음 하는 것은 영어 지문을 마치 말하듯 읽는 것이다. 우리나라 사람들은 소리내어 읽기 연습을 너무 안 해서 영어를 마치 '기계'처럼 읽는다. 그러면 영어의 억양이 전혀 안 살고, 영어의 억양이 안 살면 영미권 사람들이 못 알아듣는다.

다음과 같은 간단한 알파벳과 구두점으로 가장 기본적인 억양, 구두점 연습을 해보자. 숫자도 해보자. 물음표가 붙어 있는 것은 억양 연습이 된다. 아이와 같이 해야 하며 느낌을 살려서 읽어야 한다. 사실 영어는 억양을 살려야 표현력이 좋아진다.

> ABCD?　EFG!　HI　JKL.　MS?
> OPQ.　RST!　UVWX,　YZ!
> 123.　4!　567?　89.　10!

2단계: 이제 간단한 문장으로 청크와 억양을 연습한다.

영어 소리내어 읽기는 이처럼 구두점을 가지고 느낌을 살려 읽는 것부터 시작해야 한다. 구두점에 따라 느낌이 다 다르다.

> Dogs Bask?　　Cows moo.
> Dogs Bask!　　Cows moo?
> Dogs Bask.　　Cows moo!

3단계: 이제 청크를 조금만 더 키워서 청킹과 억양 연습을 해보자. 모두 사이트 워드들로 이루어진 아주 짧은 문장이다.

> I am tired.　　We are happy.
> I **am** tired.　　We **are** happy.
> I am **tired**.　　We are **happy**.

억양에 따라서, 구두점이 어디에 있는지에 따라 의미가 다 달라진다.

처음의 "I am tired"는 '내가! 피곤하다니까'라는 의미다. 두 번째 "I am tired"라고 하면 '지금 피곤하다'는 것이고, 마지막 "I am **tired**"는 '나는 **피곤하다니까**'라는 의미이다.

누구나 할 수 있는 아주 쉬운 억양, 청크 연습을 살펴보았다. 이제 유창한 읽기를 위한 6가지 청킹 연습을 알아보자. 이 또한 그렇게 어렵지 않고 집에서 아이와 함께할 수 있다. 자, 이제 시작해보자.

유창한 읽기를 위한
6가지 청킹 연습

—

영어 지문이나 책을 많이 읽으면 자연스럽게 청킹을 하게 되지만, 이 과정을 좀더 줄이고 효율적인 길을 택하고 싶다면 어떻게 하면 될까? 우리가 눈을 움직이면서 청킹, 즉 의미 단위로 빨리 읽는 연습을 하고 싶다면 어떻게 해야 할까? 처음에는 빠르게 이름 대기 연습을 한다. 이 과정은 다음과 같은 화살표 읽기로 시작하면 좋다.

빠르게 이름 대기(Rapid Naming) 1: 화살표 읽기

1. 다음과 같이 위 화살표(↑)와 아래 화살표(↓)를 하나씩 읽는다. 안구를 위아래로 움직이는 운동을 하는 셈이다.

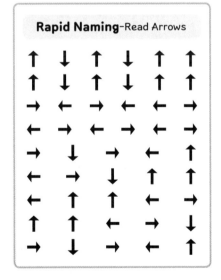

[특별부록: 워크시트 PDF 제공]

2. 오른쪽 화살표(→)와 왼쪽 화살표(←)를 하나씩 읽는다. 안구를 오른쪽, 왼쪽으로 움직이는 운동을 하는 것이다.

3. 이제 위/아래 화살표와 오른쪽/왼쪽 화살표를 섞어놓고 읽는 연습을 한다. 이는 안구가 빠르게 움직이며 정보를 입수하는 것을 연습하는 방법이다.

빠르게 이름 대기 2: 단어 빠르게 읽기 연습

Drill 18

e

bet	net	get	pet	set
jet	wet	let	met	bet
den	hen	men	pen	ten
beg	keg	leg	peg	Meg
bed	fed	led	Ned	red
wed	shed	red	bed	fed

bet	beg	bed	bet	Ben
met	men	Meg	men	met
pet	pen	peg	pen	pet
let	leg	led	less	let

bet	den	keg	bed	net
den	wed	beg	hen	jet
wet	men	net	leg	fed
shed	pet	peg	ten	get
red	pen	let	bet	Ned
pet	Meg	Ben	set	fed

net	jet	fed	get	ten	Ned	set	leg
hen	bed	keg	net	set	peg	leg	den
Meg	pet	pen	wed	men	bet	shed	wed
wet	red	pet	Ben	less	set	web	get

파닉스 완성을 위한 돈 파터의 드릴(Don Potter's Drill)

(출처: www.donpotter.net/pdf/remedial_reading_drills.pdf)

다음과 같은 읽기 연습지로 빠르게 읽는 연습을 한다.

bet net get pet set

jet wet let met bet

이는 아이가 파닉스가 완성되었는지 확인하는 절차이면서, 동시에 아직 파닉스가 완성이 안 되어 있을 때 보충해주기 위한 연습이다. 처음에는 단모음 단어들이지만, 뒤로 가면 어려운 이중모음 단어들이 나온다. 또한 읽기 연습지를 빠르게 눈으로 읽으며 소리내어 발음하는 것은 의미 단위로 빨리 읽는 청크를 위한 연습도 된다. 이러한 리딩 드릴은 수십 쪽이 있다.

읽기 연습을 하고 이것을 기록해야 한다. 얼마만큼 빨리 읽었는지, 잘못 읽은 것, 제대로 읽은 것을 기록하여 차트로도 그리면 좋다.

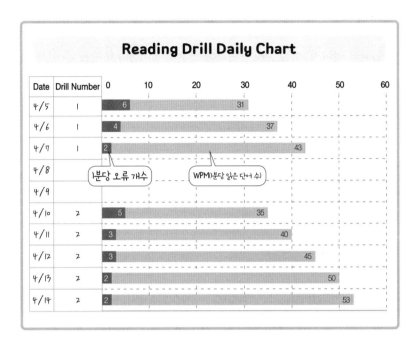

Reading Drill Daily Chart

Date	Drill Number	WPM (1분당 읽은 단어 수) / 1분당 오류 개수
4/5	1	6 / 31
4/6	1	4 / 37
4/7	1	2 / 43
4/8		
4/9		
4/10	2	5 / 35
4/11	2	3 / 40
4/12	2	3 / 45
4/13	2	2 / 50
4/14	2	2 / 53

[특별부록: 워크시트 PDF 제공]

청킹을 위한 문구 그룹화 연습 1

WPM(Words Per Minute)은 1분당 읽는 단어 수를 말한다. 음성언어로 읽을 때 아무리 잘 읽는 사람도 152~153단어 정도를 읽는다(모국어 기준). 소리내어 읽기는 보고 입으로 읽는 이중의 작업이 걸려서 아무리 잘 읽어도 1분당 속도는 더 빨라질 수가 없다.

한국 아이들의 영어 읽기 속도를 보면, 물론 영어를 잘 읽는 아이들이 빨리 읽는 것은 맞지만, 문제는 영어시험 점수가 높은 아이가 꼭 읽기 속도가 빠른 것은

미국의 학년별 최적 읽기 속도

묵독 시 적정 읽기 속도		소리내어 읽기 시 적정 읽기 속도	
1학년	80wpm	1학년	53wpm
2학년	115wpm	2학년	89wpm
3학년	138wpm	3학년	107wpm
4학년	158wpm	4학년	123wpm
5학년	173wpm	5학년	139wpm
6학년	185wpm	6학년	150wpm
7학년	195wpm	7학년	150wpm
8학년	204wpm	8학년	151wpm
9학년	214wpm		
10학년	224wpm		
11학년	237wpm		
12학년	250wpm		

출처: www.readinghorizons.com

아닌 것 같다. 왜냐하면 한국에서는 어휘를 학습하는 방법부터가 조금 문제가 있어서 영어 읽기 속도와 영어시험 점수가 정비례하지 않을 수 있기 때문이다. 하지만 모국어에서는 읽기 속도와 이해가 정비례한다. 앞의 표는 리딩 호라이즌(Reading Horizon)사에서 영어 읽기 조사를 기반으로 작성한 미국의 학년별 최적 읽기 속도이다. 이 자료를 보면 고등학교를 졸업하고 대학에 다니는 학생들이 1분당 묵독으로 평균 250단어 정도를 읽어야 한다고 말하고 있다.

영어를 유창하게 읽으려면 결국 정보 하나당 부피가 커져야 한다. 다음은 청킹을 하고 있는 모습이다.

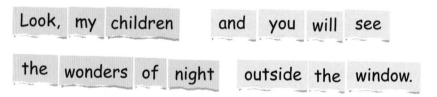

청크로 읽는다: 잘 읽으려면 정보 하나당 부피가 커져야 한다.

청크를 하려면 단어를 그룹화해야 한다. 초기 단계에서 읽는 그림책들은 그림 하나에 문장이 하나씩 나오는 경우가 많다. 그래서 그림책 하나에서 지문을 뽑으면 몇 문장이 안 된다. 앞에서 소개한 *Big Feet*(큰 발, 글 Roderick Hunt, 그림 Alex Brychta) 같은 책을 활용하면 좋다. 읽기 초기 단계의 책들을 소리내어 읽을 때 이렇게 그림책에서 지문을 뽑아서 사용하면 된다.

1. 엄마가 영어 문장 전체를 써주되, 의미덩어리(청크)별로 그룹화하여 색깔을 달리하여 표시한다.

My little sister   likes to read   books about dogs.

2. 엄마가 하나의 의미덩어리씩 읽은 다음, 아이가 따라 읽는다.

My little sister   likes to read   books about dogs.

3. 아이가 ①번 문장을 보며 한꺼번에 읽는다.

My little sister likes to read books about dogs.

청킹을 위한 문구 그룹화 연습 2

또 다른 방법은 다음과 같은 청크 연습 워크시트를 활용하는 것이다. 이런 워크시트를 만들어 판매하는 사이트들이 있다.

Read each sentence to work on text phrasing.

	I love my old dog Spotty. I love my old dog Spotty. I love my old dog Spotty.
	Look at my new doll! Look at my new doll! Look at my new doll!
	Grandma read me stories. Grandma read me stories. Grandma read me stories.
	We went on a picnic last Sunday. We went on a picnic last Sunday. We went on a picnic last Sunday.

[특별부록: 워크시트 PDF 제공]

가장 좋은 것은 아이가 읽었던 영어 그림책으로 엄마가 문구 그룹화 연습 시트를 만들어주는 것이다. 이미 귀로 들어서 알고, 의미도 알고 있는 텍스트(그림책의 글밥)와 낯선 텍스트를 읽는 것은 효과가 다르기 때문이다.

1. 앞에서 보듯이 아이들의 이해를 돕기 위해서 그림이 있는 것도 좋다.

2. 문장 밑에 단어별로 점을 찍어놓았다. 처음에는 아이들한테 이것을 읽으라고 한다. 그럼 아이들이 하나씩 읽는다.

3. 영어 문장을 다시 읽으면서 청크가 표시된 대로 끊어읽기를 한다.

I love my old dog Spotty.

4. 청크 표시가 없는 같은 문장을 가지고 끊어 읽는다.

I love my old dog Spotty.

청킹을 위한 어구 리스트 이용법

Fry's Sight Word Phrases

First 100 Words

The people	We were here.	This is my cat.
Write it down	Have you seen it?	That dog is big.
By the water	Could you go?	Get on the bus.
Who will make it?	One more time	Two of us
You and I	We like to write.	Did you see it?
What will they do?	All day long	The first word
He called me.	Into the water	See the water
We had their dog.	It's about time.	As big as the first
What did they say?	The other people	But not for me
When would you go?	Up in the air	When will we go?
No way	She said to go.	How did they get it?
A number of people	Which way?	From here to there
One or two	Each of us	Number two
How long are they?	He has it.	More people
More than the other	What are these?	Look up.
Come and get it.	If we were older	Go down.
How many words?	There was an old man.	All or some
Part of the time	It's no use.	Did you like it?
This is a good day.	It may fall down.	A long way to go
Can you see?	With his mom	When did they go?
Sit down.	At you house	For some of your people
Now and then	From my room	
But not me	It's been a long time.	
Go find her.	Will you be good?	
Not now	Give them to me.	
Look for some people.	Then we will go.	
I like him.	Now is the time.	
So there you are.	An angry cat	
Out of the water	May I go first?	
A long time	Write your name.	

에드워드 프라이 박사의 사이트 워드 리스트. 등급별로 되어 있다.
(출처: www.d57.org/Downloads/frys_sight_word_phrases.pdf)

미국 랏거스대학과 로욜라대학의 교육학 교수였던 에드워드 프라이(Edward Fry)의 사이트 워드 리스트를 보면, 사이트 워드뿐 아니라 자주 나오는 어구(instant phrases)를 정리해놓았다. 청킹을 위한 문구 그룹화 연습에 유용하다.

자주 등장하는 어구들을 빨리 읽을 수 있으면 지문을 읽는 속도가 빨라진다. 초등 1학년용, 2학년용 등 학년별로 있다. 프라이 리스트에는 학생들이 읽기를 할 때 마주치는 단어 중의 67%가 들어 있다고 한다. 또한 미국이나 영국은 코퍼스 작업을 많이 하고 있기 때문에, 코퍼스 사이트에 들어가면 자주 나오는 어구 리스트를 쉽게 구할 수 있다.

기타 활용 Tip!

1. 청킹을 위한 문구 그룹화 워크시트는 인터넷에서 쉽게 구할 수 있다. 구글 이미지 검색에서 "reading phrasing worksheets"를 치면 여러 워크시트 이미지가 뜬다. 대부분 유료 결제 사이트의 자료이기는 하다.

2. 주사위를 준비한다. 아이들은 게임처럼 해야지, 리스트를 주고 읽어보라고 하면 지루해한다.

3. 아이한테 주사위를 주고 굴리게 한다. 주사위 숫자가 2가 나오면, 2에 있는 영어 청크(의미덩어리)를 하나씩 읽는다. 예를 들어 주사위 숫자가 4가 나왔다면 "a good time"이라고 소리내어 읽는 것이다.

주사위를 굴려 나온 숫자의 청크 읽기

⚀	up and away	a big blue bike	come down
	here it is	red and yellow	can you see
⚁	run and play	jump and look	the little cat
	where do I go	a funny dog	two or three
⚂	we said that	help to make it	find my sock
	not for me	ond is in	to go eat
⚃	a good time	all I do	what is this
	want out	on our ride	please get four
⚄	must have it	who ate with you	black and brown
	went into there	he will like that	did you say
⚅	yes or no	they ran now	I am new
	while under it	be too soon	but she saw

4. 자기가 읽은 영어 어구는 지운다.

5. 한 아이는 파란펜, 다른 아이는 빨간펜을 가지고, 자신이 읽은 영어 어구를 지운 다음 누구의 개수가 더 많은지로 승부를 가린다.

유창성 카드(Fluency Card)

유창성 카드는 구글에서 "fluency card"라고 검색하면 팩으로 구할 수 있다. 요즘 단계별 번들로 만들어 판매하고 있다. 파닉스 워드부터 사이트 워드, '자음+모음+자음(CVC)' 단어부터 어려운 단어까지 6단계로 된 것도 있다.

1. 유창성 카드의 단어들을 그냥 한 단어씩 읽는다.

2. 아이가 손가락으로 텍스트를 짚어가며 청크로 읽는다.

3. 이제 문장의 의미를 생각하며 감정을 살려 읽는다.

정리하면, 끊어읽기나 하이라이팅으로 표시해서 아이가 의미덩어리가 끊어진다는 것을 인식하게 한 다음, 첫째, 단어 하나씩 짚으면서 읽기, 둘째, 스쿠핑을 하면서 읽기, 셋째, 감정을 담아서 읽게 한다. 좀더 나이가 많은 아이는 PTL을 사용해서 끊어읽기를 하면 좋은데 이것은 다음에서 설명하겠다.

유창한 읽기를 위한
스쿠핑(Scooping) 연습: PTL

—

스쿱(scoop)은 아이스크림을 뜨는 수저 같
은 도구이고, 이것으로 무언가를 푸는 행
위를 '스쿠핑(scooping)'이라고 한다. 여기

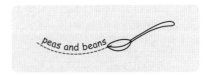

서는 여러 단어를 한번에 한 국자에 담듯 하나로 묶어 읽는 연습을 말한다.
"국자로 푹 푸는 것처럼 단어들을 담아 읽어볼까?" 이렇게 영어 문장의 의
미덩어리(청크) 개념을 아이들한테 심어주면 좋다. 본격적으로 스쿠핑 연습
을 해보자.

소리내어 끊어읽기로 문구 그룹화: PTL

독서교육과 읽기 부진 아동에 대한 연구로 유명한 미국 켄트주립대 교수 티
모시 V. 라진스키(Timothy V. Rasinski) 연구팀은 읽기 유창성을 위한 PTL(Phrased
Text Lesson)이라는 연습 프로그램을 개발했다. 이 방법은 영어를 웬만큼 읽
는 초등학생과 중고등생 및 대학생 들에게도 쓸 수 있는 청킹 연습법이다.

PTL은 텍스트를 잘 못 읽는 아이들에게 구절 경계(phrase boundary)에 대한 '확실한 단서'를 준다. 아이가 소리내어 끊어읽기를 하면서 한 덩어리씩 구절의 경계를 슬래시(/)로 표시하게 한다.

영어 지문을 잘 못 읽는 아이들은 하나의 의미덩어리가 짧고, 잘 읽는 아이들은 하나의 의미덩어리가 길다. 그래서 끊어읽기를 할 때 무조건 "여기서 끊어야 한다"는 것은 존재하지 않는다. 사람의 능력이 다 다르기 때문이다.

다만, 절대로 끊어 읽으면 안 되는 부분이 있다. 성인늘한테 시켜봐도 이 것을 잘 못하는 경우가 있다. 예를 들면 like가 전치사로 쓰인 경우(예: Swim like a fish, 물고기처럼 헤엄쳐라), 전치사와 전치사의 목적어는 하나의 덩어리이기 때문에 like 다음에 끊어 읽어서는 안 된다. 그런데 한국에서 고등학교를 졸업하고 영어를 배운 대학생 중에도 이 개념이 없는 경우가 있다. 무엇이 하나의 의미덩어리인가에 대한 개념이 없는 것이다. 중고등학생이라면 '전치사와 전치사의 목적어는 하나의 의미덩어리'라고 가르칠 수 있지만, 어린 아이들에게 전치사니 명사니 목적어 같은 것을 가르칠 수는 없다.

그럼 어떻게 해야 할까? 영어 문장을 소리내어 끊어읽기 연습을 계속해서 하나의 의미덩어리라는 것을 알려주어야 한다. 소리내어 끊어읽기를 하다보면 자연히 알게 된다. 우리가 한국말의 규칙을 명시적으로 몰라도 아는 것처럼 말이다.

사실 소리내어 읽기를 하면 끊어읽기 연습이 자연스럽게 된다. 구절 끊기(phrasing)는 결국 청킹으로 머릿속에 영어 팸플릿을 계속 만들어주는 작업이다. 이것이 가능해야 묵독으로 넘어가 눈으로 훑고 지나가면서 유창하게 읽는 단계까지 갈 수 있다. PTL 연습을 위해 구절이 끊어지는 부분을 다음과 같이 표시한다.

- 문장 안에서 일시 멈출 때는 슬래시 1개(/)로 표시한다.
- 문장 끝에서 일시 정지할 때는 슬래시 2개(//)로 표시한다.

다음은 성인용 구절 끊기가 표시된 지문이다. 잘 읽는 아이들은 중고등학생이 되면 이 정도 읽는다.

구절 끊기 표시 지문(Phrased-cued Text)의 예

Yesterday,/ Amy came across a photo/ uploaded on her friend Rachel's social media page.// It was one/ taken during their elementary school days,/ at a play/ in which Amy was playing a big turnip.// The play was based on a children's story/ about a big turnip/ and a group of people/ trying to pull it out.// Amy had a stutter/ as a child,/ so playing the turnip/ without any lines/ was the best choice/ she could make.// Still,/ she felt miserable/ in the bulky costume,/ and her feelings were clearly written/ on her face/ in the photo.// Now,/ after years of therapy sessions,/ Amy doesn't stutter anymore,/ or at least it doesn't show/ unless she panics.// But facing the old, unpleasant memory/ bothered Amy.// What is worse,/ Rachel posted the picture/ as if it were a hilarious joke.//

중고등학생 수준이면 이 정도 해야 하는데, 아이가 어디서 끊어읽기를 해야 하는지 잘 모를 수 있다. 만약 아이가 어릴 때 소리내어 읽기를 별로 안 했다면, 중학생 이상부터는 문법적인 요소에 대해, 이를테면 "전치사와 전치사의 목적어는 한 덩어리니까 그 사이를 끊어 읽으면 안 돼!"라고 알려주어도 되지만, 초등학생까지는 명시적으로 문법용어는 안 가르쳐주는 것이 좋다. 아이가 그냥 소리내어 읽기를 많이 하면서 자연스럽게 깨달아가는 것이 가장 좋은 방법이다.

PTL 1세트 2일 연습법

PTL 연습은 2일 연속해서 10~15분씩 하는 것이 한 세트로 되어 있다.

첫째 날:

1. 아이에게 구절 끊기가 표시된 지문을 한 부 준다.

    다음은 'Little Miss Muffet(작은 머펫 아가씨)'이라는 너서리 라임이다. 어린이 대상으로 처음에 PTL 연습을 할 때에는 너서리 라임 같은 친숙한 지문을 가지고 많이 한다. 영어 텍스트를 좀 잘 읽는 아이는 이렇게 표시한다. 너서리 라임답게 whey/away, gone/yawn 등 라임이 맞다. 이런 느낌을 살려서 처음에 몇 번 끊어읽기를 표시해준다.

첫째 날: 구절 끊기 표시 지문(Phrased-cued Text)

> Little Miss Muffet/ sat on a tuffet/ eating her curds and whey.//
> Along came a spider/ and sat down/ beside her/ and frightened/ Miss Muffet away.//
> Miss Muffet came back/ to sit on her tuffet/ when the spider was gone.//
> She ate all the food/ and was in a good mood.//
> Then,/ she started to yawn.//

2. 아이에게 지문을 여러 번 읽어준다. 이때 구절들을 강조하고 약간은 과장해서 읽어주어야 한다.

3. 아이와 지문을 2~3번 같이 읽는다. 이것을 '합창 읽기(choral reading)'라고 한다.

4. 아이가 혼자 소리내어 읽어보게 한다.

둘째 날:

아이에게 첫째 날과 같은 지문을 주되, 첫째 날과 달리 아무것도 표시되지 않은, 즉 문자 그룹화가 표시되지 않은 지문을 준다. 아이가 소리내어 반복해서 읽으며 끊어읽기를 표시한다.

둘째 날: 구절 끊기 표시가 없는 지문

> Little Miss Muffet sat on a tuffet eating her curds and whey.
> Along came a spider and sat down beside her and frightened Miss Muffet away.
> Miss Muffet came back to sit on her tuffet when the spider was gone.
> She ate all the food and was in a good mood.
> Then, she started to yawn.

같은 지문을 2일에 걸쳐서 같은 방식으로 읽되, 첫날은 문구 그룹화 표시가 있는 것을, 둘째 날은 문구 그룹화 표시가 없는 것으로 읽게 하는 것이다.

PTL 연습하기 좋은 영어책 추천

PTL 연습을 위한 텍스트는 소리내어 읽기 좋은 것을 선택하면 된다. *Brunhilda's Backwards Day* (브룬힐다의 거꾸로 된 하루, 글그림 Shawna J. C. Tenney) 는 모든 일을 거꾸로 하는 마녀 브룬힐다의 이야기라서 내용도 무척 재미있다.
첫날에는 다음처럼 문구 그룹화 표시를 해준다.

Brunhilda's Backwards Day, Shawna J. C. Tenney, Sky Pony, 2016

> Brunhilda loved making trouble.// Every morning/ when Brunhilda woke up,/ she got out of the wrong side of the bed. //

그런데 영어를 잘 못 읽는 아이는 한번 더 끊어주어야 한다. 수준에 따라서 짧게 끊어줄 수 있는 것은 짧게 끊어주는 것이 좋다.

she got out of the wrong side/ of the bed.//

지문에서 모르는 단어가 있을 수 있다. 하지만 모르는 단어라도 뜻이 짐작되는 경우가 많다. 원래 구절 끊어읽기에서는 이것이 가능해야 한다. 아이들이 내용이 재미있으니까 잘 읽는다. 두 번째 날에는 끊어읽기 표시가 없는 텍스트를 준다. 그러면 아이가 자기가 알아서 끊어서 읽는다.

어릴 때 끊어읽기 연습을 많이 했으면 나중에 어디서 끊어읽기를 해야 하는지 모르는 문제는 없다. 그러나 우리나라에서는 영어 소리내어 읽기를 거의 안 하고, 즉 가이디드 리딩 단계를 거치지 않고 영어시험 문제 풀기로 넘어가버리는 경우가 많다. 그래서 우리나라는 성인들도 끊어읽기 연습이 필요하다. 영어를 더 빨리, 더 잘 읽고 싶으면 반드시 구절 끊어읽기를 연습하는 것이 좋다.

Swirl by Swirl: Spirals in Nature, Joyce Sidman, Beth Krommes(ILT), Clarion Books, 2011

다음으로 추천하는 *Swirl by Swirl: Spirals in Nature*(소용돌이 빙빙, 소용돌이 빙빙: 자연의 나선들, 글 Joyce Sidman, 그림 Beth Krommes) 책은 앞의 책보다 난이도가 조금 낮다. 읽다보면 입안에서 소리가 굴러가는 느낌이 들 정도로 소리내어 읽기에 좋은 책이다.

A spiral is a growing shape.

It starts small and gets bigger, swirl by swirl.

(나선은 자라는 모양이야. 작게 시작해 점점 커져, 빙빙 소용돌이, 빙빙 소용돌이)

센 단어, 즉 파열음이 없어서 읽을 때, 입안에서 단어들의 발음이 정말로 돌돌 말린 나선이 하나하나 풀리듯 부드럽게 구르며 풀려나가는 듯한 느낌이 든다. "Swirl by swirl." 작가가 내용과 의미에 맞추어 이런 단어들을 골라 쓴 것이다.

영어에서 이런 식의 표현방식은 흔히 볼 수 있다. 예를 들어 나쁜 인간이 아주 못된 말을 내뱉을 때 거기에 따라붙는 전달동사가 달라진다. 그냥 '말했다', '소리질렀다'가 아니라 "he barked"라고 하여 개처럼 짖었다고 한다. 또한 "she snapped"(snap, 나뭇가지 등이 부러진다)라고 하여 딱 잘라서 매몰차게 말했다는 느낌을 전달하기도 한다. 뱀이 쉭쉭거리는 것은 영어로 hiss라고 하는데, 어떤 사람이 독기를 품고 위협조로 말을 할 때 'hiss'를 쓰기도 한다.

17세기 영국의 위대한 시인 존 밀턴(John Milton)의 『실낙원(Paradise Lost)』을 보면, 악마 루시퍼와 그를 따르던 타락천사들이 새카맣게 뱀처럼 변하면서 무저갱으로 떨어질 때 s-가 들어간 단어들로 계속 말을 하는 장면이 나온다. 천사들이 지옥으로 떨어져 뱀처럼 변하니 뱀 소리 같은 말을 하는 것이다. 영어가 음악성이 더 뛰어나다는 것이 이런 부분이다. 영어의 이런 느낌을 즐기는 것이 중요하다.

영어가 즐거우면 영어가 좋아지고, 영어책을 많이 읽게 되고, 영어를 많이 하게 되고, 영어를 잘하게 될 가능성이 높아진다. 영어로 글쓰기를 할 때에도 결국 소리에 신경써야 한다. 읽어보아서 리듬감이 사는 글이 잘 쓴 글이기 때문이다. 그래서 영어로 글을 쓸 때에는 주어부와 술어부의 길이가 얼마큼 균형 있게 맞는가에도 신경을 쓴다.

이 책은 자연에 대한 그림책으로 자연의 여기저기에 숨어 있는 나선형 무늬를 찾는 얘기이다. 나선형으로 감기는 파도, 우주에 퍼지는 별무늬 나선도 나온다. 내용도 좋고 끊어읽기를 연습하기에도 좋은 그림책이다.

소리내어 읽는 또 다른 방법,
리더스 시어터(Reader's Theater)

___

소리내어 읽기를 연습하는 방법 중 집에서 할 수 있는 것으로 리더스 시어터가 있다. 일종의 퍼포먼스이지만, 정식으로 연극 공연하듯이 하는 활동은 아니다. 그냥 대본 형식의 글을 느낌을 살려서 극적으로 읽는 방식이라고 생각하면 된다.

대본 형태의 텍스트를 준비하고 각자 역할을 나눈다. 여러 아이가 읽을 때는 그 아이가 읽을 부분만 형광펜으로 칠해주면 된다. 대사를 암기할 필요 없고 의상도 조명도 필요 없어서 연극이나 역할극(role play)보다 훨씬 부담이 적다.

1. 쉬운 대본으로 시작한다. 집에서 아이와 리더스 시어터를 해볼 만한 책은 뒤에서 추천하겠다.

2. 아이에게 그림책의 텍스트를 뽑아 대본을 주되, 아이가 말할 부분에는 형광펜으로 칠을 한다.

3. 아이가 대본을 조용히 읽을 시간을 준다. 이때 대본이 되는 텍스트는 아이가 이미 영어 그림책으로 여러 번 읽어서 좀 익숙한 책이 좋다.

4. 아이에게 덜 익숙한 책이라면, 좀 생소한 단어나 어려운 단어 등은 미리 소리내어 읽는 연습을 하고 자기 역할의 대사를 이해하도록 한다.

[유튜브 추천 영상] '리더스 시어터(Reader's Theater: Building Fluency and Expression)' 영상에서 실제 교실에서 하는 모습을 볼 수 있다. 'The True Story of the Three Little Pigs' 영상도 참고가 될 것이다.

리더스 시어터에 좋은 책 추천

모 윌렘스(Mo Willems)의 *That Is Not a Good Idea!*(한국 번역책 제목: 안 돼요, 안 돼!)는 집에서 리더스 시어터를 하기에 좋은 책이다. 등장인물이 대충 셋(여우, 거위, 아기 거위들)이라 엄마, 아빠, 아이 셋이 나누어 읽기가 좋다. 리더스 시어터에서 재미있게 구현할 수 있는 부분이 바로 반복 구절들이다. 마치 후렴구같이 반복되니 읽기 쉽고 읽는 재미가 더한다.

이 책은 무성영화와 같은 구성을 가지고 있는데, 표지에도 저자인 '모 윌렘스 presents(제공)'이라고 쓰여 있으며, 표지 안쪽에 보면 무성영화 시절에 출연진을 소개하는 것처럼 Players라고 등장인물을 소개한다.

여우가 길을 가다가 거위를 보고 혼잣말을 한다.

"What Luck!, Dinner!" (웬 행운이냐, 저녁거리!)

여우가 모자를 들어 인사를 하며 거위에게 같이 산책하러 가자고 하자, 거위는 "Hmm… Sure!" 그러자고 한다.

책장을 넘기면 아기 거위들이 말한다.

"That is not a good idea!" (그건 좋은 생각이 아니야!)

다시 책장을 넘기면 여우가 거위와 산책하다가 깊고 어두운 숲으로 가자고 꼬신다. 이런 형태가 반복된다. 아기 거위들은 그때마다 "That is not a good idea!"라는 말을 반복하는데, 이 말에 really를 붙이고 더 붙인다. 아이는 이 아기 거위들의 대사만 반복하면 되기 때문에, 어린아이가 참여해서 독후활동을 하기에 참 좋은 구성이다.

백워드 빌드업 드릴(Backward Build-up Drill)

위에서 소개한 그림책에서는 아기 거위들이 "That is not a good idea!"라는 말을 반복한다. 이 책의 제목이기도 하다. 리더스 시어터를 하기 전에 미리 이 문장을 연습시키는 것이 좋다. 이때 백워드 빌드업을 사용해보자.

백워드 빌드업이란 의미덩어리가 될 만한 두 단어에서 시작해서 완전한 문장이 될 때까지 단어를 덧붙여서 구문을 만들어가는 것이다. 주로 반복되는 영어 문장의 오류를 잡아줄 때 사용하지만, 아이가 소리내어 읽기 단계에서 책의 반복되는 핵심문장을 익히는 데도 사용할 수 있다.

백워드 빌드업 드릴(Backward Build-up Drill)의 예

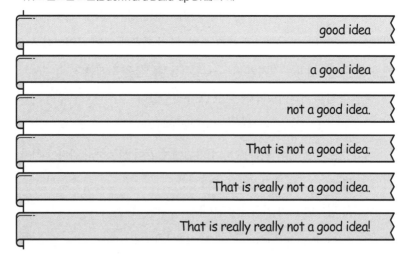

good idea

a good idea

not a good idea.

That is not a good idea.

That is really not a good idea.

That is really really not a good idea!

이 그림책에서 아기 거위는 항상 장면들의 끝에 나와 말한다. 엄마와 아빠가 여우와 거위 역할을 하고, 아이가 아기 거위의 이 말을 반복하면 된다.

집에서 리더스 시어터 놀이를 할 때는 여우, 병아리(아기 거위 머리띠 같은 것은 구하기 힘드니) 머리띠 같은 것을 쓰고 하면 더 현장감을 살릴 수 있다. 아이들과 영어를 할 때에는 '지금부터 영어를 하는 시간', 즉 모드 변경을 하는 장치가 있으면 좋다. 동물 머리띠를 쓰면 이제부터 각 잡고 영어로 말한다는 신호를 아이에게 전달해준다.

[준비하기] 쇼핑몰에서 '동물 머리띠'로 검색하면 10가지 정도로 된 세트를 구매할 수 있다. 한 세트에 8,000~11,000원 정도이다.

리더스 시어터 자료 구하기

리더스 시어터 자료는 티칭하트 사이트(www.teachingheart.net)에 접속한 다음 화면 중앙 아래에서 'Reader's Theater'를 클릭하면 구할 수 있다. '골디락스와 세 마리 곰', '세 마리 작은 돼지', '배고픈 애벌레' 등 33편의 영어 읽기 대본이 올라와 있으며 유용한 팁도 제공한다.

아이와 함께할 영어 대본을 구할 수 있는 티칭하트 홈페이지

아이가 평소에 읽는 그림책으로 하는 것도 좋다. 미리 소리내어 읽기를 해서 익숙한 책이라 좀더 편한 마음으로 영어를 즐길 수 있다.

반복 읽기로
유창성 높이는 법

———

소리내어 읽기 단계의 아이들에게 반복 읽기(repeat reading 혹은 repeated reading)
는 매우 중요하다. 유창성을 어떻게 높일 것인가에 대한 연구를 보면, 반
복 읽기를 한 아이는 조기 효과가 훨씬 좋았다. 여러 연구가 이를 뒷받침
하지만, '유창성을 높이기 위한 반복 읽기: 오래된 접근방식과 새로운 방식
('Repeated reading to enhance fluency: Old approaches and new directions', Meyer & Felton,
1999)'이 가장 인용 수가 높은 논문 중 하나이다.

다음의 그래프는 호주 멜버른대학 교육학 교수 존 해티(John Hattie)가 수
행한 메타연구(연구에 대한 연구)이다. 그는 읽기 교수법에 대한 수많은 연구들
을 조사해서 '읽기 유창성'에 대한 효과를 분석했다. 0.4부터가 읽기 교수법
이 효과가 있는 지점인데, 이를 경첩지수(hinge point, 문에 달리는 경첩으로, 여기서
부터 부정과 긍정의 효과가 나누어진다는 뜻)라 한다. 0.4보다 낮은 수치일 경우 그
읽기 교수법은 영어 읽기 유창성에 효과가 별로 없다는 것이다. 수치가 0.4
보다 높을 때 긍정적인 결과를 얻는다는 것인데, 반복 읽기는 0.7 구간 위쪽

에 자리하여 영어 읽기 유창성을 높이는 데 매우 효과적임을 알 수 있다.

영어 읽기 유창성을 높이는 법

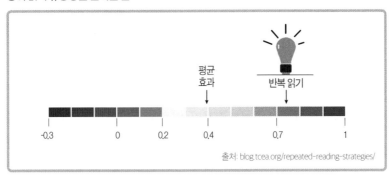

출처: blog.tcea.org/repeated-reading-strategies/

반복 읽기 일지: 읽기 속도 계산기로 반복 효과 확인

소리내어 반복 읽기를 할 때는 '반복 읽기 일지(Repeated reading log)'를 기록하는 것이 매우 중요하다.

먼저 지문을 2~3분 큰소리로 읽는다. 그리고 읽기 속도 지수인 WCPM을 측정하여 일지에 기록한다. WCPM(Words Correct Per Minute)은 단순한 읽기 속도가 아니라 1분당 '맞게' 읽은 단어의 수를 기준으로 계산한다는 것이 포인트다. 읽기 속도와 아울러 정확성까지 포함한 개념이다. WCPM 계산법은 다음과 같다.

1. 아이가 2분 55초 동안 148단어를 읽었는데, 그중에서 틀린 단어의 수가 18단어라고 하자.

2. 아이가 읽은 총 단어 수에서 '맞게' 읽은 단어의 비중을 구한 다음, 1분(60초)에 '맞게' 읽은 단어 수를 계산하면 WCPM 수치를 구할 수 있다.

$$\text{WCPM} = \frac{\text{맞게 읽은 단어 수(총 단어 수−틀린 단어 수)}}{\text{총 단어 수}} \div \frac{\text{읽는 데 걸린 시간(초)}}{60\text{초}}$$

WCPM 계산기는 인터넷에서 쉽게 찾을 수 있다. 총 단어 수, 틀린 개수, 걸린 시간과 초를 입력한 후 〈계산〉 단추를 누르면 바로 WCPM 값을 구해준다. 계산기 아카데미 사이트(www.calculator.academy)에서 메뉴 바의 '검색' 아이콘을 누른 후 'WCPM'으로 검색하면 쉽게 계산기를 이용할 수 있다.

실제 반복 읽기 일지를 보면, 읽은 구절(passage), 지문의 읽기 수준(passage reading level)을 기록하고, 각각 1회, 2회, 3회, 4회의 읽은 날짜와 WCPM 점수를 기록하고 있다. 다음 기록을 보면, 읽은 횟수가 승가할수록 WCPM이 80에서 102, 105, 110으로 올라가는 것을 볼 수 있다. 반복 읽기를 하면 읽기 속도와 정확성이 좋아진다. 아이에게 자신이 반복 읽기를 통해 영어 실력이 계속 성장하고 있음을 가시적으로 보여주는 것은 매우 중요하다. 스스로 할 수 있다고 믿는 자기 효능감(self-efficiency)이야말로 영어학습의 원동력이고 자기주도학습으로 가는 힘이 되기 때문이다.

Repeated Reading Log

Student: Kristi

Passage	Passage Reading Level	Probe 1		Probe 2		Probe 3		Probe 4		Comments
		Date	WCPM	Date	WCPM	Date	WCPM	Date	WCPM	
5th grade IRI Form A	50	1/16	80	1/17	102	1/19	105	1/20	110	Practiced several times on Run 1 Tom
5th grade IRI Form B	50	1/25	81	1/24	100	1/25	104	1/27	120	Timed reading - read 5 times 1/26
5th grade IRI Form C	50	1/30	90	10/1	102	10/3	110	10/4	115	
Basal Reader page 85	52	10/5	84	10/4	91	10/10	112	10/11	122	Practiced at home 2X every night

[특별부록: 워크시트 PDF 제공]
출처: The Fluent Reader, Timothy V. Rasinsky, Scholastic, Inc., 2003, p. 96

반복 읽기는 다양한 방식으로!

Each Peach Pear Plum(각각의 복숭아 배 자두, 글그림 Janet & Allan Ahlberg)은 케이트 그린어웨어상을 받은 작품으로 반복 읽기를 연습하기 좋은 책이다. 라임이 살아 있으며, 영국 옛날이야기에 등장하는 톰 썸(Tom Thumb), 신데렐라, 세

마리 곰 등 여러 동화나 너서리 라임에 나오는 캐릭터들이 등장한다. 삽화 속에서 숨은그림찾기처럼 캐릭터를 찾는 재미도 있다.

Each Peach Pear Plum(Picture Puffin Books), Janet & Allan Ahlberg, Viking Books for Young Readers, 1986

1. 먼저 부모가 읽어준다.

2. 부모가 두 번째로 읽어줄 때는 아이더러 그 장면에서 등장하는 인물이나 물건을 손가락으로 짚어보라고 한다. 이때 부모는 글 부분을 핑거링한다.

3. 이번에는 그림만 보면서 책 내용을 말한다.(부모가 글을 외워서 읽듯이 말해주며 이끌고, 아이도 기억나는 만큼 동참한다.) 글자는 안 보여주고 그림만 보여준다.

4. 다음에는 책장을 넘기면서 그 페이지의 등장인물 그림만 보여주면서 어디에 있는지 물어본다. "Where is Cinderella?"라고 물어보고 아이가 "Down the cellar"(지하 저장고 아래로)라고 대답하게 유도한다.

5. 이제 아이가 그림책을 소리내어 읽어본 후 각 등장인물과 주요 단어를 손가락으로 짚으며 매칭하는 연습을 한다.

6. 주요 등장인물의 이름만 있고, 주요 단어들을 가린 지문을 주고 읽게 한다. 아이가 기억에 의거해 가린 부분을 말한다. 벌써 여러 번 반복해서 읽었기에 주요 단어를 가려놓아도 아이가 말로 할 수 있다.

> 1쪽_ Tom Thumb ■ ■ ■,
> I spy ■ ■.

7. 이번에는 아이가 암송하면서 빈칸을 채우게 한다. 여러 번 반복해서 읽었기에 빈칸에 들어갈 말을 기억할 것이다.

1쪽_ Tom Thumb in the ＿＿＿＿＿＿,
      I spy Mother Hubbard.

이것을 하루에 다 하라는 것이 절대 아니다. 하루에 모두 하려 해서는 안 된다. 하루에 한 단계씩만 해서 7회 정도를 반복하는 것이 좋다.

또한 일상생활에서도 활용해보자. 아이가 이 그림책을 대충 외웠다 할 수 있는 수준이 되면, 아이가 계단 위에 있을 때 엄마가 마치 신데렐라에게 말하는 것처럼 "Cinderella on the stairs"라고 하며 영어로 반응하도록 유도한다. 이처럼 일상생활에서도 읽은 내용을 활용하며 계속 반복해주면 좋다.

반복 읽기 추천 책

Brown Bear, Brown Bear, What Do You See?(갈색 곰아, 갈색 곰아, 뭐가 보이니?)

빌 마틴 주니어(Bill Martin Jr.)가 글을 쓰고, 색의 마술사로 불리는 에릭 칼(Eric Carle)이 그림을 그린 책으로 반복 읽기 연습에 좋다. 우리나라 부모들에게도 널리 알려져 있는 책이다. 이 텍스트도 7, 8번씩 반복해서 읽을 수 있다. 먼저 동물과 동물을 매칭하는 활동을 하고, 동물 이름만 까맣게 칠해 가리고 읽고, 그다음에는 색깔 이름만 까맣게 지워 가리고 반복 읽기를 재미있게 즐겨볼 수 있다.

Llama Llama Red Pajama(라마 라마 레드 파자마)

한국 사람들은 pajama를 '파자마~'라고 발음하지만, [ə] 같은 약모음은 발음을 안 해도 되어서 '프-자마[pdʒɑ́:mə]'이다.

Llama llama / red pajama / reads a story / with his mama.

이렇게 매 페이지의 운율이 잘 맞아서 리듬을 타듯 읽는 맛이 있다. 빨

간 파자마를 입고 잠자리에 든 아기 라마, 엄마가 잠
자리 뽀뽀를 해주고 아래층으로 내려갔는데, 혼자 있
으니 너무 외롭다. 라마는 아래층에 대고 소리친다.
"엄마~." 1층의 싱크대에서 설거지를 하던 엄마가 2
층에다 대고 소리친다. "곧 갈게~." 부드럽고 온화하
며 표정이 풍부한 그림체가 눈길을 잡는데다가, 운율
감이 뛰어나고 아이의 심리를 너무 잘 보여주고 있어
서 아이와 함께 읽는 맛이 좋은 책이다.

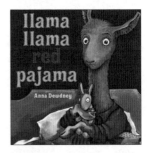

Llama Llama Red Pajama, Anna
Dewdney, Viking Books for Young
Readers, 2015

Giraffes Can't Dance(기린은 춤을 못 춰)

Giraffes Can't Dance(글 Giles Andreae, 그림 Guy Parker-Rees)는 한국에서도 많이
추천되는 책이라서 원서를 구하기 쉽다. 이 책도 텍스트가 4줄로 씌어 있어
서 리듬감이 딱딱 맞는다.

영어 동시는 4행시가 많다. 4줄이 하나의 각운이 있는 시구를 이루는 것
을 '4행시(Quartrain)'라고 하는데, 좀 시적이라고 생각되는 영어 그림책에도
이 4행시 구조가 무척 많다. 다음은 이 그림책의 구절이다.

The coolness of the night / **Refreshes my skin.** /

The stars shine so bright, / **Causing me to grin.**

네 구절이 a−b−a−b 라임 유형으로 이루어져 있다. 이 책은 a−b−a−b,
a−a−b−b, a−b−c−b의 3가지 라임 유형을 쓰고 있다. 반면 앞에서 소개한
llama Llama Red Pajama(라마 라마 레드 파자마) 책은 a−a−b−b 라임 유형으로
씌어 있다. 음악성이 뛰어나고 라임이 잘 맞는다 싶은 영어 그림책들을 보
면 다 시처럼 써놓았다. 영어 그림책을 고를 때 4줄 구성에 라임이 좋다고
생각하면 집어들어 살펴볼 필요가 있다.

유창한 읽기를 위한
다독(Extensive Reading) 기술

★★★

06
Part

유창한 묵독(Silent Reading)을 위한
7가지 기술

앞에서 말했듯, 묵독으로 가기 위해서는 결국 소리가 없어져야 하는데, 이를 위해서는 소리내어 읽기 훈련이 매우 중요하다. 그런데 우리는 중고등학교 과정에서 영어 소리내어 읽기를 거의 하지 않는다. 대학생들도 해본 적이 없으니 잘 못한다. 따라서 초등학교 과정에서 아이들한테 영어 소리내어 읽기를 계속 시키는 것이 매우 중요하고, 이후 교육과정에서 영어 소리내어 읽기를 포함시키는 것이 좋지 않을까 싶다.

묵독으로 가려면

묵독으로 가기 위해서는 다음의 7가지 단계를 거쳐야 한다. 묵독을 본격적으로 시작할 때부터 고급 단계로 넘어가기까지 필요한 다양한 기술을 알아보자.

먼저, 묵독으로 가기 위해서는 단어 인식 기술이 필요하다. 이것은 디코딩(decoding 문자해독)과 관계가 깊다.

둘째, 어휘량이 많아야 한다. 묵독을 하려면 많은 어휘를 인지하는 능력이 바탕으로 깔려 있어야 한다.

셋째, 텍스트 이해력이 높아야 한다. 그러려면 텍스트 이해와 관련된 여러 기술들을 알아야 한다. 예를 들면 스캐닝(scanning), 스키핑(skipping)과 같은 읽기 전략들이 여기에 포함된다.

> ### 묵독으로 가는 7가지 단계
>
> 1. 단어 인식(decoding) 능력
> 2. 풍부한 어휘력
> 3. 텍스트 이해력
> 4. 담화구조를 파악하는 능력
> 5. 전략적 독서 능력
> 6. 읽기 유창성
> 7. 다독 능력 개발

넷째, 이 단계부터가 쉽지 않은데, 담화구조를 파악할 줄 알아야 한다. 쉽게 얘기하면, 어떤 이야기가 시작되면 갈등이 등장하고 클라이맥스에 이르렀다가 갈등이 해결되는 등의 이야기 구조를 파악하는 능력이 있어야 한다. 그래서 아이가 글자 배우기 전부터 서술(narrative) 능력을 키워주는 것이 매우 중요하다. 가장 기본적인 담화구조는 옛날이야기 구조부터 시작해서 좀더 복잡한 담화구조로 발전해간다.

다섯째, 전략적 독서(strategic reading)란 읽기에 대한 전략들을 세워야 한다는 것이다. 몇 권의 책을 읽을지, 어떤 장르의 책을 읽을지 계획을 세우는 것이 중요하고, 또 읽은 후에는 어떻게 기록을 하고, 누구와 어떻게 이야기를 나눌 것인지 등이 필요하다.

여섯째, 유창성(fluency)을 연습해야 한다. 앞에서 말한 의미덩어리로 끊어읽기를 통해 '영어 읽기 자동화'를 하는 과정을 말한다.

마지막으로 다독을 해야 한다.

이제부터 유창한 묵독으로 가는 7단계에 대해 좀더 자세하게 들여다보고, 각 단계에 필요한 기술을 연습하는 방법도 살펴보겠다.

단어 인식(Decoding)
능력 높이는 법

—

단어 인식 기술이란 단어를 식별하여 읽고 그 의미를 알아내는 능력을 말한다. 단어 인식 기술은 두 단계가 있는데, 하나는 인쇄된 시각부호를 인식하고 발음하는 단계이다. (어린아이들일수록) 무조건 발음부터 한다. 다음은 그 부호와 연관된 의미를 아는 단계이다. 즉, 단어 인식은 소리, 패턴(문자 부호), 그리고 의미를 익히는 순서로 진행된다. 내가 소릿값을 이미 알고 있는 상태에서 패턴을 인식하고, 그런 다음에 의미를 알게 되는 것이다. 단어 인식 기술을 계속 키워야 영어 읽기가 자동화되면서 수월해진다. 그렇다면 영어 단어 인식 기술을 어떻게 높일 수 있을까?

워드 패밀리 드릴

이미 파닉스를 어느 정도 뗀 아이의 영어 단어 인식 기술을 높여주고 싶으면 앞에서도 소개한 워드 패밀리 드릴(word family drill)을 해주는 것이 좋다. 이것은 파닉스 교정 교수(remedial action) 효과도 있다.

워드 패밀리 드릴은 −at 패밀리, −an 패밀리, −one 패밀리, −in 패밀리 식으로 나온다. −at 패밀리라면 bat/cat/fat/hat/rat 등, −an 패밀리라면 ban/can/fan/lan/tan 같은 리스트를 소리내어 읽는 연습을 한다.

워드 패밀리 드릴을 읽는 연습을 몇 번 하면 파닉스도 교정되지만, 동시에 단어를 보고 인식하는 능력도 높아진다. 그래서 워드 패밀리 드릴 연습이 매우 중요한 것이다.

at family	an family	one family	in family
bat	ban	bone	bin
cat	can	cone	fin
fat	fan	gone	pin
hat	lan	tone	sin
rat	tan	done	win

[특별부록: 워크시트 PDF 제공] 저자가 직접 만든 '워드 패밀리 연습'을 PDF 파일로 제공하니 다운받아 사용하기 바란다.

가짜 단어(Non-word) 연습을 시키는 이유

성인도 책을 읽을 때 모든 단어를 알고 읽는 것이 아니다. 그 단어를 몰라도 문맥으로 대충 뜻이 무엇인지 짐작할 수 있어서 그렇기도 하다. 하지만 무슨 뜻인지 통 모르겠고 꼭 알아야겠다 싶으면 사전을 찾아보기도 한다.

아이들은 책을 읽다가 모르는 단어를 어른들보다 더 자주 만나게 된다. 영어의 경우, 처음에는 그 낯선 단어를 소리내어 읽을 수 있는 것이 중요하다. 아이들은 소리를 알아야 그다음에 의미를 인식하기 때문이다. 따라서 아이가 brust 같은 Non-word(가짜 단어)를 보고 '앞의 br은 **br**own이나 **br**ick의 [br], 뒤의 -ust는 j**ust**, m**ust**의 [ʌst] 발음을 떠올려 [brʌst]라고 읽는 모습을 보이면, 이 아이는 단어를 인식할 능력이 있다는 것을 알 수 있다. 이게 Non-word 연습을 시키는 이유이기도 하다.

그런데 아이가 그림책의 글자를 보고 읽는 것이 아니라, 엄마가 수십 번 읽어준 그림책을 그냥 외워서 읽는 경우가 있다. 특히 반복되는 구절은 외워서 곧잘 읽는 것처럼 부모가 착각할 수 있다. 이런 경우 "손가락으로 짚으면서 읽어봐"라고 하는 것이 좋다. 또한 아이가 외우고 있는 것인지, 글자를 읽고 있는 것인지가 헷갈릴 때는 그림책에서 텍스트만 들어내서 다른 그림에다 얹거나 그림 없이 보여주며, 아이가 정말로 읽을 수 있는지를 반드시 확인해야 한다. 그래야 아이의 주의가 문자로 간다.

아이가 새로운 단어를 만났을 때

새로운 영어 단어를 의미까지 배우는 방법은 크게 두 가지가 있다.

하나는 '반복해서 보고 말하는 방법(look-and-say method)'이다. 이것은 총체적 언어교수법에서 나온 것으로 'sight method'라고도 한다. 자꾸 보고 소리내어 읽으며 뜻까지 외우는 방법이다.

또 다른 방법은 '워드 파트(word parts)'를 이용한 학습법'이다. 새로운 단어를 접하게 되면 그 단어를 구성하는 부분들을 보고 의미를 헤아려보는 것이다. 예를 들어 representation이라는 단어는 앞의 re-는 '다시'라는 뜻을 가진 접두사이고, present는 무언가를 '선사하다, 선보이다'라는 의미를 가진 어근(root)이고, -tion은 명사형으로 만들어주는 접미사다. 이를 통해 representation이라는 단어가 가진 의미를 헤아려볼 수 있다.

사실 영어 단어는 쉬운 단어가 어렵고, 오히려 어려운 단어가 쉽다. 영어 단어에서 가장 어려운 단어가 뭘까? 나는 영어에서 가장 어려운 단어는 get 동사라고 생각한다. 매우 쉬운 단어라고 생각하지만 의미가 너무 많기 때문이다. get은 become의 뜻으로도 쓰이고, '얻다'라는 뜻으로도 쓰이며,

'시키다'라는 뜻으로도 쓰인다. "We are gonna get you"라고 하면, 우리가 널 얻을 거야, 우리가 널 잡을 거야라는 뜻뿐만 아니라 너를 죽이겠다는 뜻도 된다. get의 뜻만 정리해도 A4 용지로 몇 장이 나온다. 그러다 보니 영어 그림책에서 get이 들어간 구절의 의미를 두고 설왕설래하는 경우가 많다.

반면, 라틴어나 그리스어에서 온 영어 단어들은 뜻이 여러 개가 아니고, 접두사와 어근으로 나눌 수 있어서 뜻을 쉽게 맞출 수 있고, 연상을 이용해서 외우는 것도 무척 쉽다.

새로운 단어를 워드 파트 학습법으로 익히는 것은 고급자 수준에서 가능한 기술로, 미국의 경우 초등 5~6학년 정도가 되면 이 방법으로 어휘 학습을 시작한다. 외국어로 영어를 배우는 우리도 빨라야 초등 5~6학년에 할 수 있다는 이야기이다.

새로운 단어를 배우는 또 다른 방법으로 '문맥(context)으로 미루어 단어의 뜻을 짐작하는 방법'도 있다. 하지만 이 방법은 무시무시한(?) 전제가 깔려야 성공이 보장되는 방법이다. 이는 주로 원어민의 읽기에서 가능하다. 키스 폴스(Keith S. Folse)의 *Vocabulary Myth*(어휘 신화)라는 책에 따르면, 문맥상의 암시(contextual clue)를 이용해 모르는 단어의 뜻을 알아내는 것은, 그 지문에서 모르는 단어의 수가 아주 적을 때에만 성공률이 올라간다. 다시 말해 원어민들이 지문을 줄줄 읽다가 어쩌다 모르는 단어가 하나 나올 경우 문맥을 보고 그 단어의 뜻을 맞출 수 있는 것이지, 잘 못 읽는 독자, 그래서 모르는 단어가 많은 독자의 경우 문맥에 아무리 의지해도 그 단어의 뜻을 맞추는 경우는 26%에 불과하다고 한다. 즉, 문맥에서 단어의 뜻을 미루어 짐작하는 것은 원어민 리딩이라고 해서 98%의 단어를 알고 2%의 단어를 모를 때에만 효과가 있다. 이는 세계적인 어휘 연구의 대가 폴 네이션(Paul Nation)이 제시한 수치이다.

문맥에 대한 의존도는 영어를 잘 못 읽는 초보 읽기 학습자가 더 높긴 하지만, 이들은 문맥으로 미루어 단어의 뜻을 추측했을 때 성공률이 매우 낮다. 그래서 책을 어느 정도 읽을 수 있지 않으면 문맥으로 미루어 단어의 뜻을 짐작하는 것은 효과가 없다. 특히 어린이 그림책은 글밥이 적어서 글로 된 문맥이라는 것이 거의 없다. 이런 책들은 '문맥'이라고 하는 것이 글이 아니라 그림에 있다.

그래서 어린아이들이 새로운 단어를 익힐 때는 반복 읽기를 통해서 처음에 소리내어 읽으며 발음을 해보고, 그다음에 읽으면서 감정을 싣고, 그림을 보고 제스처를 해보면서 의미를 파악해보고, 그래도 아이가 모르겠다면 한국말로 알려주는 것이 가장 좋은 방법이다. 새 단어를 익히는 또 다른 방법으로 '헐거운 주제 단위에 담아서 주기'도 있는데, 이는 뒤에서 다루겠다.

풍부한 어휘력 1:
잘못된 한국의 영어 어휘 학습

—

읽기 유창성은 언제 생길까? 세계적인 어휘 연구의 대가 폴 네이션에 따르면, 지문에서 98%에서 99%의 단어를 알 때 비로소 유창하게 읽을 수 있다고 한다. 더 무서운 것은 주어진 지문이 10,000~15,000단어일 때는 인식하는 단어가 95%일 때 유창성이 생기고, 40,000단어 이상의 지문을 읽을 때는 98~99%의 단어를 알고 읽어야 유창성이 생긴다고 한다.

우리가 한국어로 된 책이나 기사를 읽다가 모르는 단어가 하나 나온다고 사전을 찾아보지는 않는다. 굳이 그 단어를 찾아보지 않아도 문맥으로 미루어 짐작되기 때문이다. 그런데 이것은 그 지문에서 98%의 단어를 알 때에만 가능한 경지이다. 이것을 '원어민 리딩의 경지'라고 한다. 글을 줄줄 읽는 유창성은 이때 비로소 생긴다. 이것은 처음에 단어 인식(decoding)이 어느 정도 되면, 그다음에 어휘를 늘리는 것이 매우 중요하다는 것을 보여준다.

어휘지식의 넓이(Size)와 깊이(Depth)

어휘지식(vocabualry knowledge)의 넓이(size)에 대한 연구는 쉽게 말해, '어휘를 몇 개나 알아야 이 정도의 업무를(혹은 학업을) 할 수 있는가'에 대한 연구이다.

가장 자주 사용되는 2,000단어를 '퍼스트 밴드(first band)'라고 하는데, 이 단어들을 알면 일상대화를 무리 없이 할 수 있다고 한다. 즉, 이 정도를 알면 구어체 영어의 83% 정도의 말을 다 할 수 있다. 2,000단어밖에 안 된다고 생각하면 큰코다친다. 이 2,000단어가 모두 표제어(headword)이기 때문이다. 예를 들면 go는 과거형 went, 과거분사형 gone, 현재진행형 going 등의 표제어다. 굴절형과 파생어를 모두 포함해서 하나의 표제어로 셈을 해서 2,000단어를 말하는 것이기 때문에, 실제 알아야 하는 단어는 이보다 몇 배더 많다. 연구에 의하면, 성인들은 어휘를 10,000단어에서 12,000단어 정도를 알아야 제대로 문해력을 가지고 생활할 수 있다고 한다.

우리나라 교육부에서는 초중고 영어 어휘를 2,300개 정도 지정한다. 그런데 교과서 집필 시 집필 원칙은 75%를 이 단어들에서 쓰고, 나머지 25%는 쓰는 이의 재량인데다 영어 교과서 종류가 10종이 넘으니, 실제로 교과서에 나오는 영어 어휘는 2,300개보다 훨씬 많다.

어휘지식의 깊이(depth)에 대한 연구는 쉽게 말하면 '하나의 단어를 어디까지 아느냐'에 대한 연구이다. 뜻, 품사, 파생어, 굴절형, 용법, 문법, 유사어, 반의어, 뉘앙스, 그리고 맥락에 맞게 언어를 적절히 사용하는 화용론적 용법까지 아는지 연구한다(한국어에서 윗사람과 대화할 때 '나' 대신 '저'라고 하는 것이 화용론적 용법의 대표적인 예이다).

어휘지식의 크기와 깊이는 정비례한다. 즉, 어휘를 많이 아는 아이가 어휘지식도 깊다. 둘이 골고루 발달해 일정수준 이상이 되면 드디어 유창성에 도달하게 된다.

그런데 한국 아이들의 어휘지식은 크기와 깊이가 정비례한다고 할 수 없다. 왜냐하면 한국의 영어 어휘 학습법은 잘못되어 있기 때문이다.

우리는 영어 단어를 익힐 때, 보통 영어 단어를 쓰고, 뜻을 한국어로 한두 개 단 다음 품사 표시 정도까지 하고 끝낸다. 그리고 하루에 20~30개씩 외우게 한다. 이렇게 하면 **어휘지식의 크기는 기형적으로 늘릴 수 있지만, 어휘지식의 깊이는 턱없이 부족한 상태가 된다.** 어휘 공부를 이런 식으로 하기 때문에, 영어가 수용적 지식(receptive knowledge) 상태에만 머물러 독해시험 등은 어느 정도 성적이 나와도, 표현적 지식(production knowledge)으로 발전하지 못하기 때문에 말하기와 글쓰기가 안 되는 불균형을 보이게 된다.

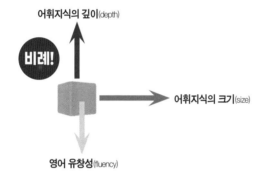

어휘뿐 아니라 인간의 모든 지식에는 층위가 있다. 나에게 들어온 지식은 한동안 수용적 지식으로 쌓이며 점점 늘어나고 연결되다가, 일정수준을 넘어가면 표현적 지식으로 나와야 한다. 물론 수용적 지식과 표현적 지식의 사이에는 항상 갭이 있다. 영어 지문에서 보고 무슨 뜻인지 아는 단어는 얕은 지식이다. "나는 이 단어를 말이나 글에서 쓸 수 있어"라고 해야 어휘지식이 깊어진 것이다. 그런데 **한국은 영어 어휘지식의 크기만 늘려놓았다. 그러니까 영어로 말하기와 글쓰기가 잘 안 되는 것이다. 간단히 말하자면, 내가 나의 말로 표현할 수 없는 지식은 진짜 나의 지식이 아니다.**

풍부한 어휘력 2: 헐거운 주제에 의한 방식

"1시간 동안 영어 단어를 모두 외워. 20개 이상 맞춰야 집으로 가는 학원버스를 탈 수 있어." 이런 식으로 아이들에게 매일 영어 단어를 외우게 하는 학원이 있다고 들었다. 초등 2학년들을 이렇게 학원버스에 안 태워주고 남기는 것은 아동학대가 아닐까 하는 생각도 들지만, 일단 그 문제는 차치하고 학습의 효과라는 면에서 이런 접근법에 대해 나는 근본적인 의문이 든다.

아이가 그날치 영어 단어를 다 외웠다고 해도 일주일, 한 달 후에 몇 개나 기억에 남아 있을까? 몇 개 남아 있는 그 단어가 바로 장기기억으로 들어간 단어들이고, 학습이란 장기기억으로 들어가는 게 아닌가. 학원에서 강의하는 분들한테 **"아이들한테 이렇게 해봤자 남아 있는 게 다섯 단어나 될까 모르겠는데 왜 자꾸 그 방법을 쓰세요?"**라고 물어본 적이 있는데, "그러면 잊어버린 나머지 15개를 또 반복시키면 돼요"라고 했다. 와, 이렇게 괴로운 방법으로, 또 이렇게 비효율적인 방법으로 학습을 해야 하나 싶다. 왜 어떤 한국 사람들은 학습을 이렇게 고통스럽게 해야 제대로 한 것으로 생각하는 것일까?

아이가 그 1시간 동안 단어들을 외운 기억을 '작업기억'이라고 한다. 작업기억은 단기기억과 비슷한 말인데, 단기기억은 훈련을 해서 암기를 효과적으로 할 수 있는 부분도 분명히 있지만, 결정적인 문제는 그 용량이 한계가 있어서 아무리 훈련해도 더 이상 안 늘어난다는 것이다. 그런데 **왜 매일 아이에게 작업기억만 훈련시키고 있는가? 그것은 학습이 아니다. 일주일 후에도 기억하고 있어야 진정한 의미에서 학습이 된 것이다.** 어휘력을 키우는 좀더 나은 방법은 없을까?

아이에게 "요일에 대해서 알아볼까?" 하고, 하루에 Monday, Tuesday, Wednesday… 요일 7개를 다 외우자고 하면 안 된다. 하루에 요일을 한두 개씩 여러 날에 걸쳐서 제시하고, 좀 지난 다음에 7개 요일을 한번에 정리하는 활동을 통해 확인해주어야 한다. 아이들의 경우 Tuesday와 Thursday를 헷갈려 하고, Wednesday 같은 경우 철자를 어려워하기 마련이다. 이렇게 인지적으로 부담을 주는 영어 단어 두 개를 동시에 제시하는 것은 좋은 방법이 아니다.

실제 영어 수업에서는 보통 이런 식으로 어휘를 제시한다. 오늘은 얼굴(face)에 대해 알아본다면서 hair, eyes, eyebrows, nose, mouth, chin, ears, lips 등의 단어를 모두 뽑아서 가르치는 방식이 있는데, 이렇게 구성된 어휘 교재들도 시중에 꽤 있다. 의미론(semantics) 단위로 어휘를 뽑아 가르치는 방법인데, 이것은 가르치는 사람에게 편한 방법이다.

좀더 어려운 방법으로는 형태소(morpheme)를 기준으로 단어를 제시하고 학습하게 하는 방법이 있다. 예를 들어 '빛나다'라는 뜻의 접두사 gl-이 들어가는 glow(빛나다), glitter(반짝거리다), glim(흐릿하다), glisten(반짝이다), glimmer(희미하게 깜박이다) 같은 동사를 한번에 뽑아 외우는 방식이다. 하지만 이것은 높은 수준의 학습자에게 효과적인 학습방법이다. 초급과 중급 학습자들에게는 너무도 헷갈리는 방식이기 때문이다. 이처럼 형태소 단위로 엄청나게 많은 단어를 묶어서 제시한 어휘 교재도 있긴 하다.

이 두 가지 방식보다 더 좋은 방법은 **헐거운 주제에 의한 어휘 제시법**(loose thematic method)이다.

나는 여행을 가고 싶어, travel. 먼저 비행기 티켓을 예매해야겠지, booking. 그러려면 travel agency에 전화를 해서 travel agent한테 어디로 여행을 가고 싶다고 여행 목적지 travel destination을 정해 알려주어야겠지. 그런데 나는 태양이 비치는 곳, sun destination이 좋아.

이렇게 이야기 안에 영어 단어를 엮어 넣어서 제시하면 학습자는 별 수고를 하지 않고(의사소통식 교수법에서 자주 등장하는 표현이지만 effortlessly, 즉 노력하지 않고 쉽게) 이 단어들을 장기기억 안으로 넣을 수가 있다. 이 어휘 제시법이 가장 효과적인 방법이다.

다음은 '헐거운 주제에 의한 어휘 제시법'으로 직접 써본 초등 영어 단어장이다. 초등 3~4학년용 필수어휘 400개를 4컷 만화 60개에 담아 어휘를 제시했다.

『읽기만 해도 저절로 외워지는 초등 영단어』(1,2권), 조이스 박, 김지원(ILT), 미래스쿨, 2022년

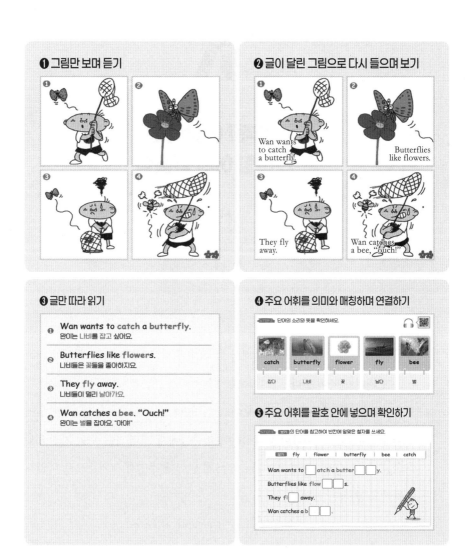

(1) 그림만 보며 듣고, (2) 글이 달린 그림으로 다시 들으며 보고, (3) 그림이

없이 글만 따라 읽고, (4) 주요 어휘를 의미와 매칭하며 연결하고, (5) 주요

어휘를 괄호 안에 넣으며 확인하기, 이런 순서로 과정을 따라하다보면 단어

가 외워지게끔 구성해본 책이다.

풍부한 어휘력 3:
나선형 어휘 학습법

어휘력을 키우고 싶다면 반복해서 그 어휘를 다른 맥락, 다른 측면의 지식을 보태며 만나야 한다.

세계적인 어휘학자 셰릴 보이드 짐머만(Cheryl Boyd Zimmerman)이 우리나라에서 열린 국제학회에 참석하여 청중들에게 '크다'라는 뜻을 가진 big, large, huge, gigantic, enormous의 5개 단어를 주면서 크기순으로 나열해 보라고 한 적이 있다.

big < large < huge < gigantic < enormous

참석자들은 박사급이나 박사과정 이상의 고급 학습자들이라서 다들 순서를 맞추었다. 어디에도 어느 단어가 다른 단어보다 크다고 나와 있지 않으나, 수십 명의 박사급 참석자들이 내놓은 순서는 모두 똑같았다. 짐머만 교수는 어휘지식이 이 정도 수준이 된다면, 읽기 등을 통해 그 단어들을 최소한 2,000~3,000번은 본 것이라고 했다.

어휘의 깊이(depth) 중에서 뉘앙스 정도를 구별할 수준이 되면 고급 학습자라고 할 수 있다. 예를 들면 '날씬한'이라는 뜻은 같지만, slim은 '날씬하네~' 하는 긍정적인 뉘앙스가 있고, lean은 긍정적인 뉘앙스이긴 하지만 몸에 지방질이 없고 근육질만 있는 남자들의 몸을 보며 주로 쓰는 표현이고, skinny는 보기 흉할 정도로 깡마른 것, bonny는 말라서 뼈만 남은 부정적 뉘앙스이다. 이런 함축된 의미를 코노테이션(connotation)이라고 하고, 이 단어들이 공통적으로 지닌 명목상의 의미는 디노테이션(denotation)이라고 하는데, 이러한 함축된 의미까지 다 알아서 쓰려면 이 단어들을 책 등에서 수천 번 이상 만나야 한다.

항상 학습은 나선을 그리면서 올라간다. 짐머만 교수가 어휘 컨설턴트로 집필에 참여한 옥스포드사의 'Q 스킬스(Q Skills)' 시리즈를 보면, 어휘 학습의 힌트를 얻을 수 있다. 이 책은 주요 어휘를 매번 다른 방식으로 만나게 만든다. 1과에서는 특정 단어의 뜻을 제시하고, 2과에서는 그 단어의 품사를 구별하는 연습문제가 나오고, 3과에서는 비슷한 말과 연결짓기가 등장하는가 하면, 4과에서는 파생어를 찾아 빈칸을 채우게 하고, 5과에서는 비슷한 단어들이 의미가 어떻게 다른지 구별해보라고 요청한다. 주요 어휘들

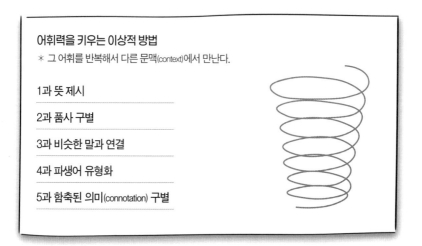

어휘력을 키우는 이상적 방법
* 그 어휘를 반복해서 다른 문맥(context)에서 만난다.

1과 뜻 제시

2과 품사 구별

3과 비슷한 말과 연결

4과 파생어 유형화

5과 함축된 의미(connotation) 구별

을 이렇게 책 한 권 전체에 걸쳐서 여러 번 다른 방식으로 만나게 여러 가지 장치를 만들어놓았다. 이런 것이 바로 교수법이다.

교사 연수를 할 때 익히 수업시간에 많이 쓰는 교재들을 나누어주고, "자, 이 부분, 이 부분을 한번 찾아보세요!"라고 요청하면, 비로소 수십 번도 더 본 그 교재의 이런 장치들이 보이는지 감탄하는 교강사 분들을 볼 수 있다. 교재를 이런 식으로 보게 되면 교수법이 교재 안에서 어떻게 구현되어 있는지, 드디어 눈이 트여서 보이는 기쁨을 누릴 수 있다.

인간의 어휘지식도 나선형으로 올라간다. 예를 들어 rise라는 단어라면, 처음에는 '오르다'라는 동사로서의 뜻을 알고, 다시 돌아와 다른 품사인 명사 rise(인상)로 만나고, 그다음에는 rises(3인칭 단수현재)/rising(현재진행형)/rose(과거형)/risen(과거분사형) 같은 파생어들로 만나고, 또다시 돌아와서 ascent, climb 같은 비슷한 단어를 알게 되는 식, 즉 rise를 다시 만나되 빙 돌아서 좀더 높은 지식을 보태며 만나는, 어휘지식은 이렇게 나선형으로 발전해간다.

영어 텍스트 이해력 키우기

수능 문제는 맞추는데, 왜 텍스트 이해력이 떨어질까?

대학의 교양영어 수업시간에 보면, 학생들이 수능 영어 지문을 수천 개를 풀어봐서 답을 찍는 법을 안다. 영어 텍스트는 주로 맨 앞에 중심내용(main idea)이 있다는 것을 알기에, 수능 영어와 유사한 유형의 지문과 문제를 주면 3분의 2 정도는 얼추 답을 맞춘다. 그런데 학생들을 불러서 읽은 내용이 무엇인지 한국말로 요약해보라고 하면 절반 정도가 무슨 내용인지 모르는 경향이 있다. 지문의 내용에 대한 이해가 없는 상태에서 답을 찍은 것이다. 영어 텍스트 이해력을 키우려면 우선 기초문법과 주요 아이디어(main idea)에 대한 이해가 필요하다.

기초문법에 대한 이해

학습자가 어릴수록 명시적으로(드러내놓고 문법용어를 써가며) 문법을 가르치지는 않는다. 문법요소를 전혀 안 가르치는 것은 아니지만 명사, 목적어와 같은 방식으로 문법용어를 써가며 가르치지 않는다. 사실 어휘를 잘 학습하면 그 안에 문법요소가 다 포함되어 있기도 하다. 특히 어린아이들일수록 문법을 명시적으로 배울 필요는 없다. 우리나라에서는 중학교 내신시험에 문법이 나와서 보통 초등 6학년 정도에 문법을 한번 각 잡고 학습하고 중학교에 진학하는 경향이 있다.

그보다 이른 시기에 문법을 꼭 학습시켜야겠다는 생각이 들면, 영국 DK사의 문법개념을 가르쳐주는 그림책 *Grammar and Punctuation*(문법 및 구두점) 같은 책으로 한번 정리해주는 것은 괜찮다. 그것도 초등 3~4학년 이상이 하는 것이 좋다. 그렇지 않고 아이들한테 일반 문법책 같은 것으로 접근하면 무척 힘들어한다(문법은 메타언어라서 아이들의 인지에 버겁다).

주요 아이디어(Main Idea) 파악 능력 기르기

영어 지문을 읽은 다음에 주요 아이디어를 이해하는 것은 매우 중요하다. 우리는 아이가 책을 읽은 다음 '네가 얼마만큼 읽었는지 보겠다'는 식의 독해문제로 평가를 하려고 든다. 그것이 아니라 아이가 책을 읽고난 후 독후활동을 통해 '내가 읽을 때 중점을 두어야 하는 것이 이것이었구나' 하며 깨닫게 유도하는 방법이 좋다.

주요 아이디어를 쓰게 할 때, 다음과 같은 워크시트를 주면 아이들이 생각을 정리하는 데 크게 도움이 된다. 그냥 백지를 주고 쓰라고 할 때보다 효과가 훨씬 더 좋다. 이런 시각적 도구들을 '그래픽 오거나이저(graphic organizer)'라고 하는데, 구글에서 "main idea graphic organizer"(반드시 쌍따옴표 안에 넣어 친다. 구글 검색 기술 중 하나)를 이미지 검색하면 굉장히 많은 그래픽 오거나이저를 수준별로 찾아서 쓸 수 있다.

1. 아이들이 글을 읽은 다음에 주요 아이디어를 써보게 한다. 처음에는 세

부사항(details)은 안 써도 된다. 아이가 꽤 어릴 경우에는 '주요 아이디어' 란에 가장 중요한 장면을 그리라고 하고, 그 밑에 간단한 단어 몇 개를 쓰게 한다. 그러면 아이가 등장인물의 이름이나 '누구와 싸웠다'와 같은 주요 장면에서 나온 단어 등을 댈 수 있다. 아이가 말하는 단어를 넣어 엄마가 문장으로 써주어도 된다.

2. 이 경우 아이는 그림과 함께 자기가 말하거나 쓴 단어를 보게 되고, 나중 에는 엄마가 그 단어들로 문장을 만든 것도 보게 된다. 이렇게 하면 또 학습이 일어난다.

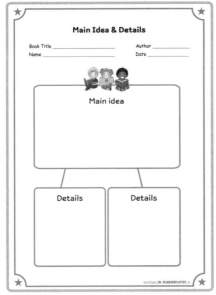

[특별부록: 워크시트 PDF 제공]

주요 아이디어(Main Idea)와 세부사항(Details) 구분해 쓰기

좀더 큰 아이라면 이야기를 읽은 다음, 주요 아이디어와 세부사항을 구분하 게 한다. 이때도 대뜸 주요 아이디어와 세부사항을 쓰라고 하면 아이가 힘 들어할 수 있으니 그래픽 오거나이저를 이용해 이렇게 해보면 좋다.

1. 처음에는 이야기 중에서 메인 아이디어를 찾아서 베껴 써보라고 한다.

2. 세부사항에 해당되는 것은 아예 다른 색깔로 쓰게 한다.

3. 그다음은 이것들을 바탕으로 요약하는(summarize) 단계이다. 요약은 굉장히 고급 단계의 사고력이 요구되므로 처음부터 요약하라고 하지 않는 것이 좋다. 요약 능력을 키우는 방법은 뒤에서 다룬다.

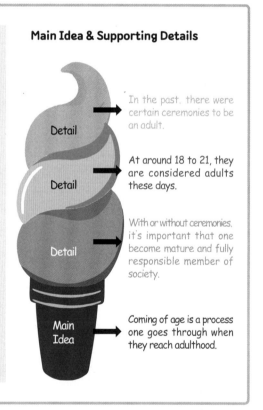

Coming of age is a natural part of reaching adulthood these days when you get proof of age showing you can drive or drink alcohol. In the past, coming of age largely involved ceremonies, rites of passages when one entered adulthood to be accepted as a full member of society. A person sometimes had to jump off a cliff, hunt a large predator or survive in a jungle or a desert alone for several days.

These ordeals are sometimes called initiations, through which they can become fully qualified for their stance in the society and take full responsibility for their deeds afterwards. In a sense, they used to enter adulthood at earlier ages than now. Now teenagers are usually considered minors until they are 18 to 21, sometimes going free and wild without any sense of responsibility, not to mention of economic independence.

One example of coming-of-age initiations still practiced today is the Jewish 'bar mitzvah,' in which thirteen-years-olds (twelve for girls in some groups) are called to read the Torah (Jewish Holy Scripts) at a service.

With or without coming of age rites of passage events, it is not easy to be initiated into mature, fully responsible and independent adulthood. Depending on the culture, an initiation changes the topographies of a person's life, providing the arena in which the person can test their potential.

Main Idea & Supporting Details

Detail — In the past, there were certain ceremonies to be an adult.

Detail — At around 18 to 21, they are considered adults these days.

Detail — With or without ceremonies, it's important that one become mature and fully responsible member of society.

Main Idea — Coming of age is a process one goes through when they reach adulthood.

담화구조(Discourse Structure) 파악
능력 키우기

—

담화구조를 파악하는 능력을 키우려면, 처음에는 사건 중심의 책이나 지문을 읽고 이야기 속의 순서를 잡는 연습을 하는 것이 좋다(이 유형의 과업을 sequencing이라고 한다). 아이들 책은 이야기가 주로 사건이 일어나며 시작되기에, 일어난 순서대로 A 사건, B 사건, C 사건 순으로 정리를 해보면 좋다.

이야기 순서 파악부터 요약 훈련까지

나는 대학의 교양영어 수업에서 영어 글쓰기를 시킬 때, 이를테면 대뜸 몇 줄로 요약문을 써오라는 식으로 하지 않는다. 대학생인데도 요약을 못 하는 학생들이 꽤 많다. 한국말로도 요약 훈련을 해본 적이 없기 때문이다. 그런 대학생들에게 무작정 영어로 요약을 해오라고 시켜봤자 소용이 없기 때문이다.

담화구조를 파악하는 데는 그래픽 오거나이저가 큰 도움이 된다. **그래픽 오거나이저는 다양한 구조를 가진 텍스트를 읽을 때 우리의 사고과정을 시각화한 것이다.**

글을 읽은 다음에 이야기의 순서나 줄거리, 구조를 말하지 못하는 아이, 못 쓰는 아이에게 "그림을 한번 그려볼까? 각 그림 밑에 한 줄씩만 써볼까?"라고 한 다음에 "이제 그림들과 글들을 모아볼까?" 식으로 하면 곧잘 할 뿐만 아니라 '요약'이라는 고급기술을 익히는 데도 도움이 된다. 이런 방법은 영작문에도 매우 효과적이다.

원래 그래픽 오거나이저는 책을 읽고난 다음에 하는 독후활동 중 하나이다. 그런데 독후활동을 잘하면 이것이 영작문으로 유노하는 장지가 될 수 있다. 뒤에서 독후활동을 어떻게 영작문과 말하기로 이어가는지 살펴볼 텐데, 사실 이처럼 영어로 표현까지 해보게 만드는 것이 모든 읽기 및 수업의 완성이다.

다음은 이야기의 구조를 파악하는 그래픽 오거나이저 중 하나다.

1. 책의 제목, 저자 이름을 쓴다.
2. 중앙의 빈 네모에 각각 처음에 일어난 일, 중간에 일어난 일, 마지막은 어땠는지 그림을 하나씩 그리고, 각 그림 밑에 영어로 한 줄씩 쓰게 한다.
3. 밑에는 이야기의 주요 아이디어를 쓴다.
4. 이제 한 줄씩 쓴 것들을 합치고, At the beginning, In the middle, At the end, The main idea of the story is 등으로 지금까지 쓴 문장을 연결해주면 요약까지 완성된다.

[특별부록: 워크시트 PDF 제공]

266

다음은 어떤 이야기를 사건의 순서대로 그려보라고 했더니 8가지가 나온 예이다. 각각 한 문장씩 묘사를 한 뒤 새로운 종이에다가 순서대로 옮겨 쓰고, first, second, and then 같은 연결사로 연결하고 마지막에 "토끼는 집으로 무사히 돌아갔대요"라는 식으로 결론을 써주면 된다(이때 순서를 섞어놓고 맞추기 과업을 해도 좋다. 이럴 경우 난이도는 낮아진다).

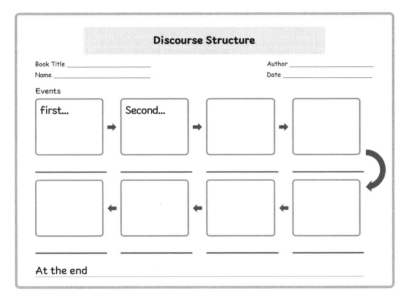

[특별부록: 워크시트 PDF 제공]

플롯 다이어그램(Plot Diagram)

플롯 다이어그램은 원래 이야기를 구성할 때 사용하는 일종의 지도이다. 파라미드나 삼각형 등으로 그린다. 극적 구성이 있는 이야기의 담화구조를 파악할 때 사용한다. 보통 이야기는 설정 및 발단, 전개, 클라이맥스, 하강, 결론으로 구성되는데, 플롯 다이어그램을 이용하면 이야기 구조를 더 잘 파악할 수 있다. 처음에는 스토리 라인이 복잡하지 않은 책으로 시작하자.

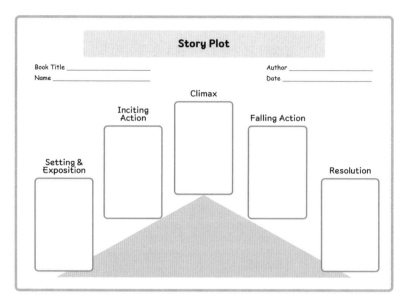

[특별부록: 워크시트 PDF 제공]

원인과 결과(Cause and Effect)

모든 이야기가 다 옛날이야기 식의 서술은 아니다. 주장을 담은 글들도 있다. 이런 책이나 글의 경우 원인과 결과가 무엇인지 찾아내는 훈련을 한다. 원인과 결과가 많은 경우는 오른쪽 그래픽 오거나이저처럼 각각 따로 정리해서 쓸 수도 있다.

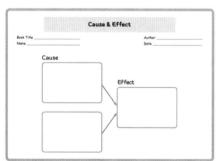 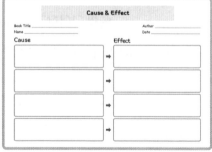

[특별부록: 워크시트 PDF 제공]

비교와 대조(Comparison & Contrast)

글을 읽고 두 대상이나 등장인 물들에 대해 공통적인 것과 대 조되는 것 등을 다음 그림처럼 정리해본다. 그러면 아이가 글을 읽을 때 공통점과 차이점 을 이해하기 쉽고, 또 비판적 사고를 기르는 데에도 도움이 된다. 더 나아가 예를 들어 '빨

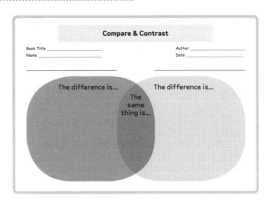

[특별부록: 워크시트 PDF 제공]

간 모자' 이야기에 나오는 늑대와 '아기 돼지 삼형제'에 나오는 늑대의 공통 점과 차이점을 찾아 이런 그래픽 오거나이저를 이용해 정리해보는 것도 아 이들의 사고력을 높이는 데 도움이 된다.

문제와 해결(Problem & Solution)

이야기에서 문제가 무엇인지, 어떻게 해결 했는지, 그 구조를 파악할 때에는 그림과 같 은 그래픽 오거나이저로 정리해보면 좋다.

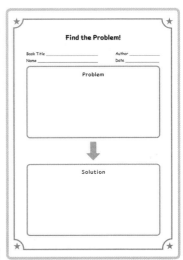

[특별부록: 워크시트 PDF 제공]

전략적 읽기 능력 키우기

—

영어 지문을 유창하게 읽으려면, 다음과 같은 전략적 읽기의 12가지 전략이 필요하다.

1. 미리 스윽 훑어보기(Pre-reading)

책이나 지문을 읽기 전에 미리 한번 스윽 훑어보기를 하면 읽기 속도나 이해도가 높아질 수 있다. 그래프나 그림이 많은 책이라면, 책장을 후루룩 넘기며 큰 제목들과 이미지들을 스쳐보는 것만도 본격적인 읽기에 들어갔을 때 도움이 된다. 흐름을 파악하고 읽기에 들어가는 것이기 때문이다.

2. 사전지식 활성화(Activating Prior Knowledge)

읽기 전에 '나는 이미 이 책이 다루는 주제나 사건에 대해 무엇을 알고 있을까?'를 생각하거나 이야기해보는 시간을 주면 좋다. 책이나 지문이 다루는 내용에 대해 사전지식이 있으면 읽기가 훨씬 수월해진다. 읽을 책과 관련해

전략적 읽기의 12가지 전략

미리 스윽 훑어보기	사전지식 활성화
문맥 단서 사용하기	추론하기
내 생각 표현하기	이야기 요약하기
키워드 찾기	예측하기
단어 공략 전략 사용하기	시각화하기
그래픽 오거나이저 사용하기	이해한 것 평가하기

출처: www.teachthought.com/literacy/reading-strategies

내가 가지고 있는 사전지식을 한번 떠올려보자.

아서왕에 대한 이야기라면 예전에 봤던 영화나 만화, 그런 게 없다면 아서왕의 나라인 영국의 지도나 이야기라도 떠올려보는 게 도움이 된다. 아이들은 사전지식이 별로 없기에 더더욱 중요하다. 본격적으로 읽기 전에 엄마가 미리 가볍게 대화를 나누며 힌트를 주는 것도 좋다.

3. 문맥 단서(Contextual Clues) 사용하기

문맥 단서를 빨리 파악하는 것도 전략적 읽기 능력을 키워준다. '예를 들면(for example)'과 같은 표시어(signal word)는 아이들도 쉽게 파악할 수 있는 문맥 단서이다. 이 단어 뒤에 예가 나올 것임을 짐작할 수 있다. 이러한 문맥 단서들을 많이 알수록 영어 지문을 읽는 속도와 이해력이 높아진다.

하지만 아이가 어릴수록 그림책의 그림이 문맥이 되는 경우가 많다. 대표적인 문맥 단서는 정의(definition), 동의어, 반대/대조, 예 또는 설명인데, 아이가 이런 개념을 알 필요는 없고, 엄마가 그림책을 읽어줄 때 대화를 나누며 힌트를 줄 수 있다. "어? 여기 식탁 위의 손 좀 봐. 손이 아니라 돼지 발 아니야? 무슨 일이 벌어진 거야?"와 같이 그림이라는 문맥을 적극 활용하는 것이 좋다.

앞에서 읽기 수준이 낮을수록 모르는 단어의 의미를 추측하는 성공률이 낮다고 한 바 있다. 이 말은 그렇다고 해서 문맥 단서를 추측하는 것을 그만해야 한다는 뜻이 아니다. 왜냐하면 읽기 수준이 낮을수록 문맥 외에는 의지할 것이 없어서 오히려 문맥에 대한 의존도가 높기 때문이다. 사전지식이 빈약해서(머릿속에 관련 스키마가 빈약해서) 의지할 것이 문맥뿐이면 그것이라도 활용해야 하기 때문에 이 기술을 활용하는 법을 아이에게 알려주어야 한다.

4. 추론하기(Inferencing)

의미 추론하기는 조금 어려울 수 있다. 하지만 그중에서 **가장 쉬운 추론이 바로 예측**(prediction)이다.

"다음 페이지에는 무슨 일이 일어날까?" 이런 질문이 바로 예측을 유도하는 질문이다. 예를 들면 에즈라 잭 키츠(Ezra Jack Keats)의 그림책 『눈 오는 날(The Snowy Day)』에는 이런 장면이 나온다.

아이가 눈이 쌓여 있는 나무를 나뭇가지로 친다. 책장을 넘기면 아이 머리 위에 눈이 쌓여 있다. 눈이 나무에서 아이 머리 위로 후두둑 떨어지는 장면은 생략되어 있다. 원인에서 결과로 이어지는 과정에 갭을 준 것이다. 이를 비주얼 리터러시에서는 '불완전한 움직임을 통해 동선을 나타내는 법'이라고 한다. 이런 갭이 등장하면 아이들은 자신이 가지고 있는 사전지식을 가지고 갭을 채워야 한다. 이 책에서 아이는 책장을 넘기기 전에 '눈이 나무에서 떨어지겠네'라고 예측을 하고, 책장을 넘긴 후 자기가 예측한 것을 확인하게 된다. 누락된 과정을 추론해내는 일이 바로 아이들의 사고력을 높이는 것이기도 하다.

추론 중에서 어려운 것은 유추(analogy)이다. 우리나라 학생들은 토플 독해 문제에 등장하는 유추 문제를 잘 못 푸는 경향이 있다. 이런 독해 및 사고력 훈련을 받아본 적이 없기 때문이다. 간단하게 유추를 활용하는 어휘 문제를 살펴보면 다음과 같다.

> Basketball is to court as swimming is to _____.
> 농구에는 코트가 있다면 수영에는 _____이 있지. (풀장)

> Smell is to odor as sound is to _____.
> 냄새에 악취가 있다면 소리에는 _____이 있지. (소음)

앞에서 말했듯이 추론 중에서 가장 낮은 단계가 예측이다. 이 사고기술은 아이들도 쉽게 접근할 수 있다. 그래서 일단 그림책을 읽어주면서 아이들이 계속 예측을 하게 유도하는 것이 좋다. "다음 페이지에는 무슨 일이 일어날 것 같아?", "이 아이는 어디로 갈 것 같아?" 예측하는 능력을 키워주기 위한 질문이다. 이런 예측 능력이 커지면 이해력이 높아진다.

5. 내 생각 표현하기(Think Aloud)

책을 읽으며 내용에 대해 내가 이해한 것과 생각을 정리해 말로 표현해보는 것이 좋다. KWL 차트를 사용하면 이 활동이 쉬워진다. 내가 알고 있는 것은 무엇이고, 읽기를 통해 알고 싶은 것은 무엇이며, 읽은 후에 배운 것은 무엇인가? KWL 차트는 작문에서 많이 이용되는데, 그것을 말로 표

K What I already know?
(내가 이미 알고 있는 것은?)

W What I want to know?
(내가 알고 싶은 것은?)

L What I learned?
(내가 읽은 후 배운 것은?)

현하면 된다. KWL 차트에 대해서는 327쪽에서 상세히 다룬다.

6. 이야기 요약하기(Summarize the Story)

그래픽 오거나이저를 만들어 캐릭터별로 정리하고, 글의 배경이 무엇인지, 문제가 무엇인지, 해결방법은 무엇인지를 기록하는 활동을 하면 요약력이 자란다. 265쪽에서 상세히 설명했다.

7. 키워드 찾기(Locate Key Words)

Unspoken: Story from the Underground Railroad, Henry Cole, Scholastic Press, 2012

지문을 읽으며 가장 중요한 난어가 무엇인지 함께 찾아서 적어보자. 만일 *Unspoken: A Story from the Underground Railroad*(말하지 않는: 지하철도 이야기, 글그림 Henry Cole)와 같이 과거 미국의 노예제도를 다룬 그림책을 읽게 될 경우 slave, slavery, Underground Railroad와 같은 역사적인 어휘들을 키워드로 찾아내면 된다.

8. 예측하기(Prediction)

예측하기는 사고능력 중 가장 쉬운 사고능력이라 할 수 있다. 앞에서 책 표지를 보며 장소가 어디일지, 그림 속 아이는 누구인 것 같은지, 앞으로 어떤 이야기가 펼쳐질 것 같은지 예측해보는 예시를 살펴본 바 있다.

9. 단어 공략 전략(Word Attack strategies) 사용하기

모르는 단어를 손가락으로 짚게 하거나 밑줄을 긋게 하거나 따로 적게 한 후, 엄마와 같이 사전을 찾아보거나 인터넷에서 관련 이미지를 찾아본다. 초등 고학년 이상의 경우, 단어의 어근과 접사를 이용해 단어의 뜻을 추측

해보는 전략을 사용하면 좋다.

10. 시각화(Visualization)

이야기 속에 나오는 장면을 머릿속
에 그려보는 것도 무척 중요하다. 그
래픽 오거나이저로 이야기에 담긴
메시지를 구분하고 시각화해본다.
또는 가장 좋아하는 장면, 가장 인상
적인 장면, 가장 눈에 띄는 등장인물

을 그려보면서, 글자로 읽은 내용을 이미지로 환원하는 연습도 좋다. 더 쉽
게 생각하면, 고래에 대한 책을 읽은 후, 다음처럼 고래와 바다를 만들어보
는 작업은 결국 글을 읽고 머릿속에 생긴 이미지를 구현하는 작업이기도
하다.

11. 그래픽 오거나이저(Graphic Organizers) 사용하기

그래픽 오거나이저 사용에 대해서는 5~6장에 걸쳐 상세히 다루었다.

12. 이해한 것 평가하기(Evaluate Understanding)

아이가 잘 읽었는지 확인한다. 아이가 '나는 무엇을 읽었고, 무엇을 배웠고,
무엇이 좋았는가' 등을 확인하는 것은 매우 중요하다. 또한 '나는 오늘 잘 읽
었어' 하며 스스로를 평가하는 것은 자존감을 키워주는 데도 좋다. 쉽게 생
각하면 결국 평가란 가치(value)를 부여하는 문제이므로, "이 이야기가 좋아,
싫어? 왜?" 정도로만 물어도 좋고, "너는 오늘 책을 잘 읽은 것 같아? 잘 읽었
으면 별 스티커 다섯 개를 붙일까?" 정도의 가치를 부여해도 좋다.

읽기 유창성(Reading Fluency) 연습하기

—

그나마 단어 수준, 즉 글밥이 짧은 글을 유창하게 읽는 능력은 개발하기가 다소 쉽다. 앞에서 소개한 워드 패밀리 드릴이나 스쿠핑이 도움이 된다. 하지만 지문이 길어지면 유창하게 읽는 능력을 키우는 방법이 '반복 읽기'밖에 없다. 어릴수록 반복 읽기가 중요하며 소리내어 읽기를 반복해야 한다. 한국 사람들은 소리내어 읽기를 더 많이 할 필요가 있다.

도움 없이 반복 읽기를 할 경우, 일정한 속도에 도달할 때까지 혼자 읽기를 계속하다 보면 읽기가 유창해진다. 책을 좋아하는 아이들이 지금도 계속 하고 있는 일이다. 좋으니까 반복해서 읽다보니 잘 읽게 되고 빨리 읽게 되는 것이다.

아이가 반복 읽기를 할 때 엄마가 도움을 주고 싶으면 이렇게 하면 좋다.

1. 아이가 리스닝을 하며 묵독을 한번 한다.

2. 아이가 리스닝을 하며 소리내어 읽는다.

3. 엄마와 함께 읽는다.

엄마와 역할을 바꿔가며 계속 반복 읽기를 하는 방법도 있다. 또는 합창 읽기(choral reading)로 읽었다가 연극을 하면서 읽는 방법도 있고, 한 단어씩 끊으면서 읽다가 스쿠핑을 하면서 읽는 방법도 있다. 반복 읽기를 하되, 그 지문을 다루는 방식을 바꾸면서 읽게 만들어야 한다. 아이가 그냥 책 읽는 것이 좋아서 계속 읽겠다는 것이 가장 좋지만, 모든 아이들이 그렇지는 않다. 그럴 때에는 위에서 소개한 방법들을 사용할 수 있다. 이 부분은 5~6장 가이디드 리딩에서 상세히 설명했다.

사실 가이디드 리딩 방법에도 굉장히 많은 종류가 있다. 우선 합창 읽기(choral reading)에만도 9가지 기술이 있다. 그리고 돌림 읽기(round robin reading), 반복 읽기(repeat reading), 소리내어 생각하기(think aloud), 짝 읽기(paired reading), 리더스 시어터(reader's theater), 라디오 리딩(radio reading), 합창 스피킹(choral speaking), ORL(Oral Recitation Lesson), PTL(Phrased Text Lesson), 텍스트 톡(Text Talk) 등이 있다. 이 중에서 이 책에서는 집에서 부모와 아이가 할 수 있는 방법만 소개했다. 나머지 가이디드 리딩 방법은 교실 상황에서 여러 명의 아이들을 대상으로만 사용할 수 있는 방법이라 생략했다.

다독력(Extensive Reading)
키우기

—

다독력을 키워주려면 매력적인 읽기 자료를 제공하는 것이 매우 중요하다. 사실 다독에서는 교수법이 매력적인 읽기 자료를 주는 것밖에 없다. SSR(Sustained Silent Reading)이라는 교수법이 있긴 한데, 이는 학교 환경에서 쓸 수 있는 방법이다. 도서관의 공간은 어떻게 배치해야 하고, 학생 수에 따라 비치해야 되는 도서의 수는 어떻게 정하고, 시간은 어떻게 결정하고, 이후에는 무엇을 한다 등까지 정해져 있는 교수법인데, 가정에서 하기는 힘들다. 집에서는 서가나 책꽂이 만드는 것, 도서관을 자주 이용하는 것이 중요하다. 또한 책을 읽는 장소와 읽는 시간을 정하는 것도 방법이다.

그런데 SSR 교수법에서 강조하는 것 중 하나는 가정에서도 귀담아들을 필요가 있다. SRR에서는 절대 **읽기가 숙제가 되면 안 된다**고 한다. 책을 읽은 다음 독후감을 쓰라는 등의 요구를 하지 말라고 한다. 아이들한테 부담을 주면 그때부터 읽기가 싫어지므로, "이제부터 한 시간 동안 자유롭게 책을 읽는 시간이에요"라고 한 다음, 선생님도 함께 자기가 좋아하는 책을 묵독으로 읽기를 추천하고 있다.

부모들도 "책을 다 읽은 다음에 독후감 써야지"라고 하면 안 된다. 은근
슬쩍 게임을 하는 것처럼 접근해야 한다. 독후활동을 책을 읽은 다음에 바
로 하지 말고, "이거 아까 그 책에 나왔던 건데" 또는 "아까 읽은 내용을
엄마한테 한번 들려줄래?" 식으로 일상생활에서 언급하면서 접근하는 것
이 좋다.

영어 읽기 유창성이 좋아져서 묵독을 하게 되면 이제 아이가 혼자 읽게
된다. 묵독에 익숙해져서 의식에서 발음들이 사라지기 시작하면 발음을 처
리하는 작업은 무의식으로 내려가고, 이제 메시지만 주로 남게 된다. 하지
만 소리내어 읽기는 묵독으로 접어든 단계에서도 여전히 중요하므로, 기회
가 될 때마다 낭독을 즐기는 것이 좋다.

펀 리딩(Fun Reading)

혼자 읽기 단계에서는 이제 문학 같은 일반
서적을 읽게 된다(영어교육계의 전문 용어로는 trade
books라고 한다). 그렇다고 아이들이 챕터북이
나 그레이디드 리더스를 전혀 안 읽는 것은
아니다. 이런 시리즈도 위로 올라가면 수준
이 무척 높기 때문이다.

혼자 읽기(Independent Reading)

좋아서 하는 책 읽기
(pleasure reading)

재미있는 책 읽기
(fun reading)

다독
(extensive reading)

혼자 읽기는 책 읽는 것이 좋고 재미있어서 읽는 단계이다. 성인들한테
영어를 가르칠 때, 읽기 실력이 잘 안 늘어서 힘들다고 하면 "여러분 펀 리
딩을 하고 있나요?"라고 물어본다. 그러면 대부분 안 하고 있다. 대부분은
대입 준비를 하며 정해진 영어 지문을 해석하고 모르는 단어를 챙겨가며 읽
는 집중 읽기(intensive reading)를 주로 한다고 한다. 집중 읽기, 혹은 정독도 필

요하다. 허나 다독이 병행되지 않으면 읽기는 잘 늘지 않는다.

반드시 펀 리딩을 병행하면서 정독 시에는 의미덩어리 끊어읽기 연습을 해보아야 한다. 두 가지가 같이 가지 않으면 읽기는 잘 안 늘어난다. 결국 펀 리딩을 할 때 가장 중요한 것이 어떤 책을 읽을까인데, 이는 정확하게 말하자면 본인의 읽기 수준에 맞는 책을 고르는 문제이다.

무엇을 읽을까? 1: 다섯 손가락 룰(Five Finger Rule)

다독의 이슈는 두 가지이다. 하나는 무엇을 읽을까, 다른 하나는 읽은 다음에 무엇을 할 것인가(독후활동)이다. 물론 내가 좋아하는 책을 고르는 것이 가장 중요하지만, 나의 수준에 맞는 책을 고르는 것도 중요하다. 내 영어 수준에 맞는 책을 고르는 방법은 두 가지가 있는데, 바로 비전문가가 하는 방법과 전문가가 하는 방법이다.

Five Finger Rule

* 책의 아무 페이지나 펴서 모르는 영어 단어의 개수가

0~1개: 너무 쉽다.

2~3개: 아이의 영어 수준에 딱 맞다.

4개: 읽어볼 만한 수준이다.

5개: 너무 어렵다.

비전문가가 영어수준에 맞는 책을 고르는 법부터 보자. 다섯 손가락 룰(five finger rule)이라는 것이 있다. 책에서 아무 페이지나 펴서 읽기 시작한다.

이때 모르는 단어가 나올 때마다 손가락을 하나씩 편다. 내가 모르는 단어가 0~1개이면 너무 쉬운 책이고, 2~3개 정도라면 딱 맞는 책이고, 4개라면 읽어볼 만하고, 5개 이상이면 그 책은 읽지 말아야 한다. 왜냐하면 줄줄 읽다가 모르는 단어를 만날 때마다 '이해의 끈(comprehensional thread)'이 끊어지는데, 이해의 끈이 너무 여러 번 끊어지면 다시 복구되지 않기 때문이다. 이럴 경우 읽기는 읽었는데

읽은 내용을 모르는 현상이 발생한다. 예로 어려운 수능 영어 지문을 힘들게 읽고 나서 내용이 뭔지 모르는 것은, 사실 모르는 단어가 너무 많은 어려운 지문을 읽어서 이해의 끈이 끊어져서 발생하는 현상이다.

영문 지문에서 아는 단어가⋯

98%

원어민 리딩
= 펀 리딩

95%

혼자 읽기

85%

도움 읽기
(또는 초등 고학년이나
중고등학생, 성인이
조금 힘들지만 무언가를
공부하기 위한 독서)

"Word Frequency Level and Lexical Coverage in the Reading Comprehension Texts of the Malaysian University English Test," *PASAA* Vol. 61, 2021

참고로, 글을 유창하게 즐기며 읽으려면 지문에 나오는 단어의 98%를 알고 2% 정도를 모르는 수준이어야 한다. 100단어 중에 모르는 단어가 2단어 정도여야 한다. 그래야 즐겁게 혼자 읽기가 가능하고, 이는 원어민 읽기의 수준이다.

독서를 즐기기는 조금 힘들 수 있으나, 무언가를 공부하기 위해서 꼭 읽어야겠다면 단어의 85%를 알고 15%를 모르는 수준도 가능하다(이는 혼자 읽기는 안 되지만, 도움 읽기는 가능한 상태이다). 그런데 지문에서 내가 아는 단어가 85%보다도 적으면 이는 그냥 좌절의 단계라고 한다. 이런 글은 읽으면 안 된다.

무엇을 읽을까? 2: 영어 읽기 지수로 선택하기

영어 읽기 지수는 다음과 같이 5가지 정도가 있다.

많이 쓰이는 영어 읽기 지수 5가지

렉사일(Lex, Lexile)   AR(Accelerated Reader)

DRA(Developmental Reading Assessment)   GRL(Guided Reading Levels)

SRL(Scholastic Reading Levels)

렉사일(Lex) 지수

렉사일 지수는 Lex라고 표시하는데, 우리나라에서는 많이 사용하지 않지만 미국에서는 많이 사용한다. 미국의 메타메트릭스사에서 개발했으며 1억 권이 넘는 책의 데이터를 기반으로 해서 정량평가를 하고 있다. 전 세계 180개국의 3,500만 명 이상의 학생들이 사용한다.

학생의 읽기 수준과 책의 난이도 수준을 함께 측정하는 체계를 가지고 있다. BR(Beginning Reader)부터 2000레벨까지 있다. 우리나라에서는 렉사일 지수가 BR 레벨로 나오면 전혀 못 읽는다는 뜻인 줄 아는 경우가 있는데, 초보 독자라서 읽기가 자동화가 안 되어 있다는 뜻이지 영어를 전혀 못 읽는다는 뜻이 아니다. 나 같은 경우, 주로 수도권 대학의 1~2학년을 가르쳐보았는데, 대학생들도 진단 테스트를 하면 BR 레벨이 나오는 경우가 있다. 미국 유치원, 초등 저학년 및 고학년, 중학생, 고등학생의 평균 렉사일 지수를 보면, BR 레벨부터 시작해서 1385레벨까지 나온다.

미국 학생 렉사일 지수 평균	
유치원	BR 40L~230L
초등 저학년	190L~820L
초등 고학년	740L~1070L
중학생	970L~1260L
고등학생	1080L~1385L

AR 지수

AR(Accelerated Reader) 지수는 영어 독서 프로그램을 운영하고 있는 미국 르네상스리딩사가 개발한 지수로, 미국 학교의 40% 이상과 100개 이상의 국가에서 사용하고 있다. 한국에서는 AR 지수를 폴리어학원, 계성초등학교 등에서 사용한다. AR 지수는 ATOS 가독성 지수를 기반으로 산출되며, 수치는 학년과 개월 수로 표시하는데, AR 지수가 4.5라면 영어 수준이 미국 초등 4학년 5개월 수준이라는 의미이다.

DRA 지수

DRA(Developmental Reading Assessment) 지수는 미국 학생들의 읽기 능력을 1~80으로 표시하는데, 미국에서는 꽤 쓰지만 한국에서는 거의 안 쓴다. 학년별로 지수가 나와 있다.

GRL 지수

GRL(Guided Reading Levels) 지수는 우리나라에서는 별로 안 쓰지만, 영어책의 난이도 지표로 가장 많이 쓰이므로 알아두는 것이 좋다. GRL 수준에 따른 책 목록이 엄청나게 방대하다.

세계적인 영어 교육학자인 아이린 푼타스(Irene Fountas)와 게이 수 핀넬(Gay Su Pinnell) 박사가 개발했고 '푼타스&핀넬 읽기 수준 지수'라고도 한다. A부터 Z까지 총 26개의 등급이 있는데 A가 가장 낮고 Z가 가장 높은 등급이다.

읽기 지수들의 상관관계를 보면 다음의 표와 같다. GRL 지수, 렉사일 지수 등을 환산한 것이고, 리딩 리커버리(Reading Recovery)는 읽기 부진아들을 위한 별도의 프로그램인데, 초등 2학년까지밖에 없는 이유는 초등 1~2학년 때까지 개입하지 않으면 처음에 벌어진 격차를 좁힐 수 없어서 조기개

영어 읽기 수준에 맞는 책 고르기: 영어 읽기 지수의 상관관계

출처: www.teacherspayteachers.com

미국 학년별 수준	GRL 지수(Guided Reading Levels)	렉사일(Lexile) 지수	리딩 리커버리 (Reading Recovery)	DRA 지수(Developmental Reading Assessment)
유치원	A		1	A~1
유치원~초등 1학년	B	BR~220	2	2~3
	C		3~4	4
1학년	D	220~500	5~6	6
	E		7~8	8
	F		9~10	10
	G		11~12	12
1~2학년	H	450~500	15~17	14
	I		18~20	16
2학년	J	450~620		18
	K			20
2~3학년	L	550~620		24
	M			28
3학년	N	550~790		30
3~4학년	O	770~790		34
	P			38
4학년	Q	770~910		
	R			40
4~5학년	S	860~910		
	T			
5학년	U	860~980		50
5~6학년	V	950~1040		
	W			60
6~8학년	X			
	Y			
7~8학년	Z	1000~1160		80
9~12학년	Z+	1080~1360		

입(Early Intervention)을 해야 하기 때문이다.

더 베스트 칠드런스 북스 사이트(www.the-best-childrens-books.org)에서 영어

읽기 수준에 따른 추천 영어책 목록을 쉽게 구할 수 있다. A부터 E 단계는
아주 어린아이들용이고, 더 높은 F부터 Z 단계까지 읽을 책들도 추천하고
있다.

1. 사이트에 접속한 후 메뉴바에
서 Books by Reading Level
을 누르면 각 읽기 지수의
단계에 맞는 책을 선택할 수
있다. 여기서는 '렉사일 지
수'를 선택해보겠다.

2. 그러면 등급별 렉사일 지수
들이 나오는데 여기서는 '2등
급 601~650L'의 책 목록을
선택해보겠다. 6등급까지 있
고 렉사일 980~1140L까지
의 책 목록이 있다.

3. 이제 내 아이의 영어 읽기 수
준에 맞는 추천 책들이 죽 나
온다.

영어 읽기 수준에 따른 추천 영어책 목록을 구할 수 있는 '더 베스트
칠드런스 북스' 홈페이지

이와 같이 영어 읽기 지수에 근거해서 아이의 어휘력과 읽기 수준에 맞는
책들을 찾은 다음, 그중에서 아이가 흥미를 가지는 책을 고르면 된다.

혼자 읽기(Independent Reading), 어떤 책을 고를까?

이지 리더스(Easy Readers)

Nothing Fits a Dinosaur (Ready-to-Reads), Jonathan Fenske, Simon Spotlight, 2021

이지 리더스는 읽기 초보자를 위한 시리즈로, 앞에서 살펴본 도움 읽기 단계의 그레이디드 리더스 시리즈와 겹치는 부분이 있다. 혹은 그레이디드 리더스 중에서 가장 낮은 단계의 책들이라 할 수 있다. 제한된 어휘와 챕터북 구성으로 되어 있고, 그림보다는 글 중심의 책으로 삽화가 들어간다. 대표적인 이지 리더스 시리즈로는 '아이 캔 리드!(I Can Read!)' 시리즈와 '레디 투 리드(Ready to Reads)' 시리즈가 있다. 그레이디드 리더스의 맨 아래 단계에 해당된

다고 보면 된다.

미국의 동화작가이자 그림작가 모 윌렘스(Mo Willems)의 '엘리펀트 앤드 피기(Elephant & Piggie)' 시리즈도 추천한다. 이 시리즈는 글밥이 매우 적고(말풍선 안의 대화로만 글이 제시된다) 그림이 무척 단순하며 이야기가 너무 재미있

다. 이어지는 엘리펀트 앤드 피기 라이크 리딩(Elephant & Piggie Like Reading)'
시리즈의 *The Cookie Fiasco*(쿠키 대실패, 글그림 Mo Willems, Dan Santat) 책도 재미
있다. 우리(하마, 악어, 다람쥐 둘)는 넷인데 쿠키는 셋, 이를 어쩌나? 쿠키를 어
떻게 공정하게 나눌 수 있을지, 아이들의 공감을 이끌어낸다.

　'플라이 가이(Fly Guy)' 시리즈도 추천한다. 이 시리즈는 글밥이 좀 많은
데, 그 중 *Fly Guy Meets Fly Girl!*(플라이 가이가 플라이 걸을 만나다!, 글그림 Tedd
Arnold) 책의 경우, 아이에게 두 마리 파리가 내는 재미있는 의성어를 연습
시킨 후, 엄마나 아빠가 어려운 글 부분을 연극하듯 읽고 아이가 의성어 부
분을 읽으면 아주 즐거운 시간을 보낼 수 있다.

넌픽션 책(Non-fiction Books)

아이가 읽기에 좀 익숙해지면 동화나 소설만 읽히는 것이 아니라 논픽션 책
을 읽히는 것도 중요하다. 넌픽션 책은 '정보 책(Information books)'이라고도
한다. 문학적 장치 없이 정보를 제공하며 아이들이 실제 사물에 대해 더 많
이 알 수 있도록 도와준다.

　논픽션 그림책 중 전통적 논픽션(traditional nonfiction
books) 책은 우리가 익히 아는 형식으로, 그 분야의 전
문가나 전문 작가가 여러 이미지를 곁들여 거기에 설
명을 붙인 형태이다. 어린이용 태양계 입문서 같은 책
이 여기에 속한다. 눈여겨보아야 할 논픽션 장르 중
하나는 바로 브라우저블 북(browsable Non-fictions)이다.
영국 DK사에서 나오는 '아이위트니스 북(Eyewitness

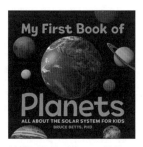

*My First Book of Planets: All About
the Solar System for Kids*, Bruce
Betts PhD, Rockridge Press, 2020

Book)' 시리즈가 바로 이 논픽션의 하나의 종류를 만들어냈다. 그림 위주에
지문을 짧은 블록으로 처리하는 것이 특징이다.

글자가 없는 그림책(Wordless Books)

미국의 일러스트레이터이자 동화작가 데이비드 위즈너(David Wiesner)가 그린 *Sector 7*(섹터 7)은 글자가 없는 그림책으로 2000년 칼데콧상을 받았다. 안개가 자욱하고 흐린 날, 아이들이 현장학습으로 엠파이어 스테이트 빌딩에 왔다. 근데 자욱한 안개 속, 장난꾸러기 작은 구름이 모자와 장갑, 스카프를 가져가버렸다. 아이는 장난꾸러기 구름과 친구가 되고, 구름은 아이를 구름 공장 섹터 7로 데려간다. "내가 만들어야 하는 구름 모양은 지루해." 구름이 투덜대자 아이는 새로운 구름 디자인들을 만든다. 환상적인 삽화와 멋진 이야기가 돋보이는 책이다.

Time Flies, Eric Rohmann,
Dragonfly Books, 1997

미국의 그림책 작가 에릭 로만(Eric Rohmann)의 *Time Flies*(시간은 쏜살같이 흐른다)도 칼데콧상을 받은 책이다. 자연을 그린 책인데 세밀한 묘사가 아주 뛰어나다.

글자가 없는 그림책은 아이와 함께 보면서 이야기를 나누는 것에 초점을 두어야 한다. 그림이 너무 복잡한 것부터 시작하지 말자. *Sidewalk Flowers*(길가에 핀 꽃) 같은 작품이 무척 좋다. 캐나다 작가 조나르노 로슨(Jonarno Lawson)이 글을 쓰고, 시드니 스미스(Sydney Smith)가 그림을 그린 이 책은 흑백이었다가 아이가 꽃을 나누어주면서 점차 주변이 컬러로 변한다. "아이가 누구에게 꽃을 줬니?", "그다음에 어떤 일이 일어났을까?" 이렇게 이야기를 나누어볼 수 있다. 글밥 없는 책은 아이와 이야기를 통해 상호작용을 주고받는 것이 포인트이다.

미국의 교과서 독해 문제
무엇이 다른가?
-사고력 키우는 분류, 상위 개념어로 묶기, 추론

우리나라의 경우 영어 지문 뒤의 독해 문제들이 대부분 비슷하다. 요지(main idea)를 물은 다음에 사실 관계 질문(factual question)으로 '언제, 어디서, 무엇을' 같은 것을 물어보고, 그다음 추론 문제(inference question)라고 해서 예측하는 문제가 하나씩 나온다.

사고력을 키우는 분류 문제

미국 교과서를 보면, 초등 1학년이 짧은 지문을 읽고 이런 문제에 답하게 되어 있다. 이렇게 짧은 지문을 읽고 문제를 푼다(다음은 미국 초등 교과서의 독해 문제가 어떻게 다른지를 알려드리기 위해, 내가 지문과 문제 유형을 참고하여 비슷하게 만들어 본 것이다.)

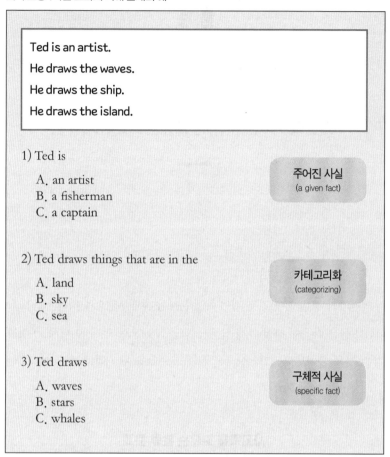

Ted is an artist.
He draws the waves.
He draws the ship.
He draws the island.

1) Ted is

   A. an artist
   B. a fisherman
   C. a captain

주어진 사실
(a given fact)

2) Ted draws things that are in the

   A. land
   B. sky
   C. sea

카테고리화
(categorizing)

3) Ted draws

   A. waves
   B. stars
   C. whales

구체적 사실
(specific fact)

문제 1)은 "Ted is an artist." 이거 하나 고르는 것이다. 주어진 사실을 그냥 확인하는 것이다.

문제 2)가 정말로 좋은데, "Ted draws things that are in the_____." 테드는 어디에 있는 것들을 그리는지 묻고 있다. 이것은 '분류 문제'인데, 한국에서는 이런 문제가 잘 안 나온다.

분류(categorization)는 매우 중요한 사고능력이다. 우리나라의 경우 초등 4

학년 정도에 암석의 종류가 나오고 이름, 색깔, 잘 깨지는지, 잘 타는지 여부를 그저 외우게 하는데, 아이들이 이 암기를 너무 고통스러워들 한다.

미국 교과서에서 암석을 다루는 부분을 본 적이 있는데, 우리와 가르치는 방법이 달랐다.

① 아이들한테 1~6번까지 번호가 붙어 있는 돌들을 주고, 직접 깨보라고 한 뒤 표에 실험결과를 정리하라고 한다. 잘 깨지는 돌은 1, 2, 3번, 잘 안 깨지는 돌은 4, 5, 6번 식으로 말이다.

② 이번에는 돌들의 색깔을 표에 기입하게 하고, 잘 타는지 여부도 직접 실험해보고 표에 또 기입하게 한다.

③ 그리고 돌들의 공통점을 물었다.

④ 그런 다음에야 A번 특징과 B번 특징과 C번 특징을 가진 돌의 이름이 무엇인지 제시한다.

아이들이 이런 식으로 배우면 어떤 암석의 특징을 하나하나 힘들게 외우지 않아도 된다. 직접 눈으로 보고, 만져보고, 깨보고, 태워보는 과정을 거치면서 돌의 이름을 자연스럽게 외우게 되었을 것이다. 분류하는 사고력은 이런 과정을 거치며 생겨난다.

아이들에게 종이상에서 대뜸 분류를 해보라고 하면 힘들어한다. 몸으로 분류를 해보고, 그다음에 분류를 종이상에서 해보라고 해야 한다. 아이들은 몸이 먼저, 그다음에 사고가 따라온다는 것을 꼭 기억하자.

상위 개념어(Pre-ordinate Term)로 묶기와 영어 에세이 쓰기

분류는 이렇게 어릴 때부터 해야 한다. 그런데 **분류를 왜 할까?** 바로 상위 개념어로 묶기를 위해서이다. 한국 아이들은 이것을 너무 못한다.

달, 구름, 별을 하나로 묶으면 무엇일까? 하늘에 있는 것들이다. 상위 개념어로 묶은 것이다. 초등 1학년 수준의 상위 개념어는 아주 간단하다. 하지만 **하나로 분류된 그룹을 상위 개념어로 묶는 사고훈련이 없이 자라면, 나중에 에세이를 쓰는 데에 큰 어려움을 겪을 수 있다.**

에세이를 쓸 때 맨 처음에 브레인스토밍을 한다. 예를 들어보자.

만약에 우리 지역에 공장이 세워지면 나는 반대할 것인가, 찬성할 것인가? 예를 들면 공장이 세워지면 '일자리가 늘어난다', '세금 수입이 늘어난다', '장사가 잘된다' 등 브레인스토밍을 통해 여러 아이디어들을 죽 썼다고 하자. 이 과정은 한국 학생들도 잘한다.

그런데 이것들을 하나의 카테고리로 묶으면 무엇일까? 이들 3가지 긍정적 요인을 묶어서 뭐라고 하면 될까? '재정적 이익(financial benefit)'이라고 표현할 수 있다. 이것이 바로 **같은 카테고리에 있는 것들을 '상위 개념어로 묶기' 능력이다. 이것을 상위 개념어로 묶으면 주제문을 쓰는 것이 가능하다.**

"나는 우리 지역의 공장 건립에 찬성한다. 왜냐하면 지역사회에 '재정적 이익'을 가져다주기 때문이다."

우리나라의 수많은 대학생들한테 영어로 에세이 쓰기를 가르쳐봤는데, 주제문(topic sentence)을 쓰지 못해 끙끙 앓는 학생들이 많았다. 심지어 한 학기 동안 주제문 쓰기를 배우고도 못하는 경우들도 있었다. 왜 그럴까? 근본적인 원인으로는 '상위 개념어로 묶기'를 안 해보았기 때문이다. 분류까지는 하는데, 그것을 가지고 상위 개념화하는 것은 못하는 것이다. 그런데 미국은 초등 1학년 때부터 아주 기본적인 것이지만 이런 훈련을 하고 있다.

문제 3) 같은 구체적인 사실(specific fact) 문제의 경우, 우리나라 영어 문제로도 나온다.

미국 초등 1학년 교과서 독해 문제의 예

4) Ted does not draw

  A. whales
  B. ship
  C. stars

반대 진술
(anti-statement)

5) Ted probably also draws _____?

  A. bears
  B. fish
  C. buildings

추론
(inferencing)

문제 4) 테드가 안 그리는 것은? 이것은 반대 진술 문제이다. 문제 5) Ted probably also draws _____? '아마(probably)'가 나오면 이것은 추론 문제이다.

추론 능력을 키우는 문제

미국 초등 3학년이 되면 이제 지문이 좀 길어진다. 다음의 지문과 문제 유형 또한 설명을 위해 실제 미국 교과서의 지문과 문제를 참고해 비슷하게 만들어본 것이다.

미국 초등 3학년 교과서 독해 문제 지문의 예

On Monday, Sarah works at Tom's Burgers. She answers the phone and serves the tables.

On Tuesday, she works at the Perterson's. She babysits their children, Laura and Ben.

On Wednesday, she works at the community center. She watches children swim in the pool.

On Thursday, she works at the Peterson's, too. She picks up Laura from her school and takes her to her ballet studio.

On Friday, she volunteers at Food Bank. She wash dishes.

구체적인 사실을 묻는 질문들은 다음과 같다. "사라는 수요일에 어디서 일하는가?", "목요일에는 무엇을 했는가?", "어디에서 두 번 일했는가?" 이런 문제들은 쉽다. 그렇다면 다음의 문제를 보자.

미국 초등 3학년 교과서 독해 문제의 예

6) Who is NOT Sarah's employer?

추론
(inferencing)

A. Owner of Tom's Burgers
B. Mrs. Peterson
C. Director of the community center
C. Manager of Food Bank

아이들이 푸드뱅크에서는 자원봉사를 하기 때문에 푸드뱅크의 매니저는 고용주라고 할 수 없다는 생각을 해야 한다. 이런 것이 추론 문제이다.

사실을 묻는 문제는 쉽다. 독해 문제 구성에서는 먼저 사실적인 질문을 죽 한 다음에 '아마(probably)' 또는 '~듯하다(likely to)' 같은 표현을 써서 추론 문제로 진행한다. 추론 문제가 더 고급 사고기술이기 때문이다.

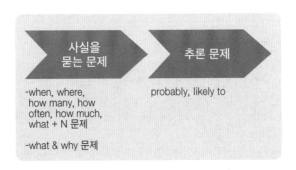

사실을 묻는 문제 → 추론 문제

-when, where, how many, how often, how much, what + N 문제
-what & why 문제

probably, likely to

사고력을 키우는
읽기를 위하여

우리가 읽기를 하는 궁극적 목표는 무엇일까? 시험을 잘 보려고? 읽기의 궁극적 목표는 항상 '이해(comprehension)'이다.

이해를 잘한다는 것은 단순히 텍스트를 처리하는 능력이 뛰어나다는 것이 아니다. 사실은 사고능력이 뛰어나다는 의미다. 왜냐하면 이해를 잘하려면 행간에 숨은 의미까지 알아내야 하기 때문이다. 그런 면에서 보면 '문해력이 뛰어나다'는 것은 사고력이 뛰어나다는 것이라고 할 수도 있을 것이다. 가르치는 사람들이 질문들을 잘 던져주어야 아이들이 사고력을 키우는 읽기를 할 수 있다. 우리나라 읽기에서 좀 아쉬운 점이라고 할 수 있다.

아이가 아직 짧은 영어 지문들을 읽고 있다면, 어떤 질문들을 던져야 할 것인지 많이 고민해야 한다. 읽기에서 전반적인 이해나 내용 및 사실관계에 대한 이해도 중요하지만, 재구성이나 추론 및 예측도 중요하다. 이런 사고를 할 수 있는 질문들을 던져주어야 한다.

향후 독해 문제를 위한 고려사항

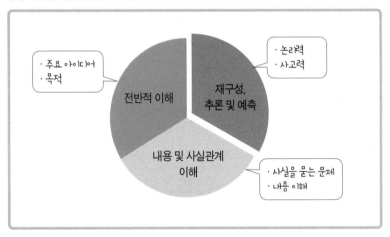

어린이책과 등급 책 중에는 뒤에 질문들이 나오는 것들이 있다. 그 질문들을 잘 살펴보아야 한다. 그런 책 10~20권 정도의 질문들을 읽다보면 '아, 주로 이런 것들을 물어보는구나'라는 감이 올 것이다. 그다음부터는 어떤 책을 읽어도 아이에게 무엇을 물어봐야 하는지 눈이 생긴다. 이것이 정말

중요하다.

　아이와 함께 책에 대한 이야기를 할 때, 부모가 계속 사실만 체크하는 경우가 있다. 물론 얼마만큼 읽었는지를 보기 위해 사실을 체크하는 것도 중요하다. 하지만 거기에서 그쳐서는 안 된다. 여기에 우리나라 학부모 세대의 딜레마가 있다. 우리는 질문하고 대답하는 식으로 교육을 받아본 적이 없는 세대라서 질문을 잘 못하기 때문이다.

　아이와 같이 책 읽기를 한다면, 부모들도 책 읽기를 다시 해야 한다. 아이를 통해서 책을 다시 읽는 것이다. 그래야 비로소 질문하는 법을 익힐 수 있다. 그러면 아이의 삶도 풍성해지지만 책 읽어주는 어른들의 삶도 굉장히 풍성해질 것이다. 책을 통해서 그런 삶을 아이들과 같이 나누었으면 좋겠다.

영어책 읽기에서
라이팅(Writing)으로!

07
Part

읽은 것에 대한 반응
끌어내기

—

독후활동(After Reading Activities)의 힘

3장에서 살펴보았듯이, 텍스트 톡(Text Talk)은 결국 책을 소리내어 읽어주며 아이들과 얼마나 상호작용을 많이 해서 학습을 더 효율적으로 만들어주는 지가 관건이다. '읽기 전 단계, 읽는 중 단계, 읽은 후 단계'라는 3단계에 걸쳐 아이와 상호작용을 주고받는 방법에 대해 설명했다. 어린 시절부터 책을 읽으며 부모와 서로 질문하고 답하는 문화를 체험하면서 자라는 것이 무엇보다도 중요하다. 이는 나중에 토론을 잘하게 되는 디딤돌이 된다.

　　3장에서는 '읽기 전 단계'와 '읽는 중 단계'의 텍스트 톡에 대해 주로 살펴보았는데, 이번 7장에서는 책을 읽은 후의 텍스트 톡과 다양한 독후활동을 살펴볼 것이다. 이런 독후활동이 영어 읽기를 넘어 글쓰기까지 연결되는 것을 느끼게 될 것이다.

읽은 후 6가지 독후활동

독후활동은 읽은 것에 대한 반응, 독서 보고서 및 저널 쓰기, 드로잉 또는 그림, 그래픽 오거나이저, 구두 발표 등을 할 수 있다. 인터넷에서 각 활동에 대한 자료를 찾아보면 굉장히 많다. 그런데 문제는 내 아이 수준에 맞는가이다. 인터넷에서 구할 수 있는 활동들은 주로 원어민 아이들을 위해서 원어민 교사들이 만들어놓은 것들이므로 잘 생각하고 골라서 활용해야 한다.

읽은 후 6가지 독후활동

읽고 반응하기(Response to Reading)

독서 보고서(Book Report) 쓰기

저널(Journal) 쓰기

드로잉(Drawing, Painting)

그래픽 오거나이저(Graphic Organizer)

구두 발표(Oral Presentation)

읽은 것에 대한 반응(Response to Reading): 저학년이라면 감정 스티커

먼저 읽은 후 반응을 어떻게 이끌어낼지 살펴보자. 아이들은 어떤 종류의 지문이든 읽거나 듣고난 후 반응을 한다. 사실 모든 독후활동은 다 이런 반응이라고 할 수 있다.

아이들은 어떤 지문을 읽든지 자신의 사전지식을 가져와 연결한다. 그리고 아이들이 보이는 반응은 굉장히 개별적이고 개인적인 것이다. 또한 각자의 반응은 읽는 이와 지문 사이의 상호작용의 결과이기도 하다.

앞에서도 말했듯, 아이들은 처음에 감정적 반응을 먼저 보이고 그다음에 생각이 따라온다. 아이가 그 책을 좋아해야 이해도 잘된다. 사실 어른도 그렇다.

[특별부록: 워크시트 PDF 제공]

좋아하는 것을 더 잘 이해하기 마련이다. 가장 쉬운 감정반응 보이기 활동은 감정 스티커 붙이기이다. 거창하지 않고 가벼운 활동이다. 아이가 어리다면 책을 읽고 나서 이름을 쓰고(엄마가 써주어도 된다) 그 장면에 어울리는 감정 스티커를 붙여보라고 한다. 아직 어려서 쓰기가 안 되는 아이에게 맞는 활동이다.

> **[잠깐!]** 참고로, 아이들의 운필력이 발달하려면 시간이 오래 걸릴 수 있다. 남자아이들은 운필력이 여자아이들보다 더 느리게 발달할 수 있는데 소근육 발달이 더 느리기 때문이다. 초등 2학년 때까지도 연필을 잡고 쓰는 것을 힘들어할 수 있다. 알림장을 못 쓰면 좌절감을 느낄 수 있으므로 어릴 때부터 소근육 발달에 신경써야 한다.

A Big Mooncake for Little Star(리틀 스타를 위한 커다란 달 케이크, 글그림 Grace Lin)는 2019년 칼데콧상 수상작으로, 리틀 스타라는 중국계 여자아이가 주인공이다. 리틀 스타가 명절을 맞아 엄마와 커다란 월병을 만든다. 그날 밤, 아이는 밤하늘에 달 케이크(월병)가 커다랗게 떠 있는 꿈을 꾼다. 아이가 꿈속에서 매일 조금씩 달 케이크를 갉아 먹자, 달은 보름달에서 초승달로 바뀐다. 엄마와 아이 간의 유대관계를 잘 보여주는 그림책으로 "I love you" 같은 감정 스티커 붙이기 놀이를 하기에 좋다.

이 책에는 보름달부터 초승달까지 달의 변화 모습이 담긴 멋진 페이지가 나온다. 달의 변화 이미지를 구해 여러 개로 오린 후 아이와 함께 붙이며 달의 변화 단계(phase)를 인지시키는 교육으로 써도 좋다.

A Big Mooncake for Little Star, Grace Lin,
Little, Brown Books for Young Readers, 2018

고학년이라면 감정적 반응을 표현하는 ERT 양식

초등 고학년 정도라면 글에 대한 감정적 반응을 표현하는 ERT(Emotional Response to Text) 양식을 사용해도 좋다. 다음의 이미지를 보면 중앙에 졸라맨 같은 사람 모양이 있는데, 여기에 감정적 표현을 기입하면 된다. 여기서는 예를 들기 위해 말풍선을 많이 달아놓았는데, 이처럼 말풍선을 많이 만들 필요는 없다.

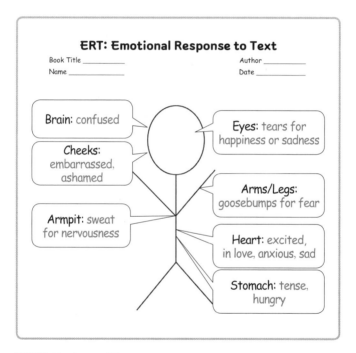

[특별부록: 워크시트 PDF 제공]

책을 읽은 아이에게 "주인공이 무엇을 느꼈을까?"(What did the main character feel?)라고 물어본다. 아이가 처음에는 반드시 영어로 안 써도 된다. 일단 말로 하게 한다. "머리(brain)는 혼란스러웠을(confused) 것 같아요."

아이가 문장으로 말하면 더 좋긴 하다. "I see tears in her eyes."(그녀의 눈에서 눈물이 흘러요.) 그러면 "Why does she shed tears?"(그녀는 왜 눈물을 흘릴까?)라고 물어보면 아이가 "Because she is happy" 또는 "Because she is sad"라고 대답하는 식으로 말을 주고받으면 된다.

팔(arms)이나 다리(legs)에도 감정이 표현될 수 있다. 예를 들면 무서워서 소름이 돋았다(goosebumps for fear)는 것도 감정표현이다. 그리고 심장(heart)은 흥분한(excited), 불안한(anxious), 슬픈(sad) 같은 표현, 겨드랑이(armpit)는 긴장해서 땀이 난(sweat for nervousness) 같은 표현을 쓸 수 있다. 배(stomach)는 긴장한(tense), 배고픈(hungry) 같은 표현이 나온다. 영어에서는 뭔가 불안할 때 stomach를 쓴다. 무척 긴장되어 불안할 때 "I have butterflies in my stomach"(배 안에 나비가 들었어)라고 한다.

영어에는 신체기관과 관련된 감정 형용사들이 더러 있다. gut는 동물의 내장, 사람의 소화관, 창자를 가리키는데, "You have a gut"라고 하면 '너 배짱도 좋구나'라는 뜻이다. 서구인들은 원래 특정 신체부위에 어떤 감정이 하나씩 있다고 생각했다. 용기(courage)는 아랫배에서 나오고, 위장(stomach)에는 불안(anxiety)이 있다고 믿었다. 영미권 그림책을 읽을 때 이런 약간의 배경지식을 가지고 있으면 도움이 된다.

감정책 추천

어떤 책들은 감정표현을 가지고 정서 인식력을 키워준다. 감정 인식을 키워주는 책을 추천해보겠다.

유치~초등

The Lion Inside(더 라이언 인사이드, 글 Rachel Bright, 그림 Jim Field)는 내용도 좋지만 영어로 읽으면 라임이 굉장히 잘 맞는다.

> In a dry dusty place / where the sand sparkled **gold**, / Stood a mighty flat rock / - all craggy and **old**.

어린이 동시에 가장 많이 쓰이는 형식이 4행시(quatrain)인데, 이 그림책도 글이 4줄씩 되어 있고, a-b-c-b로 운을 맞추고 있다. 위의 글에서

The Lion Inside, Rachel Bright, Jim Field(ILT), Orchard Books, 2015

는 gold와 old의 라임이 맞는다. 리듬감이 매우 뛰어나고 운율감도 뛰어나다.

작고 조용하고 온순한 갈색 쥐, 근데 너무 작아서 무시당하고 아무도 기억해주지 않는다. '나도 사자처럼 으르렁거리는 법을 배워야겠어'라고 결심하고 용기를 내어 찾아갔는데, 사자는 쥐를 무서워한다. '덩치가 그렇게 큰데 나 같은 조그만 쥐를 무서워하네'라는 깨달음을 얻은 쥐는 더 이상 몸집이 작은 자신을 싫어하지 않게 되고, 결국 사자와 쥐는 친구가 된다. 이제쥐는 자기가 아무리 작아도 크다고 느끼게 된다. 우리 모두의 내면에는 쥐도 있고 사자도 있다는 메시지를 담고 있다. 영어로 읽기에 정말 좋은 그림책이다.

The Worrysaurus, Rachel Bright, Chris
Chatterton(ILT), Orchard Books, 2020

The Worrysaurus(더 워리사우러스, 글 Rachel Bright,
그림 Chris Chatterton)는 걱정 많은 아이한테 읽어
주기 좋은 그림책이다. 걱정쟁이 공룡이 등장하
기 때문에 걱정(worry)이라는 말 뒤에 –사우르스
(–saurus)를 붙인 제목을 달고 있다. 아기 공룡이
어디로 놀러가는데 걱정을 한다. '비 오면 어떡
하지? 나는 우산도 없는데⋯. 그럼 추워서 이빨
을 으드드드 부딪히게 될 테고, 무릎이 젤리로 변

할 거야.'(무릎이 힘이 없어서 빠지는 것을 영어로는 '무릎이 젤리로 변했다'고 표현한다.) 아기
공룡이 '도망쳐서 숨을까' 생각하자, 주변에 작은 걱정 나비가 날아다니기
시작한다. 아기 공룡은 엄마 공룡이 했던 말을 떠올린다. "걱정 나비를 쫓아
버려." 그러자 아기 공룡이 걱정 나비를 쫓아버리고, 주변에는 예쁜 진짜 나
비들이 날아다니게 된다.

아이가 걱정을 하면 엄마가 "그 그림책에서 아기 공룡이 어떻게 했어?
어디 나가면 넘어질까, 옷이 더러워질까 걱정했지. 그런데 걔가 어떻게 했
어?"라고 이 이야기를 빗대며 대화하면 아이가
걱정에 대처하는 데에 도움이 된다. 레이첼 브라
이트의 작품은 좋은 것이 무척 많으니 찾아보면
도움이 될 것이다.

The Bad Seed, Jory John, Pete Oswald
(ILT), HarperCollins, 2017

The Bad Seed(나쁜 씨앗, 글 Jory John, 그림 Pete
Oswald)는 거짓말하고 시간도 안 지키고 제멋대
로인 말썽쟁이 나쁜 씨앗이 좋은 씨앗이 되는 성
장 이야기이다. 감정표현이 서툰 나쁜 씨앗 이야
기를 통해 아이가 부정적 감정을 표현하고 푸는

방법에 대해 이야기하면 좋다.

이밖에도 영국의 동화책 작가 레베카 패터슨(Rebecca Patterson)의 *My Big Shouting Day!*(한국 번역책 제목: 화가 나서 그랬어!), 독일의 작가 브리타 테큰트럽(Britta Teckentrup)의 색깔별로 느끼는 감정을 다룬 *When I See Red*(내가 빨강을 보았을 때), 그리고 미국 작가 줄리 개스먼(Julie Gassman)이 글을 쓰고 리처드 왓슨(Richard Watson)이 그림을 그린 *Crabby Pants*(엉망진창 바지)도 아이들이 읽으면서 감정적 반응을 보이기 매우 좋은 책들이다.

초등 3~4학년

Stormy Weather(폭풍우 치는 날씨, 글그림 Debi Gliori)는 어린이용 명상 그림책이다. 요즘은 명상이라고 할 때 meditation(명상)보다 mindfulness(마음챙김)란 말을 쓴다. *Happy: A Beginner's Book of Mindfulness*(행복: 초심자를 위한 마음챙김 책, 글그림 Nicola Edwards)는 행복이라는 감정에 대한 책으로 조금 나이가 있는 아이들에게 추천한다. *Out, Out, Away, From Here*(밖으로, 밖으로, 멀리, 여기에서, 글 Rachel Woodworth, 그림 Sang Miao)라는 책은 '떠나고 싶은 날에는'이라는 제목으로 우리나라에서도 번역되어 나왔다.

Stormy Weather, Debi Gliori, Bloomsbury Childrens Books, 2010

Maddi's Fridge(매디의 냉장고, 글 Lois Brandt, 그림 Vin Vogel)는 형편이 어려운 친구를 도와주는 내용인데 글밥이 좀 많다. 먹는 것과 우정을 어떻게 같이 나누는지에 대한 책이다. *I Don't Want*

Happy: A Beginner's Book of Mindfulness, Nicola Edwards, Rodale Kids, 2020

Curly Hair(나는 곱슬머리 싫어, 글그림 Laura Ellen Anderson)라는 책도 신체 긍정성 (body positivity)을 키우는 데에 매우 좋다.

The Rabbit Listened(가만히 들어주었어, 글그림 Cori Doerrfeld)는 내가 가장 좋아하는 그림책 중 하나이다.

테일러란 아이가 슬퍼하고 있으니 닭이 와서 말한다. "안 됐다, 이것에 대해 같이 얘기하자, 꼬꼬댁!" 곰은 "너 참 화가 났겠다. 나랑 같이 으르렁거려 보자"라고 하고, 코끼리는 "우리 고쳐볼까?"라고 한다. 하이에나, 타조, 캥거루, 뱀 등이 하나씩 등장하여 다양한 말들을 건넨다. 그런데 토끼는 테일러 옆에 와서 아무 말 없이 그저 몸을 대고 조용히 앉아 있기만 한다. 그러자 테일러가 말했다. "나랑 같이 있자."

이윽고 테일러가 이야기한다. "남의 것을 가서 부수고 싶어", "다시 던져버리고 싶어", "아무 일도 아닌 척도 해보고 싶어." 토끼는 그냥 그렇게 테일러의 말을 들어주었다. 어떤 위로가 참된 위로인지 너무도 잘 보여준다.

테일러는 그렇게 슬픔을 다 쏟아낸 후 혼자 감정을 추스르고, 자기 말을 들어주던 토끼에게 말한다. "다음에 다시 만들자. 우리는 멋지게 다시 만들 수 있을 거야." 때로는 포옹이 말 천 마디보다 낫다. 아이들이 자신의 감정에 대처하는 법을 알려줄 수 있는 무척 좋은 책이다.

초등 고학년

Seedfolks(씨족, 글 Paul Fleischman, 그림 Judy Pedersen)이라는 그림책은 우리나라에서 '작은 씨앗을 심는 사람들'이라는 제목으로 번역되어 나왔다. *Mustaches for Maddie*(매디를 위한 콧수염, 글 Chad Morris, 그림 Shelly Brown)는 매디라는 여자아이가 콧수염을 들고 다니다가 무슨 일이 생기면 수염을 달고 코미디언인 척하는 이야기이다. *The Remarkable Journey of Coyote Sunrise*(코요테의 놀라운

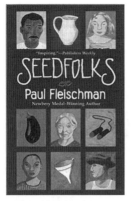

Seedfolks, Paul Fleischman, Judy
Pedersen(ILT), HarperTrophy, 2004

Brown Girl Dreaming, Jacqueline
Woodson, Nancy Paulsen Books, 2016

여행, Dan Gemeinhart)는 그림책은 아니다. 아빠랑 둘이 사는 여자아이가 스쿨
버스를 고쳐서 미국 전역을 여행하며 벌어지는 이야기이다.

Brown Girl Dreaming(꿈꾸는 갈색 소녀)은 미국에서는 초등 3~4학년용인
데, 우리와 갭이 있을 수 있어서 초등 고학년용으로 추천한다. 저자 재클린
우드슨(Jacqueline Woodson)은 미국에서 무척 유명한데, 우리나라에서도 번역
출간된 『엄마가 수놓은 길(*Show Way*)』이라는 그림책 저자이기도 하다. 이 책
은 뉴베리상, 내셔널 북 어워드, 그리고 흑인 청소년이나 아이가 주인공으
로 나오는 책에 주는 코레타 스콧상을 받았다.

중학생

미국의 문학상인 전미도서상(National Book Award) 최종 후보작인 *Ghost*(유
령, Jaosn Reynolds), 1995년 뉴베리상 수상작인 *Walk Two Moons*(두 달을 걷다,
Sharon Creech), 영화로도 제작되고 50주년 기념판도 나온 *The Outsiders*(아웃사
이더들, S.E. Hinton)도 좋다.

2018년에 영화로도 제작된 *The Hate U Give*(더 헤이트 유 기브, Angie

Ghost(Track), Jason Reynolds,
Atheneum/Caitlyn Dlouhy Books,
2017

The Hate U Give, Angie Thomas
(Author), Amandla Stenberg(Foreword),
Balzer + Bray, 2022

Thomas)나 윌리엄 모리스상 최종 후보에 오른 *Dear Martin*(디어 마틴, Nic Stone)도 훌륭한 작품들이다. 둘다 흑인 소녀나 소년이 주인공으로 불안한 10대에 흑인이라는 소수그룹의 정체성이 주는 갈등과 긴장을 배경으로 한 뛰어난 성장담이다. 특히 *Dear Martin*은 타임스가 선정한 '최고의 영어덜 트 소설 100선'에 뽑혔으며, 17세의 흑인 소년 저스티스가 자기의 정체성을 고민하는 이야기인데 리뷰가 매우 좋다. 한국에는 이런 작품들이 거의 번역 이 안 되는 것 같다. 10대 중반 정도 아이들에게 추천한다.

독서 보고서(Book Report)로 워밍업

—

책을 읽고 아이들에게 그냥 독후감을 쓰라고 하면 잘 안 된다. 길게 쓰라고 요구해도 힘들어한다. 아이들에게 생각을 정리하는 과정을 만들어주고, 짧게 써서 모으는 도움 장치들을 주면 비교적 쉽게 글쓰기에 접근할 수 있다.

저학년/고학년 독서 보고서

일단 좀더 어린 아이들이 쓰는 독서 보고서 양식을 보자. 자기 이름과 날짜를 쓰고, 책의 제목(The book title is~)을 쓴다. 저자가 누구인지(The author is~) 쓰고, 무엇에 관한 책(This book is about)인지 주제를 쓰고, 가장 좋았던 부분이 무엇인지(My favorite part was)를 쓴다. 처음 쓰기를 시작할 때에는 딱 이만큼만 해도 된다. 한 문장씩 쓰라고 해도 된다. 그리고 너무 잘했다고 칭찬하고 벽에 붙여주어야 한다.

고학년용 독서 보고서는 책 제목, 저자, 출판일을 적고, 주인공(protagonist), 주인공과 갈등관계에 있는 사람(antagonist), 조연(supporting roles)을 적는다. 조

Book Report	**Book Report**
My name is	
Today is	BOOK TITLE: THREE THINGS I LIKED
The book title is	Book Title: ___ • ___
The author is	Book Author: ___ • ___
This book is about	Published on: ___ • ___
	CHARACTERS
	Protagonist: ___
My favorite part was	Antagonist: ___
	Supporting
	Roles: ___
	MY OPINION / REVIEW
	SETTING ___

연은 주인공의 친구들 정도가 쭉 나올 것이다. 이것들을 적으면서 등장인물들의 역할을 구별해볼 수 있다.

다음으로 사건이 벌어진 배경(setting)을 적는다. 예를 들면 '1920년대 뉴욕 마피아들의 전성기, 밀주를 하던 시기'라고 적으면 된다. 그런 다음에 이 책에서 내가 좋아하는 3가지를 적는다. 마지막에는 나의 의견을 짧게 적는다. 처음에는 길게 쓰라고 안 한다.

독서 보고서 과업 카드(Book Report Task Card) 이용하기

1. A4 용지를 4등분으로 접는다.
2. 첫 번째 박스에 책 제목과 작가 이름, 그림 작가 이름을 쓴다.
3. 두 번째 박스에는 등장인물들의 이름을 적는다.

4. 세 번째 박스에는 요지와 요약을 쓴다.

5. 마지막 박스에는 이 책을 읽고 좋았던 부분에 대해 쓴다.

예를 들면 첫 번째 박스에 책 제목을 *The Big Mooncake for Little Star*(리틀 스타를 위한 커다란 달 케이크)라고 쓰고, 작가 이름을 쓰고, 두 번째 박스에는 등장인물로 Mama와 주인공 Little Star 를 쓰고, 세 번째 박스에 요지와 요약 으로 "Mom-made mooncake is the most delicious food in the world."(엄마가 만들어주는 월병이 세상에서 가장 맛있는 음식이다)라고 쓴다. 네 번째 박스에는 내가 가장 좋았던 부분으로 "The moon gets smaller as Little Star eats it little by little."(리틀 스타가 월병을 조금씩 먹어가면서 달이 계속 작아지는 것)이라고 써주면 된다.

Book Report Task Card

Title _____

Written by: _____
_____
_____

Picture by: _____
_____

Characters

Main idea

My favorite part

[특별부록: 워크시트 PDF 제공]

The Big Mooncake for Little Star

Written by Grace Lin
Picture by Grace Lin

Chracters

Mama

Little Star

Main idea

Mom-made mooncake is the most delicious food in the world.

My favorite part

The moon gets smaller as Little Star eats it little by little.

저널(Journal) 쓰기로 업(Up)!

―

저널은 우리가 생각하는 다이어리와는 다르다. 대학에 들어가면 "저널을 써내라"는 경우가 있는데, 저널은 수업을 듣고 책을 읽으면서 사고가 어떻게 발전했는지를 보기 위해서 쓰는 것이다. 즉, '나는 이 책을 읽고 이런 생각을 했다, 이런 수업을 들으니 이런 생각이 들었다, 이런 영화를 보고 이런 느낌이 들었다'는 식으로 계속 사고하며, 그 사고가 어떻게 가지를 치고 이어지며 발전했는지 그 역사를 기록하는 것이지, 자기의 사적인 삶에 대해 쓰는 것이 아니다.

이를테면 남자친구나 여자친구와 싸웠다는 이야기는 다이어리에 쓰고, 감정사회학의 권위자인 에바 일루즈(Eva Illouz) 등의 책을 읽고 사랑은 자아를 두고 벌이는 줄다리기인가, 즉 사랑의 정체에 대해 고민하는 생각은 저널에 쓴다. 저널은 사고발달을 위해 쓰는 것이며 개인적 감상을 적지 않는다. 여기에는 대표적인 4가지 유형만 소개하겠다.

개인 저널(Personal Journal)

개인 저널은 읽은 내용에 대한 개인적 반응을 적는 것이다. 다음의 저널은 읽은 책에서 인상 깊었던 "Be kind to yourself"(너 자신에게 친절해라)라는 구절을 쓰고, 이에 대한 단상을 죽 적고 있다.

오른쪽 그림은 개인 저널 양식이다. 독서 반응 저널(reading response journal)이라고 해서 책 제목, 저자, 쪽수, 읽기 난이도(쉬움, 딱 맞음, 어려움)를 표시한다. 그리고 내가 가장 좋아하는 부분을 그리고 쓰게 한다.

[특별부록: 워크시트 PDF 제공]

대화 저널(Dialogue Journal)

대화 저널은 퍼스널 저널과 형태는 같은데, 교사나 부모, 또는 또래가 읽고 코멘트를 달아주는 형식이다. 아예 처음부터 코멘트를 달아주기로 약속하고 시작한다. 예를 보면 앤디가 저널에 크리스마스 선물로 강아지를 받고 싶다고 쓰자, 교사가 저널의 밑에 코멘트를 달아주었다. 이게 대화 저널의 예이다.

Dialogue Journal

I really, really want to have a dog. I wish I can get a dog for Christmas gift

It takes responsibility to keep a dog. You need to feed and walk the dog every day. Why don't you tell your mom you will do those things and keep the dog away from your mom? Make a list of things you will do to keep a dog and persuade her with it. Then who knows your mom tells Santa to get you a dog?

개를 키우는 데에는 책임이 필요하단다. 매일 먹이를 주고 산책을 시켜줘야 해. 엄마한테 이런 일들을 할 거고, 개가 엄마 옆에 안 가게 하겠다고 말씀드리면 어떨까? 그리고 개를 키우기 위해 할 일들 목록을 만들고 그것으로 엄마를 설득해보렴. 그럼 혹시 아니? 엄마가 산타 할아버지께 너한테 개를 선물로 주라고 할지?

복식 저널(Double-entry Journal)

복식 저널은 한 페이지를 둘로 나누어 왼쪽과 오른쪽에 적는 형식의 저널이다. 왼쪽에는 읽기 전, 읽는 중에 적는 메모, 또는 자기가 예측한 내용, 표 같은 것을 넣는다. 오른쪽에는 읽은 후의 소감, 저자에게 하고 싶은 질문 같은 것을 적는다. 예를 들면 왼쪽에 지문에서 인용하고 싶거나 재미있는 문구, 주요 사건, 요지, 문제나 갈등 같은 것을 적고, 오른쪽에 반응이 어떤지, 내가 읽으면서 세운 가설 같은 것을 쓰고, 설명, 비교, 지문에 대해 토론하기 등을 적는다. 이런 형식은 우리나라 중고등생 이상이 할 만하다.

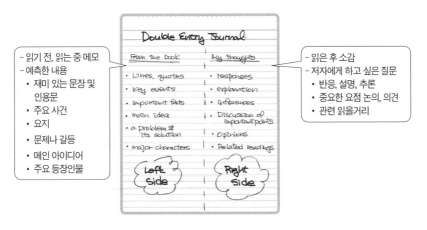

- 읽기 전, 읽는 중 메모
- 예측한 내용
  • 재미 있는 문장 및
    인용문
  • 주요 사건
  • 요지
  • 문제나 갈등
  • 메인 아이디어
  • 주요 등장인물

- 읽은 후 소감
- 저자에게 하고 싶은 질문
  • 반응, 설명, 추론
  • 중요한 요점 논의, 의견
  • 관련 읽을거리

[특별부록: 워크시트 PDF 제공]

상호작용 저널(Interactive Journal)

사실 상호작용 저널은 노트 필기법에 들어간다. 미국에서는 이런 저널을 초등학교 때부터 수업 시간에 일상적으로 사용하고 필기를 이렇게 하기도 한다. 과학, 수학과 사회과학에서 주로 사용하며 수치나 데이터도 포함한다. 책을 읽고 이런 저널을 만들어보면 좋을 것이다.

예를 들면 국어(Language Art) 시간에 소설의 여러 가지 장르에 대해 배우면서 노트를 정리한다고 치면, 다음과 같이 장르명으로 덮개들을 만들고, 각 덮개를 들추면 그 아래 각 장르의 정의와 특징 혹은 예를 적는 방식으로 정리한다. 이런 식으로 시각화해서 저널을 쓰면 머릿속에 개념들이 훨씬 잘 정리되어 저장된다.

드로잉으로 가볍게

—

아직 펜도 잘 못 잡는 아이가 책을 읽는 후 독후활동을 할 때에는 그림 그리기 정도가 좋다. *Here Are My Hands*(한국 번역책 제목: 손 손 내 손에, 글 Bill Martin Jr., John Archambault, 그림 Ted Rand) 그림책에는 코는 냄새를 맡을 때 쓰고 손은 물건을 잡고 던질 때 쓴다는 등의 내용이 나온다. 이 책을 읽고 나서 사진처

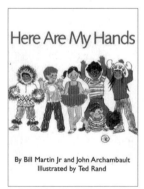

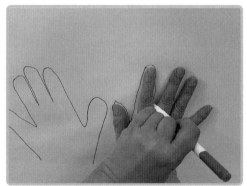

Here Are My Hands, Bill Martin Jr., John Archambault, Ted Rand(ILT), Henry Holt and Co., 1998

럼 손을 본떠서 따라 그리고 'hand'라고 쓴다. 그리고 '던지고 잡는 행동' 같
은 것을 직접 몸으로 해본다. *Brown Bear Brown Bear, What Do You See?*(갈
색 곰아, 갈색 곰아, 뭐가 보이니?, 글 Bill Martin Jr., 그림 Eric Carle) 같은 그림책으로 드
로잉 활동을 할 수도 있다. 어린아이들은 책을 읽고 대뜸 쓰기부터 하는 것
이 아니라, 스티커 붙이기나 손을 대고 따라 그리기 정도의 활동이 독후활
동으로 좋다.

내가 좋아하는 등장인물 그리기

아이가 가장 좋아하는 책의 제목을 쓰고, 좋아하는 등장인물을 그리도록 한
다. 아직 쓰기를 힘들어하면 엄마가 대신 써주면 된다.

조금 더 큰 아이라면 등장인물들을 그릴 수도 있다. *Miss Nelson Is
Missing*(미스 넬슨 실종, 글 Harry Allard, 그림 James Marshall) 책에서 말썽꾸러기 반
아이들은 상냥한 미스 넬슨 선생님에게 무례하게 군다. 그런데 어느날 넬슨
선생님이 사라지고, 무시무시한 미스 비올라 선생님이 나타났다! 넬슨 선생
님은 어디로 갔을까?

개스턴 카운티 박물관 사이트(www.gastoncountymuseum.org)에서 이 책 주
인공들의 컬러링 워크시트를 다운받을 수 있다(miss nelson으로 검색). 다운받은
워크시트에 색칠을 하고 성격 묘사 형용사를 쓰면 된다. 예를 들면 미스 넬
슨은 nice, sweet, pretty, warm, 미스 비올라는 mean, rude와 horrible 등
을 쓸 수 있을 것이다. 적대자(antagonist)는 주인
공과 갈등을 일으키는 사람을 그리고 이름을
쓰고 묘사하면 된다. 그리고 쓰는 행위보다 아
이가 표현을 할 수 있다는 것이 더 중요하다.

읽고 그리기

[특별부록: 워크시트 PDF 제공]

어릴수록 독후활동을 짧게 하는 것이 좋은데, 책을 읽고 가장 중요한 부분을 그려보게 할 수도 있다. 인터넷에는 아예 읽고 그리기에 쓰는 템플릿들이 있다. 라이브워크시트 사이트(www.liveworksheets.com)에는 짧은 영어 지문들을 읽고 그 내용을 그려보게 하는 시리즈도 있다.

만들기

Bark, George, Jules Feiffer, Laura Geringer, 1999

책을 읽은 다음에 꼭 독후감 같은 것을 쓸 필요는 없다. *Bark, George*(한국 번역책 제목: 짖어봐 조지, 글그림 Jules Feiffer)에서는 엄마 개가 강아지에게 개의 말 '멍멍'을 가르치려고 하는데, 강아지가 야옹, 꽥꽥, 음매 같은 다른 동물들의 말을 하는 바람에 수의사에게 가서 치료를 받는 내용이 담겨 있다.

수의사가 강아지 속에 손을 넣어서 고양이를 빼내면 야옹 소리를 안하게 되고, 소를 빼내면 음매 소리를 더 이상 하지 않게 되어서, 결국 제대로 멍멍 소리를 하게 된다는 내용이다.

이 책을 읽은 후에는 다음과 같은 만들기 활동을 해볼 수 있다.

1. 카페 등에서 사용하는 얇은 종이봉투, 눈알 스티커와 펜을 준비한다.

2. 종이봉투 위쪽을 4cm 정도 접은 후 왼쪽 귀퉁이와 오른쪽 귀퉁이를 세모로 접는다. 그리고 눈알 두 개를 붙이고, 다음의 사진과 같이 강아지의

코 부분과 혀를 그린다.

3. 책에 나온 여러 동물들을 종이 그림이나 펠트 인형이나 작은 피규어 인형으로 준비해서 이 종이봉투 강아지 안에 넣는다.

4. 책 내용처럼 강아지 속에서 동물을 하나씩 꺼내며 각 동물이 내는 소리를 영어로 낸다.

에즈라 잭 키츠(Ezra Jack Keats)의 *The Snowy Day*(눈 오는 날)를 읽고난 다음에, 아이랑 함께 종이접시를 잘라서 눈 천사를 만들 수도 있다. "Let's make a snow angel" 하면서 만들면 된다.

또한 미국의 그림책 작가 잰 브렛(Jan Brett)이 우크라이나의 민화를 모티프로 쓰고 그린 *The Mitten*(장갑)이란 그림책을 읽은 후 장갑을 만들어본다. 종이봉투에 엄지손가락을 달고 벙어리장갑 모양으로 만든 다음, 책에 나오는 동물들을 모두 그린다(혹은 복사해서 자른다). '장갑' 이야기를 재현하면서 "이번에는 누가 들어갈까?"라고 묻고, 아이가 동물 이름을 대면 그 동물을 장갑에 넣으면 된다. 이렇게 해서 장갑 속에 동물들이 하나씩 들어가서 모두 따뜻하게 있게 되었다.

The Mitten, Jan Brett, G.P. Putnam's Sons Books for Young Readers, 1996

그래픽 오거나이저로
요약 쓰기력 키우기

—

그래픽 오거나이저는 매우 다양한데 일종의 개념 도구(conceptual tool)로서 원래 쓰기를 할 때 브레인스토밍 단계에서 많이 사용한다. 책을 읽은 다음 독후활동으로 쓰면 정말 좋다.

요약력을 기르는 방법

미술 전공 학생들의 교양영어 수업에 영작문을 가르친 적이 있다. 영어 글쓰기 실력이 우리나라에서 영어를 매우 잘하는 초등 고학년 정도의 수준이었다. 그림을 잘 그리는 학생들의 강점에 영어를 얹어서 수업을 진행했을 때 아주 반응이 좋았다. 다음과 같은 활동을 했다.

1. 일단 명작동화를 골라 영어로 한 편씩 읽는다. 이미 우리말로 줄거리를 알고 있기 때문에 명작동화를 영어로 읽는 것은 어렵지 않다.
2. 읽은 동화에서 주요 장면을 10개 뽑은 다음, 각 장면당 한 장씩 그림을 그리게 한다.

3. 각 그림에 그 장면을 묘사하는 영어 문장을 한 줄씩 쓰게 한다.

4. 각 문장을 뽑아 한 장에 옮겨 쓰게 한다.

5. 그런 다음에 각 문장 사이에 필요하면 접속어구를 넣어준다.

이제 요약 쓰기가 끝났다. 그냥 대뜸 학생들에게 "영어로 요약해봐"라고 하면 영어 글쓰기가 어렵다. **요약은 사고력 중에서도 고급기술이므로,** 이렇게 연습시켜야 아이가 요약문 쓰기를 좀더 수월하게 할 수 있다.

다음은 당시 학생들이 했던 '인어공주' 스토리보드의 예이다. 이야기의 전개에 따라 학생들이 번호를 달아놓았는데, 결말이 마음에 안 들었는지 뒷부분을 왕자와 결혼하는 것으로 고쳐놓았다. 각 그림들에 영어 문장을 한 줄씩 써놓았다. 영어가 틀린 곳이 있지만 요약을 잘했다.

명작동화가 왜 좋냐면, 아이들이 우리말로 줄거리를 알기 때문에 사전 지식이 무척 많은 상태로 영어 지문을 읽게 된다. 또한 "결말이 마음에 안 들면 고쳐봐"라고 해서 단순 요약에 그치지 않고 약간의 창작 글쓰기까지로 발전시킬 수도 있다. 영어 글쓰기에 어렵지 않게 접근하는 방식 중 하나이다.

이 방식은 영어를 잘하는 초등 고학년부터 할 수 있다. 처음부터 "네 의견이 뭐야? 분석해봐" 이렇게 하면 안 된다. 처음에는 그냥 "요약을 하되, 결말이 마음에 안 들면 조금 바꿔볼래?" 하는 수준으로 영어 글쓰기를 시작해야 한다.

스토리 맵으로 요약력 키우기

쉬운 스토리 맵(story map)부터 보자. 아이가 책을 읽고난 다음 스토리 맵을 주고 배경, 등장인물, 시작, 중간, 끝을 쓰게 한다.

STORY MAP

Book Title _____
Author _____

Name _____   Date _____

| Setting | Characters |

| Start | Climax | Ending |

[특별부록: 워크시트 PDF 제공]

다음은 내가 가르쳤던 학생들이 '미운 오리 새끼'의 스토리 맵을 만든 후 요약 및 창작을 한 그림이다. 이 학생들은 창의력을 발휘해서 엄마와 가족과 친구들에게 인정받지 못하던 미운 오리 새끼가 가출을 해서 락스타가 된다는 이야기를 만들었다.

좀더 어려운 단계로 가면, 등장인물들을 쓰고, 사건의 기승전결을 쓰게 한다. 사건의 배경은 무엇이고, 갈등은 무엇이었고, 어떻게 해결되었는지를 쓰는 것이다. 그리고 주제를 쓰게 한다. 앞의 것보다 어려운 스토리 맵이다.

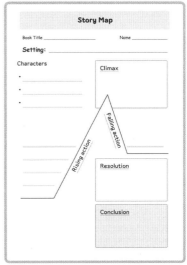

[특별부록: 워크시트 PDF 제공]

스토리 맵을 다음의 그림처럼 그릴 수도 있다. 주인공이 길을 나서 겪은 모험을 지도로 그려본 것이다. 빨간 모자가 숲으로 들어가 늑대를 만나고, 할머니 집으로 가고, 할머니 집에 사냥꾼이 등장하고, 빨간 모자가 집으로 무사히 돌아온다. 마치 지도처럼 이야기의 사건들을 그리는 것이다.

그래픽 오거나이저로
단서 및 예측력 키우기

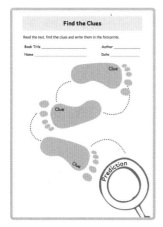

단서 따라가기(Find the Clues)

단서를 찾아서 무엇인가를 해결해야 하는 이야기라면, 읽으면서 단서 1, 단서 2, 단서 3을 쓴 다음에 예측을 한다.

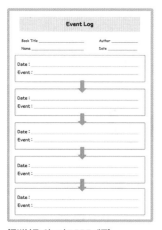

일어난 순서대로 쓰기(Sequencing)

다음은 사건의 순서(sequence)를 정리한 그래픽 오거나이저이다. 사건들이 언제, 어떤 순서로 일어났는지를 순서대로 쭉 적는다. 여러 사건이 일어나는 책을 읽었을 때 활용할 수 있다.

5W 차트로 요약력까지

5W 차트는 '누가, 무엇을, 언제, 어디서, 왜'를 적
어보는 것이다. 사고력을 쌓는 데 크게 도움이 될
뿐만 아니라 각 칸에 적은 것을 모아서 접속사를
넣어 정리하면 한 편의 글이 된다.

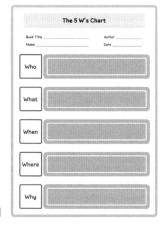

[특별부록: 워크시트 PDF 제공]

가장 많이 쓰이는 KWL 차트

KWL 차트는 독후활동의 '단서 및 예측하기' 활동에서 가장 많이 쓰인다.
책을 읽기 전에는 '나는 무엇을 아는가', 읽는 도중에는 '내가 알고 싶은 것
은?', 읽고난 다음에는 '내가 배운 것은?' 난에 글을 쓰면 된다.

구글에서 KWL 차트를 찾아보면 무수히 많이 나온다. 아마 그래픽 오
거나이저 중에서 가장 많이 쓰이는 것일 것이다. 그런데 영어를 잘하는 초
등 고학년 이상부터 사용해야 한다. 왜냐하면 KWL 차트는 자기 학습에 대
한 메타인지가 있어야 사용할 수 있기 때문이다. 내가 무엇을 배우고 있는
지, 무엇을 모르지를 아는 것이 메타인지인데, 인지발달이 빠른 초등 고학
년 이상, 중학생 정도가 되어야 이 활동을 할 수 있다. **학습을 잘하는 아이로
키우고 싶다면 초등 고학년 때부터 메타인지를 키워주는 것이 장기적으로 큰 도움
이 된다.**

KWL 차트의 예를 보자. 라이언 T. 히긴스(Ryan T. Higgins)의 *What About
Worms?*(벌레가 어때서?, Ryan T.Higgins, Mo Willems) 책을 읽는다고 하자.

KWL Chart

Book Title _____   Author _____
Name _____   Date _____

What I Know

A tiger is one of the strongest animals.
Worms are small, but they are gross.

What I Want to know

Why does the tiger look scared?
What can scare a tiger?
What are there in the dirt?

What I Learned

A tiger can be scared by worms.
Worms love tigers.

[특별부록: 워크시트 PDF 제공]

읽기 전에 표지 정도를 보면서 '내가 이미 알고 있던 것'을 쓴다(또는 말한다). 호랑이는 가장 무서운 동물 중 하나이다, 벌레는 징그럽지만 작다 정도가 될 것이다.

이 책에서 '내가 알고 싶은 것'은 호랑이는 왜 놀라는 표정일까, 호랑이는 뭘 무서워할까, 그리고 흙 속에 뭐가 있어서 호랑이는 그럴까 정도가 되겠다.

이 책을 읽은 후 '내가 알게 된 것'은 크고 무서운 호랑이도 벌레를 무서워할 수 있다, 벌레는 호랑이를 좋아한다 식으로 쓸 수 있을 것이다. KWL 차트는 책을 읽으면서 내용을 정리하기 좋은 지식도구이고, 넌픽션을 읽으며 정리하기에도 아주 좋다.

등장인물 분석

독후활동으로 모두가 독후감을 쓸 필요는 없다. 캐릭터 분석을 해도 된다. 책 제목을 쓴 후에 그 책에 나온 등장인물의 이름을 쓴다. 그 등장인물의 특징을 한마디 쓰고, 그가 한 일을 몇 개 쓴다. 이런 식으로 그 책의 주요 등장인물 몇 명을 정리해보는 것도 훌륭한 쓰기 활동이 될 수 있다.

그런 다음에 캐릭터 관계도도 한번 그려본다. 누구와 누구는 어떤 사이인지를 쓰는 것이다. 등장인물이 누군가와 싫어하는 사이면 ×를, 좋아하는

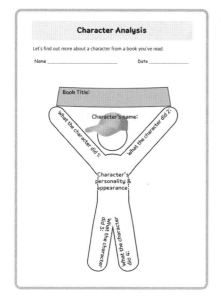

Character Analysis

Let's find out more about a character from a book you've read.

Name _____   Date _____

Book Title:

Character's name:

What the character did 1:

What the character did 2:

Character's personality & appearance:

What the character did 3:

What the character did 4:

[특별부록: 워크시트 PDF 제공]

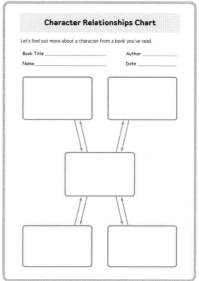

Character Relationships Chart

Let's find out more about a character from a book you've read.

Book Title _____   Author _____

Name _____   Date _____

[특별부록: 워크시트 PDF 제공]

사이면 ○을 화살표 위에 표시한다.

플롯 다이어그램(Plot Diagram)

플롯 다이어그램은 이야기를 구성할 때 사용하는 지도 같은 것으로 피라미드나 삼각형 형태가 많다. 기승전결을 가르쳐주기 위해서 사용하는 그래픽 오거나이저이다. 플롯 다이어그램 사용법은 267쪽에서 소개했다.

구두 발표(Oral Presentation)

─

구두 발표는 어렵지 않다. 아이에게 무작정 읽은 책에 대해서 말해보라고 하면 힘들어하니, 앞에서 살펴본 쓰기 활동을 한 후 작업한 결과지를 두고 설명해보라고 하면 된다. 아이의 활동지를 벽에 붙여놓고 "한번 설명해볼래?" 하고 유도하면 된다. "엄마와 같이 만들었으니 아빠에게 영어로 설명해볼까?" 하고 유도해도 좋고, 엄마가 질문을 던지고 아이가 대답하는 형태로 해도 된다. 교실 수업이라면 활동지를 들고 다른 친구들에게 설명하게 하면 된다. 핸드폰으로 아이의 구두 발표를 촬영하는 것도 크게 도움이 된다. 자신이 말하는 영어를 들어보는 것이 이후 영어 실력 향상에 도움이 되

기 때문이다. 하지만 아이가 촬영을 거부하면 억지로 하지 않는 것이 좋다. 다만, 촬영을 하게 되면 칭찬을 매우 많이 해주며 영어에 자신감을 가지도록 계속 북돋워 주어야 한다.

영어 글쓰기가 좋아지는
편지 쓰기

—

영어 편지 쓰기부터 시작해볼까?

I Wanna Iguana(글 Karen Kaufman Orlof, 그림 David Catrow)는 우리나라에서 "엄마, 이구아나 키우게 해주세요"라는 제목으로 번역 출간되었다. 우리나라 부모님들은 그림체가 별로 안 예쁘다고 생각하는지 많이 안 팔린 것 같은데, 굉장히 좋은 책이다. 미국 초등학교 교사들이 수업시간에 편지 쓰기를 가르칠 때에 자주 사용한다. 이 책의 모든 글은 편지글 형식으로 되어 있다. 머리말도 편지 형식으로 씌어 있다. 편지글 쓰기를 익힐 수 있으며, 아이가 영어 글쓰기에 부담 없이 접근하는 데 도움이 된다.

주인공 알렉스는 이구아나를 너무 키우고 싶다. 그래서 엄마에게 편지를 보낸다. 보통 편지 첫머리에 받는 이와 첫인사를 쓰고, 마지막에 끝인사와 편지 쓴 날짜, 보내는 이의 이름을 쓴다. 이구아나를 키우고 싶다고 조르는 알렉스가 끝인사 뒤에 'Your sensitive son(당신의 예민한 아들)'이라고 쓴 것이 너무 귀엽다.

```
Dear Mom,
I know you don't think I should have Mikey Gulligan's baby
iguana when he moves.
...
But here's why I should.
...
Signed,
Your sensitive son,
Alex
```
친애하는 엄마,
난 알고 있어요. 내 친구 미키가 이사갈 때, 내가 미키의
아기 이구아나를 데려오면 안 된다고, 엄마가 생각할 거라는 걸.
...
하지만 내가 꼭 얘를 키워야 하는 이유가 있어요.
...
당신의 예민한 아들 알렉스

편지를 받은 엄마가 거절 답장을 하자, 알렉스는 다시 편지를 보낸다. "이구
아나는 조용하고 귀여워요." 엄마가 다시 답장을 보낸다. "타란툴라(손바닥보
다 더 큰 독거미)도 조용하단다."

  조르는 알렉스와 쿨하게 받아치는 엄마의 편지들이 너무 재미있다. 읽
다 보면 쿡쿡 웃음이 나오고, '나도 영어 편지를 쓰고 싶다'는 생각이 절로 든
다. 결국 알렉스는 이구아나를 키울 수 있게 허락을 받는다. 아이들은 애완
동물을 키우고 싶어하기에 공감을 많이 느낄 것이다. 영어 편지양식을 익히
기에도 좋고, 영어 글쓰기 욕구가 용솟음치게 만드는 책이다.

영어 편지 생성기 이용하기

요즘은 영어 편지 생성기가 흔하다. 그중에서 전미영어교사협회(NCTE, National
Council of Teachers of English) 사이트의 어린이용 영어 편지 생성기를 소개한
다. 이 협회는 미국 어린이의 영어 독해와 작문 능력 향상을 위해 유치원,
초등교사뿐 아니라 대학교수까지 참여하고 있다.

1. 전미영어교사협회 사이트에서 어린이용 영어 편지 생성기 페이지로 접

속한다(interactives.readwritethink.org/letter-generator).

2. 다음과 같은 화면에 받을 사람의 영어 이름을 써넣으면 편지의 첫머리에 Dear 같은 표현이 자동으로 붙는다(Ex. Dear, Santa).

3. 끝맺음말도 마찬가지다. Sincerely, Best regards 같은 표현 중에서 골라서 넣으면 된다.

　아이와 함께 산타한테 보내는 편지를 써보아도 좋다. '나는 누구이고, 몇 살이고, 어디에 살고 있고, 올해 이런 착한 일들을 했고, 크리스마스에는 이런 선물을 받고 싶다' 식으로 여러 양식들이 나온다. 그중에서 골라서 쓰면 되니 아이들이 영어 편지 쓰기를 부담 없이 시작할 수 있다.

[특별부록: 워크시트 PDF 제공]

영어 글쓰기가 좋아지는
글쓰기 프롬프트 이용하기

—

Idea Jar, Adam Lehrhaupt, Deb Pilutti(ILT),
Simon & Schuster/Paula Wiseman Books,
2018

Idea Jar(아이디어 병, 글 Adam Lehrhaupt, 그림 Deb Pilutti)라는 책도 영어 글쓰기에 좋고 재미난 책이다. '와, 이런 아이디어라니', '아, 나도 영어 글쓰기를 해보고 싶다'라는 마음이 들게 만든다. 영어 글쓰기가 막막하고 지루한 것이 아니라 만만하고 신선하고 즐겁게 느껴지게 하는 책이다.

본문을 펼치면, 하얀 백지 위에 메모지들이 든 유리병 그림이 하나 있다.

This is my teacher's idea jar. / We keep our story ideas in it.

(이건 우리 선생님의 아이디어 병이야. / 우리가 거기 스토리 아이디어들을 넣었어.)

스토리 아이디어는 아무거나 괜찮다. 우주 로봇, 말(horse)이 없는 카우걸, 거인, 커다란 용, 바이킹…. 누군가 '바이킹'을 뽑았다면 이야기에 바이킹을 넣어 쓴다. 아이들이 서로 의견도 낸다.

"그때, 거대한 오소리가 문을 두드렸다, 어때?"

그러다보니 아이디어들이 통제 불능이 되어 문제가 생긴다. 처음에 바이킹이 나왔는데 누군가가 우주 로봇을 뽑았다면, 우주 로봇이 바이킹을 공격한 이야기가 나올 수도 있다. 이것이 이 책의 재미 중 하나다.

아이들을 위한 영어 글쓰기 프롬프트 생성기

글쓰기 프롬프트(writing prompt)는 특정 주제나 목적에 맞게 이야기를 만들어 갈 수 있도록 실마리를 주는 짧은 단어, 문장이나 지문을 말한다.

앞의 책에 나오는 아이디어 병도 하나의 글쓰기 프롬프트라고 할 수 있다. 아이들한테 "그냥 써"라고 하는 것이 아니라 아이디어 병에서 단어를 꺼내게 하고, "이 단어들을 사용해서 글을 써봐"라고 하면 영어 글쓰기에 도전하는 것이 더 재미있어진다. 게다가 여러 단어들을 가지고 생각지도 못한 스토리가 나올 수도 있다.

글쓰기 프롬프트는 다양한 방식으로 줄 수 있는데, 그중에서 미국 초등학생들을 위한 글쓰기 프롬프트 300개가 나와 있는 곳을 소개한다.

1. 이매진 포레스트 사이트(www.imagineforest.com)에 접속한 다음 상위 메뉴에서 blog를 누르고 Writing Prompts를 클릭하면 다양한 글쓰기 프롬프트를 만날 수 있다. 이 사이트에서는 이미지 프롬프트, 아이디어 생성기, 이야기 쓰기 가이드, 영어 글쓰기 게임 등 다양한 정보를 접할 수 있다.

2. 다음 화면에서 오른쪽의 검색어 란에 'kid'를 입력한 후 〈Search〉를 클릭하면 이제 아이들을 위한 영어 글쓰기 프롬프트들이 나온다. 각 단락마다 번호가 붙어 있다. 글쓰기 프롬프트를 뽑으면 무조건 그 문장으로 이야기를 시작한다. 또는 아이에게 첫 문장을 뽑게 해도 된다.

초등학생을 위한 영어 글쓰기 프롬프트를 만날 수 있는 이매진 포레스트 사이트

3. 영어 글쓰기 프롬프트 생성기도 있다. 위의 화면에서 'Download App'
   을 누르고 앱을 다운받으면 영어 프롬프트 생성기를 사용할 수 있다. 이
   야기 아이디어가 수천 개가 있는데 30개 정도의 카테고리로 나누어져 있
   다. 여기서 'Fairy Tale(동화)'을 선택해보겠다.

이매진 포레스트(Imagine Forest)의 영어 글쓰기 프롬프트 생성기. 앱을 다운받아 사용할 수 있다.

4. 그러면 예를 들어 이런 프롬프트가 나온다. "There was an old lady who lived in a shoe until its owner returned. ~"(주인이 돌아올 때까지 신발 속에 살았던 할머니가 있었다. ~) 글쓰기 프롬프트는 랜덤으로 설정할 수 있다.

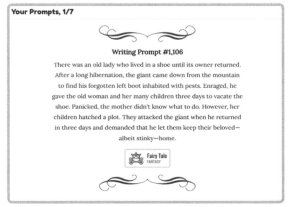

이매진 포레스트에서 영어 글쓰기 프롬프트가 뜬 모습(출처: www. imagineforest.com)

이런 프롬프트를 읽은 후 이어서 쓰면 된다. 영어 지문을 읽고 쓰고 읽고 쓰고 읽고 쓰는 식이다. 영어 읽기와 쓰기 능력이 자연스럽게 좋아지게 된다.

아이가 읽은 책을 글쓰기 프롬프트로 이용하는 법

아이가 읽은 책을 글쓰기 프롬프트로 삼아 글을 쓰려면 어떻게 해야 할까? 이런 질문들을 던지면 좋다.

1. 이 책을 생각하면 가장 먼저 떠오르는 게 뭐니? 한 문장 써봐.

   What's the first thing you remember about this text? Write a sentence.

2. 이 책을 읽고 나서 당황스러웠던 것은 뭐니? 한 문장 써봐.

   What was something that puzzled you about it? Write a sentence.

3. 네가 절대 동의할 수 없었던 것이 있니? 무엇이니? 왜니? 한 문장 써봐.

   Was there something you disagreed with? What? Why? Write a sentence.

4. 네 생활과 연관된 것이 뭐였니? 한 문장 써봐.

   Was there something that linked to your life? Write a sentence.

5. 이 책을 읽고나니 떠오른 생각이 있니? 한 문장 써봐.

   Did the text give you an idea? Write a sentence.

이러한 질문들이 모두 글쓰기 프롬프트가 된다. 책을 읽고 내용을 아이디어로 삼아서 글쓰기를 시킬 때는 이런 질문들을 던져서 유도하면 된다. 이렇게 글쓰기 혹은 말하기까지 해서 책에서 배운 지식을 나의 말로 뽑아낼 수 있으면 아주 보람된 책 읽기를 했다고 볼 수 있다.

영어책이 좋아서 많이 읽는 것이 가장 이상적이지만, 아이가 능동적으로 골라 읽지 않을 경우, 부모가 집에서 함께 읽는 장을 만드는 여러 가지 아이디어와 접근법을 이 책에서 풀어보았다. 모쪼록 영어책을 매개로 가족들이 즐거운 시간(quality time)을 나누시기를 빈다.

부록

Q1 파닉스 리더스와 사이트 워드 리더스에 대해 궁금합니다.

영어에서 아주 자주 등장하는 사이트 워드는 파닉스 규칙이 해당하지 않는 단어들입니다. 파닉스 규칙에 해당되지 않기 때문에 반복해서 보여주는 노출 외에는 학습방법이 따로 없어요. 또 사이트 워드는 대부분 가장 쉽게 많이 사용하는 단어들이라서 꼭 알아야 하기도 합니다.

원어민 아이들은 사이트 워드의 소릿값을 알기 때문에 파닉스를 하면서 철자가 어떻게 되는지 확인하는 수준으로 하면 됩니다. 하지만 한국 아이들은 그 단어들의 소릿값과 의미가 머릿속에 없기 때문에, 파닉스를 할 때 사이트 워드와 그 의미들이 좀더 많이 제시되어야 합니다. 사이트 워드 리더스도 별도로 있으므로, 파닉스 리더스와 병행해서 함께 보면 좋습니다. 이 책의 3장을 참조하세요.

Q2 아이가 영어책을 보여주면 거부해요. 한국어로 된 책과 동영상만 달라고 고집하는데 어떻게 하면 좋을까요?

아이가 한국 나이로 3세 정도 되면 자기가 의미를 모르는 영어 인풋은 듣기 싫어할 수 있어요. 한국말을 잘 못할 때에는 영어로 들려주든 한국어로 들려주든 즐겁게 그냥 다 듣고 보지만, 어느 정도 한국말이 이해되기 시작하면 내가 이해 못하는 영어 인풋은 주지 말라고 거부할 수 있죠.

가장 이상적인 방법은 영어를 하는 아이와 플레이 그룹을 만드는 것입니다.

세계적인 이중언어 권위자 앨리슨 맥키(Alison Mackey)와 켄들 킹(Kendal King)이 일반인을 위해 쓴 『2가지 언어로 능통한 아이 키우기(The Bilingual Edge)』 책에서는 배우고 싶은 외국어를 하는 아이들과 플레이 그룹을 만들거나 그 언어를 하는 보모를 고용하라고 합니다. 그런데 미국에서는 영어를 하는 아이와 플레이 그룹을 만드는 것이 쉽지만 한국은 그렇지 않죠.

따라서 한국에서는 영어로 노는 시간을 계속 만들어주어야 해요. 한국 유아 영어학원에 보내면 읽기와 쓰기를 시키는데 그런 곳 말고, 그냥 친구들 혹은 원어민 선생님과 영어로 놀 수 있는 프로그램을 추천합니다. 영어로 하는 짐보리가 있으면 좋은데, 럼프앤롤이라는 프랜차이즈가 한국에 들어왔다가 한 개 지점만 남고 철수한 것 같습니다.

Q3 언제부터 영어 읽기를 가르쳐야 할까요?

한국 아이들은 초등 1학년 전에 한글을 거의 떼기 때문에, 초등 1학년부터는 영어 읽기와 쓰기를 공부해도 됩니다. 강남 등 교육열이 높은 곳에서 아이를 키우는 경우 영어 파닉스를 늦게 하는 것이 무척 힘들겠지만, 영어보다 더 중요한 것은 모국어 문자 학습을 어떻게 했느냐라고 생각합니다. 아이가 인지기술이 발달된 상태에서 문자를 받아들이고 제대로 한국어를 잘 읽고 쓰고 있는 상태에서 영어 인풋이 들어가는 것이 좋습니다.

Q4 소리내어 읽기가 중요하다는데 어떻게 해야 하나요?

엄마랑 아이가 같이 읽는 교수법이 있습니다. 아기 때는 엄마가 전적으로 읽어주고, 그다음에는 짝 읽기(paired reading)로 함께 읽고, 그후 아이 혼자 소리

내어 읽게 하면 됩니다. 짝 읽기는 두 명이 짝이 되어 하는 합창 읽기의 한 형태로, 반드시 한 명이 다른 한 명보다 더 잘 읽어야 합니다. 둘이 나란히 앉아서 한 명이 다른 한 명을 부드럽게 밀어주거나 이끌면서 같이 읽는 것이죠.

이때 아이는 손가락으로 읽는 지문을 짚으며 따라오게 합니다. 핑거링(fingering)은 아이의 문자습득에 굉장히 중요해요. 이 때문에 종이책이 아이들에게는 필수적이기도 합니다. 짝 읽기 리딩 일지도 기록하는 것이 좋습니다. 도움 읽기, 즉 가이디드 리딩에 대해서는 4~5장에서 자세히 설명했습니다.

> **Q5** 영어학원에서 나이와 관계없이 영어 실력에 따라 반을 구성하던데요. 그래도 괜찮은 걸까요?

보통 영어학원들을 보면 연령대가 아니라 영어 수준별로 분반을 합니다. 수준별 분반이 좋기는 합니다. 선생님 입장에서는 영어 수준이 마구 섞여 있으면 맞춰서 수업하기가 힘드니까요. 그런데 한 반 학생들의 연령이 너무 차이나면 인지발달 수준이 꽤 달라서 학습자들이 수행할 수 있는 활동이 달라질 수밖에 없습니다. 성인들은 나이랑 관계없이 영어 수준별로만 섞어버리면 되는데, 아이들은 연령대별로 인지발달, 신체발달, 정서발달 정도가 다르기 때문에 나이 차이가 너무 많이 나는 것은 좋지 않습니다.

Q6 파닉스를 늦게 시작해도 괜찮은 걸까요? 이미 초등 5학년인데 파닉스를 한번도 한 적이 없거든요.

파닉스를 처음 배운다면 초등 5학년도 괜찮습니다. 이미 파닉스를 뗀(?) 적이 있는 아이들도 파닉스 교정 교수가 필요합니다. 파닉스는 꼼꼼하게 하는 것이 좋습니다. 파닉스 교정 교수에 대해서는 2장에서 상세히 설명했습니다.

Q7 영어책을 읽어줄 때, mouse라고 읽어주면 "마우" 이렇게만 발음하는데요. 그냥 두어도 될까요?

일단 아이가 음소 인식이 되는 단계인지, 몇 음절까지 발음할 수 있는지 점검해보세요. 아이마다 다르긴 하지만, 연령대별 음소 인식 발달단계가 있습니다.

나이	가능한 음소 인식 활동
만 4세	· 운율과 두운(첫머리의 운) 소리를 내고 즐길 줄 안다.
만 5세	· 여러 단어 중에서 운이 맞지 않는 단어를 구별해낼 줄 안다. · 단어 내의 음소 변화를 인식하고, 단어 내 음절을 들을 수 있다.
만 5세 반	· 초성과 라임을 혼합할 줄 알고(예: /k/+/at/→cat), 초성 소리를 분할할 줄 안다.
만 6세	· 음절 하나를 생략하고 단어의 나머지 부분을 말할 수 있다. (예: rhino에서 no 음절을 빼고 rhi를 말할 수 있다.) · 복합어를 분할할 수 있다.(예: starfish에서 star를 말할 수 있다.)

Q8 중학생인데 영어 스위치가 끊어진 상태인데요. 이런 아이도 파닉스의 음소 인식 활동부터 해야 할까요?

중학생인데 영어 스위치가 끊어진 것 같으면, 파닉스 교정 교수부터 시작해보는 것도 방법입니다. 파닉스를 예전에 한번 뗀 아이들도 다시 한번 할 필요가 있습니다.

우리는 파닉스 시리즈 책을 마치면 파닉스를 뗐다고 착각하지만, 앞에서도 말했듯이 영국 원어민 아이들도 초등 5학년까지 합니다. 그래서 파닉스를 뗀 지 조금 되었어도 마지막으로 다지고 싶다면 교정 교수를 하는 것이 좋아요. 아이가 파닉스를 어느 정도까지 할 수 있는지 확인도 되거든요. 중학생 정도 아이는 파닉스 교정 교수를 하는 데 시간이 오래 안 걸리니 한번 해볼 만합 니다.

다음의 주소로 가면 파닉스 교정 교수를 위한 무료 PDF 읽기 자료를 구할 수 있습니다. 처음에 나오는 사용법 설명은 읽기 쉽지 않은데, 뒤로 가면 연습 PDF가 나오니 그걸 사용하면 됩니다.

돈 포터의 파닉스 교정 교수 읽기 자료 : http://donpotter.net/pdf/remedial_reading_drills.pdf

Q9 파닉스 이후 연결하는 좋은 공부방법이 궁금합니다.

방법들은 너무 많은데, 이 책의 3장부터 보면 알 수 있을 거예요. 그전에 우선 워드 패밀리 드릴을 하면 좋습니다. 아이가 파닉스를 어느 정도 뗐는데 얼마 만큼 하는지 알고 싶은 경우, 또는 파닉스 실력을 다질 때 사용합니다.

이 책의 앞에서 소개한 *Rime Time: Building Word Famillies with Letter Tile*(라임 타임: 글자 타일로 워드 패밀리 만들기, 글 Joan Westley, 그림 Hyru Gau) 같은 쉬운 책으로 문자 인식을 얼마나 할 수 있는지 확인해보는 것이 좋습니다. 반드시 입으로 읽어보며 하는 것이 무척 중요해요. 머리로만 생각하며 쓰면서 푸는 것은 의 미가 없어요.

이보다 조금 어려운 책으로 *Vowel Power: Building Words with Vowel Patterns*(모음의 힘: 모음 패턴으로 단어 만들기, 글 Joan Westley, 그림 Hyru Gau) 같은 책도

좋습니다. 영어는 모음, 특히 이중모음이 어려운데, 아이가 단어 가운데에 있는 모음의 음소를 제대로 구별할 수 있는지를 체크하고 연습할 수 있습니다.

Vowel Power: Building Words with Vowel Patterns, Joan Westley, Horu Gau(ILT), Primary Conception, 2002

학습 방법을 보여주기 위해, 이 책의 학습 패턴 아이디어를 참고해 만든 페이지이다.

영어 읽기 기초가 좀 부족한 중학생의 경우, 이런 책을 소리내어 읽으면서 풀어보면 파닉스에서 빈 구멍을 채울 수 있습니다.

초등학생이라면 아이가 풀면서 한번 읽으면 엄마가 매일 녹음을 하는 것도 좋습니다. 그런 다음 "네가 읽은 거 한번 들어봐"라고 하면, 아이가 자신이 계속 발전하고 있다는 느낌을 받게 되어 동기부여가 됩니다. 이것이 매우 중요합니다.

파닉스를 학습하면서 파닉스 리더스를 읽는 것을 병행하고, 이 단계가 얼추 끝나면 일반 그림책을 읽기 시작하되 운율감이 뛰어난 영어 그림책부터 시작하는 것이 좋습니다. 3~5장에서 상세히 설명했고 영어 그림책들도 추천했으니 참고하세요.

Q10 옥스포드 리딩 트리(ORT)로 강의내용처럼 진행하려면, 아이가 사이트 워드를 얼마나 알아야 할까요?

아이마다 다릅니다. 3장에서 초등 학년별로 사이트 워드를 정리한 리스트를 소개했는데, 이것을 통해 아이가 얼마만큼 아는지 확인하고 그 수준에 맞는 책을 고르면 됩니다. 영어는 수준에 따른 등급화가 매우 잘되어 있고 자료를 쉽게 구할 수 있습니다. 학년별로 자주 쓰이는 구절도 리스트에 있으니 거기에 맞추면 됩니다. 2~3장에서 상세히 설명했습니다.

Q11 초등 1학년이고 파닉스 초급 단계를 하고 있는데요. 아주 가끔씩 영어 그림책을 읽어주는데, 쉬운 책을 읽어주면 너무 재미없다고 해요. 또 제가 책의 영어 단어들을 손가락으로 가리키며 읽으면, 아이가 그렇게 하지 말라고 해요. 지금은 영어를 가르치려는 목표를 접어두고, 아이가 좋아하는 책을 읽어주며 소리를 들려주는 것에 목표를 두어야 할까요?

일단 엄마가 아니라 '아이'가 글자를 손가락으로 짚는 핑거링(fingering)을 해야 합니다. 만약 아이가 듣는 것을 재미있어 하고 말을 잘하는데, 한국어 책도 영어책도 안 좋아하고 읽기 싫어한다면 청각형 학습자일 확률이 커요(학습자 유형에 대해서는 1장 참조). 학습자 유형이 굉장히 큰 차이를 만드는데, 어린아이들일수록 영향이 큽니다.

아이들은 영어 읽기도 학습자 유형에 맞추어 하는 것이 좋아요. 청각형 학습자라면 정보를 수집하는 주된 채널이 듣기이므로, 처음에는 글밥이 많지 않은 책, 그림이 많고 단어 한두 개 정도 있는 것만 하다가 글밥을 조금 조금씩 늘려가되, 먼저 듣기를 충분히 하는 것이 좋습니다.

특히 청각형 학습자들의 경우 학습 채널이 많이 다릅니다. 주로 영상을 보며 영어를 배우는 아이들이 이 유형입니다. 마지막에 한번씩만 정리활동으로 책이나 종이로 유도하는 것이 좋습니다.

 Q12 초등학교 고학년 아이로 영어로 듣기와 말하기는 되는데, 글밥 있는 영어책을 읽는 것을 부담스러워 해요. 오디오를 들으면서 보는 것은 '해리포터' 같은 수준의 영어책도 되는데, 혼자 읽으라고 하면 자신 없어 해요. 어떤 부분을 더 채워주어야 할까요? 고학년 아이인데 엄마랑 함께 읽기 연습이 더 필요할까요?

이 아이는 청각형 학습자입니다. 하지만 이제 초등 고학년이니 자신의 나이 수준에 맞는 영어책을 읽어야 합니다. 영어 듣기와 말하기를 잘하면, 아이에게 소리내어 읽으라고 하고 엄마가 듣는 방법을 권합니다. 아니면 아이에게 소리 내어 읽으라고 하고 녹음을 해도 좋아요. 또는 영어책을 챕터별로 끊어서 읽은 다음, 자기 말로 바꾸어 영어로 리텔링(retelling)을 해도 좋습니다. 영어 '리텔링'은 좀 고급기술이지만 '해리포터' 책 정도를 오디오로 들으면서 보는 수준이면 가능합니다.

Q13 영어책을 읽어줄 때요, 아이가 내용을 다 이해하지 못하더라도 중간 중간 한국말로 풀어주지 말고, 영어로만 계속 읽어줘도 될까요?

일단 아이가 어릴수록 의미를 몰라도 반복 읽기가 가능합니다. 그리고 의미는 그림이나 동작으로 먼저 보여주는 것이 좋아요.

어리면 어릴수록 처음에는 소릿값, 그다음 패턴(문자 기호), 그후에 의미가 따라오는 순서로 배웁니다. 처음에는 아이들이 음성으로 듣고, 그다음 문자를 읽고, 나중에 '아, 이런 뜻이구나' 의미를 깨닫게 됩니다. 어린아이들일수록 반복을 하면서 패턴으로 가는 것이 맞습니다.

그런데 글밥이 많아지는 단계가 되면 양상이 달라집니다. 아이가 영어 단어를 딱 집어서 뜻을 너무 궁금해하면 한국말로 알려주어도 됩니다. 요즘은 무조건 모든 것을 영어로 말하라고 하지는 않아요. 한국말로 뜻을 한번 알려주면 설명이 금방 끝나는데, 단어 뜻을 영어로 설명하느라 돌고 돌아서 인지부담을 더 많이 얹어주는 방법을 택할 이유가 없다고 합니다.

그런데 한국말로 단어의 뜻을 알려주어도 아이가 그 의미를 모르는 경우도 있어요. 그런 영어 단어들은 아이와 함께 찾아보아야 합니다. 이를테면 bass라는 말이 나왔는데, 한국말로 '농어'라는 뜻인데, 아이가 농어가 뭔지 모르면 "농어가 어떻게 생겼을까?" 하며 같이 책이나 인터넷을 찾아보면 좋아요.

또한 영어 그림책에는 한국의 문화 생활권에 없는 단어들이 있을 수 있어요. 원어민 아이들한테는 무척 쉬운 영어 단어인데, 우리나라에서는 접할 수 없어서 뭔지 모르는 단어들이 있거든요. 그런 영어 단어들은 뜻이 무엇인지 알려주고, 때로는 그림으로 보여주거나 같이 찾아보면 됩니다. 영어 그림책을 읽기 전에 이런 단어들은 미리 알려주고 시작하면 좋아요. 아이가 나이가 조금 되면 "우리 같이 영어사전을 찾아볼까?" 하는 식으로 유도해도 좋습니다.

> **Q14** 초등 1학년 남자아이인데 영어책 읽는 것을 좋아하지만, 소리내어 읽기와 반복 읽기를 안 좋아해요. 그래서인지 빨리 잘 읽기는 하는데, 청크로 끊어읽기가 안 되고, 너무 빨리 주루룩 읽어버리고 마는 느낌입니다. 이것을 바로잡아주어야 할까요? 사실 아이가 시각정보보다 청각정보에 더 예민하고 빠른 느낌인데요. 어떻게 이끌어주어야 좋을지 모르겠습니다.

아이에게 영어 지문을 끊어읽기를 표시하면서 읽어보라고 하면 좋습니다. 단순히 영어 지문이나 영어책 읽기가 아니라, 끊어 읽는 부분을 표시하게 하거나 혹은 구절들을 다른 색으로 표시하게 하여 활동과제가 되면, 아이가 집중

할 수 있을 거예요. 아니면 아이가 시적인 운율감이 있는 영어 그림책을 읽을 때 녹음을 하고, 녹음된 목소리를 들려주세요. 영어책 읽기가 하나의 공연(performance)이 된다는 느낌이 있어야 아이가 집중할 것 같습니다.

Q15 영어 그림책과 한글 그림책의 읽기와 독후활동이 다른 점과 유의점이 무엇인가요?

일단 이 책에서 소개한 활동들은 한글 그림책을 읽을 때도 사용하면 됩니다. 그런데 한글 책은 아이들의 읽기 수준을 대체로 가늠할 수 있는데, 영어는 개인차가 아주 커요. 따라서 내 아이의 영어 등급을 정확하게 아는 것이 중요합니다.

이 책의 6장에서 소개한 AR 지수는 아이의 영어 읽기 수준을 가늠할 수 있는 가장 좋은 지수 중 하나이므로, 지역도서관이나 사립학원의 AR 프로그램을 통해 수준을 진단하고 그에 맞는 영어책을 선택하세요.

또한 영어책을 읽을 때는 '읽기 전 활동'이 매우 중요하기 때문에 이 부분을 더 강조하는 것이 좋습니다. 아울러 독후활동의 경우 한글 그림책은 전반적으로 이해했는지 확인하는 데 치중한다면, 영어 그림책의 독후활동은 아이의 수준에 따라 키워드를 표현할 수 있는지, 전반적인 이해를 했는지, 요약을 할 수 있는지 등 다른 독후활동을 하는 것이 좋습니다. 독후활동에 대해서는 7장에 상세히 설명했습니다.

Q16 영어책을 읽어줄 때 엄마가 영어를 잘해야 할까요?

엄마가 영어책의 모든 내용을 영어로 말하려고 하기보다, 영어를 섞어 쓰면서 유도해주는 정도면 됩니다. '엄마도 너와 같이 영어 그림책을 읽고 있다'는 것을 인식시켜주는 게 좋아요. 대신 엄마도 모든 단계를 함께해야 합니다. '엄마가 너보다 더 잘해!'라는 태도보다는, 이렇게 함께한다는 느낌을 주는 것이 훨씬 좋습니다.

유명한 영어 그림책들은 인터넷 등에서 관련 자료를 쉽게 찾을 수 있어요. 유튜브에서 엄마가 미리 그 영어책을 읽어주는 영상을 반복해서 본 다음 아이에게 읽어주면 도움이 될 거예요. 유튜브에서 영어 그림책 제목을 넣고 검색하여 조회수가 높은 것부터 다 들어보고, 그중에서 가장 잘 읽는다 싶은 영상을 고르면 됩니다. 물론 가장 좋은 영상은 그 책을 쓴 작가가 읽어주는 영상입니다.

Q17 아이가 책을 좋아하면 큰 문제가 없을 것 같은데요. 만약에 책을 별로 좋아하지 않는 아이라면 어떻게 해야 할까요?

요즘 유튜브에 보면 드라마나 영화, 애니메이션 영상이 무척 많습니다. 영어 자막까지 있는 것도 있고요. 좋아하는 애니메이션의 스크립트를 보면서 읽게 하면 좋습니다.

영어 애니메이션을 보고, 스크립트를 읽고 다시 보고, 이후 스크립트 없이 영상을 보고, 그 애니메이션을 책으로 만든 버전을 구해서 읽는 방식, 즉 책을 조금씩 들이미는 방식을 취해주세요. 그러다가 애니메이션의 원작인 작품을 읽게 유도해보세요. 영상물 중심으로 영어 읽기에 대한 동기부여를 계속하면서 영어를 손에서 안 놓게 만드는 방법입니다.

또한 애니메이션 영상과 연계되는 주제의 지식 그림책을 골라서 같이 읽어보자고 권하는 방법도 있습니다. 이렇게 영어를 손에서 놓지 않게 끌고가다가, 그래도 아이가 계속 영어책 읽기를 안 좋아한다면 내신영어 중심으로 옮겨가는 방향을 고려해보세요.

Q18 자기 수준에 맞지 않는 어려운 영어 동화를 읽어주는 것을 좋아하는 데요. 상관없이 계속 읽어줘도 될까요?

아이 수준에 어려운 영어 동화라도 좋아한다면 읽어주어도 괜찮습니다. 다만, 아이가 모든 내용을 이해했다고 생각하지 말고, 키워드와 중요한 개념만 딱딱 영어로 뽑아서 요만큼만 이해하면 된다고 확인해주면 됩니다. 아이가 좋아하는 것이 가장 중요하니까요.

Q19 영어 수준이 서로 다른 아이들이 모둠으로 같은 주제의 다른 책들을 읽고 독후활동을 한다면, 어떤 독후활동이 유용할까요?

모둠으로 나누고 역할을 난이도별로 주면 됩니다. 영어를 잘하는 아이와 못하는 아이가 협력하되, 각자의 능력별로 참여할 수 있는 장치를 만드는 것이죠. 예를 들어 모둠에서 영어를 가장 잘하는 아이는 영어로 보고서를 쓰고, 누군가는 자료조사를 하고, 누군가는 그림을 그리고, 누군가는 발표를 하는 식으로 역할을 나누어 각자의 능력에 맞게 참여할 수 있게 해줍니다.

이때 자기들끼리 이야기를 하면서 또 학습이 일어납니다. 그냥 모둠활동을 하라고 하면, 어떤 이야기를 어떻게 해야 되는지 모르기 때문에 독후활동이 산으로 갈 수 있어요. 반드시 활동지를 주세요. 오늘은 어떤 활동을 해야 한다고 하면서 그래픽 오거나이저를 몇 개 주고, 모둠별로 이야기를 하며 채워보라고 하면 독후활동이 산으로 안 가고 일정한 결과물을 만들 수 있습니다.